MAVİ DUYGULAR

Alper Akseli

Hava Pilot Korgeneral (E.) Alper Akseli.

Türk Hava Kuvvetleri'nin birçok birliklerinde, Savaş Pilotu ve Öğretmen Pilot olarak görev yaptı. Daha sonra Hava Harp Akademisi'ndeki kurmaylık eğitimini bitirerek Kurmay Subay oldu.

Binbaşı rütbesinde, Hava Harp Okulu'nda ve Konya'daki hem savaş hem de eğitim üssü olan 3. Ana Jet Üssü'nde Filo Komutanlığı görevlerinde bulundu.

Bunların yanı sıra Amerika Birleşik Devletleri'nde Hava Komuta ve Kurmay Akademisi'ni, İtalya'da da NATO Savunma Akademisi'ni bitirdi.

Tuğgeneralliğinde, Eskişehir'deki 1. Ana Jet Üssü'nde, Üs Komutanı; Tümgeneralliğinde, Diyarbakır'daki 2. Hava Kuvveti'nde Komutan Yardımcısı; Korgeneralliğinde, Genelkurmay Başkanlığı'nda Askeri Tarih ve Stratejik Etütler Başkanı; İzmir'deki NATO Güneydoğu Hava Kuvvetleri Komutanlığı'nda ve yine İzmir'deki Hava Eğitim Komutanlığı'nda Komutan olarak görev yaptı.

Türkiye'deki görevlerine ilave olarak, Napoli / İtalya'da NATO Güney Bölgesi Hava Kuvvetleri Komutanlık Karargâhı'nda Harekât Başkanlığı görevinde bulundu.

Kitapları:
2 G Gizemli Güç (Profil, 2007)
Aşkın Karesi (Profil, 2007)

MAVİ DUYGULAR

Alper Akseli

PROFİL

© Alper Akseli, 2008

© PROFİL YAYINCILIK

Yazarı / Alper Akseli

Kitabın Adı / Mavi Duygular

Genel Koordinatör / Münir Üstün

Genel Yayın Yönetmeni / Cem Küçük

Editör / Elif Avcı

Kapak Tasarım / Yunus Karaaslan

İç Tasarım / Adem Şenel

Baskı-Cilt / Kitap Matbaası
Davutpaşa Cad. No: 123 Kat: 1
Topkapı -İstanbul Tel: 0 212 482 99 10

1. BASKI KASIM 2008

978-975-996-181-7

Kültür Bakanlığı Yayıncılık Sertifika No:
1206-34-004350

PROFİL: 126
EDEBİYAT: 22

PROFİL YAYINCILIK
Çatalçeşme Sk. No: 52 Meriçli Apt. K.3
Cağaloğlu - İSTANBUL
www.profilkitap.com / bilgi@profilkitap.com
Tel. 0212. 514 45 11 Faks. 0212. 514 45 12

Profil Yayıncılık Maviağaç Kültür Sanat Yayıncılık Tic.Ltd.Şti markasıdır.

Sezo'ma...

Bu eser yazarın 2007'de yayınlanan Aşkın Karesi'nin II. kitabıdır.

BİRİNCİ BÖLÜM

SIKINTILI GÜNLER

KISKANÇLIK

"Sezen!.. Şu adamın yaptığına bakar mısın?"

"Hangi adamın?"

"Ebru'nun yanındaki adamın," dedi Bora. "Sözde onunla evlenecek olan."

"Biraz önce tanıştığın Ahmet Bey'den mi söz ediyorsun?"

Bora kızgın bir ses tonuyla yanıtladı Sezen'i:

"Evet!... Ondan bahsediyorum."

"İyi de! Ben Ahmet Bey'in anormal bir şey yaptığını görmüyorum ki... Aslında, ne söylemek istediğini de anlamış değilim."

"Baksana onun elini tutmaya çalışıyor."

"Dikkat etmedim. Ama tutmasında ne anormallik var ki?"

"Sezen!.. Sen beni deli mi etmek istiyorsun?"

"Yooo."

"O zaman!.. Neden böyle konuşuyorsun?"

"Nasıl konuşuyorum, hem onlar sözlü değiller mi?"

Ebru'nun elini çekmesine karşın Ahmet'in ısrarlı davranışı, sürekli onları izleyen Bora'nın tepesini attırmıştı. "Gidip şu adama haddini bildireyim," diye aklından geçirdi. Bora'nın yüz hatlarının birdenbire gerildiğini gören Sezen, onun bir delilik yapacağını anladı. Hemen kolunu sımsıkı tutarak, onu kendine doğru çekti ve yüzlerce kişinin bulunduğu tören alanında yanlış bir davranışta bulunmasına engel oldu. Sezen'in bu davranışına çok kızan Bora, ona tehditkar bir şekilde bakarak,

"Sezen!.." dedi. "Bırakır mısın kolumu!"

"Hayır Bora bırakmayacağım. Böyle güzide kişilerin bulunduğu bir yerde, hoş karşılanmayacak bir davranışta bulunmanı istemiyorum."

"Ama görmüyor musun? Adam, Ebru'nun istememesine karşın, elini tutmakta ısrar ediyor."

"Haklısın da!.. Ne yer ne de zaman, yapmayı düşündüğün şey için uygun değil. Hem biraz önce de söylediğim gibi Ebru, Ahmet Bey'in sözlüsü."

Bora, Sezen'in 'sözlüsü' deyip durmasına çok sinirlenmişti. Onun yüzüne dik dik bakarak,

"Sözlüsü ha!.." dedi. "Ama o beni seviyor."

"Öyle de... Ahmet Bey'in, Ebru'yla senin arandaki duygusal ilişkiyi bildiğini sanmıyorum."

"Bilmemesi için aptal olması gerekir."

"Bora!.. Daha yirmi gün öncesine kadar Ebru bile ona karşı olan duygularını tam olarak bilmiyordu. Adamcağız nereden bilsin?"

"Sezen haklı," diyerek, Sezen'in sözlüsü Kaan da konuşmaya katıldı. "Ebru, sana olan duygularını anlatmak için İzmir'e geldiğinde, beni ona gönderip, onu kardeş gibi sevdiğini söylememi istemedin mi benden?"

"Evet öyle yaptım. Ama daha sonraki telefon görüşmelerimizde, duygularımı ona açıkça anlattım."

Kaan, bakışlarıyla Bora'ya yanlış düşündüğünü anlatmaya çalışarak,

"Yani sen 'seni seviyorum' dediğinde, Ebru her şeyi bir tarafa bırakıp sana mı koşacaktı, böyle mi düşünüyorsun?" diye sordu. "Sakın Ebru'yu, Ceylan karakterinde bir bayan olarak görme."

"İyi de!.. Biz birbirimizi severken, meydanı Ahmet'e mi bırakayım?"

"Hayır... Ancak her şeyin bir usulü, adabı vardır. Sorunu, bu söylediğimi göz ardı etmeden çözmeye çalış."

"Haklısın Kaan abi... Ama bu adama karşı içimde ufak da olsa olumlu bir düşünce yok."

Sezen gülümseyerek Bora'ya bakıp, şöyle söyledi:

"Bu çok doğal. Çünkü Ebru, yavaş yavaş senin elinden kayıp, Ahmet'e gidiyor."

"Sezen!.. Bu söylediğinin gerçekle hiç ilgisi yok. O adam, kötü birisi olarak aklımda kalmış. Ama niçin öyle kaldığını bir türlü çıkartamıyorum."

Bora her ne kadar Kaan'a hak verse de Ahmet'in Ebru'ya karşı davranışları, onu oldukça olumsuz etkilemişti. Hele Ebru'nun bakışlarıyla, 'ben istemiyorum; ama o zorluyor' deyişi, Bora'yı çıldırtmaya yetmişti.

Bora, bir anda Hava Kuvvetleri Komutanı'nın, İzmir Valisi'nin, üst düzey generallerin, İzmir 'A Protokolü'nün' hazır bulunduğu Bröve Töreni'nde olduklarını göz ardı etmiş; biraz önce Pilotluk Eğitimi'ni birinci bitiren teğmen olarak yaptığı konuşma sonunda töreni izlemeye gelenlerce coşkuyla alkışlandığını da unutmuş ve Ahmet'le dövüşmeye niyetlenmişti. Ancak Kaan ve Sezen sağduyulu hareket ederek onu engellemişler ve hoş olmayan bir olayın yaşanmasını önlemişlerdi.

Bora'nın Ebru ve Ahmet'in bulundukları tarafa doğru dik dik bakması, Ahmet'i oldukça tedirgin etmişti. Fakat Sezen'in Bora'yı kolundan tutarak, bir çılgınlık yapmasını önlemesi, onu rahatlattı. Ama Ahmet, Bora'nın sergilediği bu davranışın şimdilik önlenebildiğinin farkına vardı. "Bu delikanlıyla epeyce uğraşacağım galiba," diye içinden geçirirken, "kaç yıldır beklediğim fırsat elime geçmişken, onu kaçırmaya hiç niyetim yok," diye de mırıldandı. Sonra bir Bora'ya bir Ebru'ya baktı, "Bora Ebru'yu biraz zor bırakacağa benziyor," diye aklından geçirdi. Sonra da, "ama ben de legal, illegal her türlü olasılığı kullanarak, Bora'yı saf dışı bırakacağım ve sonunda Ebru benim olacak," diye düşündü.

Bora'nın bir çılgınlık yapabileceğini hisseden Ebru da son derece tedirgindi. Hele Ahmet'in, Bora'nın sergilediği görüntüden sonra düşüncelere dalıp gittiğini görünce, "kötü bir şeyler olacak sanırım," diye düşündü ve ne yapacağını bilemedi. Sonra zoraki bir gülümsemeyle Ahmet'e bakarak, konuşmaya başladı:

"Ahmet abi daldın gittin, ne oldu?"

"Bir şey yok Ebru'cuğum. Üniversitede çözmemiz gereken bir problem var da aklıma o geldi."

"Ben de canın bir şeye sıkıldı sandım."

"Bak sana ne diyeceğim; artık bana Ahmet abi demekten vazgeçsen nasıl olur?"

"Senelerin alışkanlığı, kolayca değişmiyor ki."

Çiğli'den eve gelinceye kadar öfkesi gittikçe artan Bora, eve gelir gelmez telefonla Ebru'yu aradı. Telefonda konuşurken, Ebru'nun ses tonundan oldukça üzüntülü olduğunu anlayan Bora,

"Ebru! Sesinde hüzün var. Biz ayrıldıktan sonra hoş olmayan bir şey mi oldu?" diye sordu.

"Olan siz ayrıldıktan sonra değil, siz oradayken oldu. Farkında değil misin?"

"Hayır!.. Gözümden kaçtı sanırım. Yoksa o herif sana bir şey mi yaptı?"

"Hiçbir şey yapmadı ve yapmaz da. O herif diyerek küçültmeye çalıştığın kişi, çok kibar bir insandır. Bayanların yanında kaba davranışlarda bulunmaz. Bugüne dek ağzından, 'herif' gibi çirkin bir kelimenin çıktığını hiç duymadım. Sense ondan söz ederken, en çirkin kelimeleri kullanmakta bayağı ustasın."

"Özür dilerim!.. Ama ben bu kelimeyi orada onun yüzüne söylemedim ki."

"Evet haklısın, onun yüzüne söylemedin; ama arkasından söyledin. Aslında bu daha kötü. Ama asıl kötü olan orada yaptıkların."

"Ne yaptım ki ben?"

"Daha ne yapacaksın... Kendini de, beni de küçük düşürdün."

"Ne yaptım da küçük düşürdüm?"

"Sezen engel olmasaydı, herkesin gözü önünde Ahmet'in üzerine yürüyecektin. Orada bulunanların hepsi ne yapmak istediğini anladı. Özellikle babamla annem çok ayıpladı. Bana da şu adamın nesini beğeniyorsun diye serzenişte bulundular."

"Yaa!... Demek herkes anladı."

"Tabi ya... Onların yanında ne kadar kötü bir duruma düştüm. Düşünebiliyor musun?"

"Çok üzüldüm!.. Ama o adam senin elini tutunca kendime hakim olamadım."

"Onun davranışı hoşuna gitmediyse; bunu daha nazik bir yolla belirtebilirdin."

"Haklısın... Ama ne yaptıysam, seni çok sevdiğim için yaptım, seni kıskandığım için yaptım," diyen Bora, sıkıntıdan başını kaşırken, "üzülme her şeyi düzelteceğim," dedi.

"Nasıl düzelteceksin?"

"Onunla konuşacağım."

"Ne konuşacaksın ki?"

"Seninle benim aramdaki güçlü sevgiden söz edip, aramızdan çekilmesini isteyeceğim."

"İyi de, Ahmet senin söylediklerine olumsuz bir tepki gösterirse ne yapacaksın?"

"Zor kullanacağım."

"Hâlâ kaba davranıştan yanasın."

"Bak Ebru, bu adam doğru bir insana benzemiyor. Onu bir yerden kötü tanıyorum; ama nereden olduğunu bir türlü çıkaramadım."

"Nasıl söylersin bunu!.. O hem çok kibar hem de çok iyi bir insan."

"Sana öyle geliyor. Seninle benim aramdaki duygusal bağı bildiğine de yüzde yüz eminim."

"Bilse bile, bu onun kötü birisi olduğu anlamına gelmez."

"Gelir. Hem de kesin gelir. Çünkü birbirini seven iki kişinin -bu sevgiyi bile bile- arasına girip..."

"Şu söylediklerin sana yakışmıyor."

"Ebru!.. Senin büyük bir karamsarlık içinde olduğun en zayıf anında, bu durumdan istifade eden bir kişi, hiç de iyi bir insan değildir."

"Söylediklerin doğru değil. Ben Ahmet'i çok iyi tanıyorum."

"Olabilir, inanmayabilirsin ama söylediklerimin doğru olduğunu sana kanıtlayacağım."

"Pekâlâ... Kanıtla bakalım."

"Yalnız bana gerçeği söyle. Sen bu adamı seviyor musun?"

"O çok özverili bir insan."

"Sanırım onu sevmiyorsun."

"Bilmiyorum!.."

"Peki bana karşı olan duygularında değişiklik var mı?"

Ebru bu soruya yanıt vermek istemedi. Ama şu kelimelerin de ağzından dökülmesine engel olamadı:

"Olmadığını anlatamadım mı?"

"Anlattın. Ama ben..."

"İşleri bu duruma getiren sensin. Şimdi de Ahmet'i kötüleyerek, beni ondan uzaklaştırmaya çalışıyorsun."

"Ne yapmamı bekliyorsun? Biz birbirimizi severken, senin de benim de mutsuz olacağımız bir duruma göz mü yumayım?"

"Hayır... Ama şu gerçeği de unutma, ben Ahmet'le sözlüyüm," dedi Ebru. "Ben ona, sonuna kadar birlikte olacağız diye söz verdim. Şimdi ona, Bora beni seviyormuş, bunun için seninle evlenmekten vazgeçtim mi diyeyim? Böyle bir davranış ahlaki değerlere sığar mı?"

"Ebru'cuğum!.. Bir insan, gönlü başkasında olan birisiyle nasıl evlenebilir? Hele bu kişiler birbirini çok seviyorsa. Bu onlara yapılabilecek en büyük kötülüktür. Eğer o kişi bunu içine sindirebiliyorsa, mutlaka arkasında başka bir şey var demektir. Hem gönülden olmayan bir bağlılık nasıl bir bağlılıktır?.. Ben böyle bir kişinin iyi niyetli olduğuna inanmam."

"Bora! Sen neler söylüyorsun?"

"Söylediklerimin hepsi doğru. Göreceksin bak. Onunla konuştuktan sonra kafasının arkasında neler varsa hepsini ortaya çıkaracağım."

"Onunla nasıl konuşacaksın? Senin isteğini kabul edecek mi bakalım?"

"Doğru söylüyorsun, karşılıklı konuşalım dersem kabul etmeyebilir."

"Eee... ne yapacaksın?"

"Sen yardım edersen benimle görüşebilir," dedi Bora. "Ahmet'le görüş. Yarın öğle yemeğinde Kordon'da -her zaman gittiğimiz restoranda- buluşalım. Onunla her şeyi açıkça konuşacağım. Özellikle seninle aramızdaki duygusallığı anlatacağım."

"Ya buluşmayı istemezse!.."

"İsteyeceğinden eminim. Tören sonrasında, 'sizi daha iyi tanımak isterim,' demişti bana."

"Peki konuşayım. Ancak nasıl tepki verir bilmiyorum."

"Endişelenme, olumlu karşılayacağından eminim."

Telefon görüşmesinden sonra balkona çıkan Bora, dalgın dalgın körfeze bakarken, Sezen yanına gelip ona sarıldı. Bora da gözyaşlarıyla ıslanmış olan yüzünü onun omzuna yasladı. Bir süre öylece kaldılar. Sezen, Bora'nın yüreğinde kopan fırtınayı çok iyi anlıyordu. Olayların bu noktaya gelmesini hazırlayan davranışları, istemeyerek de olsa onun başlattığını da biliyordu. Bütün bunlara karşın yine de ona yardım etme isteği vardı içinde. Ama Bora kimseyi dinlemiyor, kendi başına işin üstesinden gelmeye çalışıyordu. Sessizliği bozan Sezen,

"Bora, şu kızın peşini bırak. Hem sen rahat et hem de onlar rahat etsin," dedi.

"Sezen!.. Ebru'nun yüzüne hiç bakmadın mı? Ne kadar mutsuzdu."

"Biliyorum ama zamanla Ahmet'i sever."

"Beni unutamayacağını adım gibi biliyorum. Haydi unuttuğunu düşünelim; ben ne olacağım?"

"Daha önce de onun yokluğuna alışmamış mıydın?"

"Aşkolsun Sezen... O durumla bugünkü durum aynı mı? O zaman ikinci bir erkek yoktu. Şimdiyse evlenip o adamın koynuna girecek. Buna dayanamam. Bu evliliğe mutlaka engel olacağım."

"Seni sıkıntı içinde görmek, beni çok üzüyor. Sana nasıl yardım edebilirim diye düşünüyorum; fakat bir yol bulamıyorum."

"Sen üzülme, ben bu problemi kısa sürede çözeceğim."

"Üzülmemek elimde değil. Annem sana bir şey söylemiyor; ama o da çok üzülüyor."

"Biliyorum!.. Göreceksin, bir - iki gün içinde her şey yoluna girecek."

Ebru, Bora'nın Ahmet hakkında söylediklerini, defalarca düşündü ve irdeledi. Neticede Ahmet'in, Bora'nın anlatmak istediği gibi bir kimse olmadığına karar verdi. Bu sonuca ulaşmasına karşın kendi kendine, "Bora'yı çok hem de çok seviyorum, keşke Ahmet onun söylediği gibi birisi olsa da hemen ona sırt çevirip Bora'ya dönsem," diye mırıldandı. Bu düşüncenin etkisiyle, bir süre sonra içine bir kurt düştü. "Acaba Bora'nın Ahmet hakkında söyledikleri doğru mu?" diye kendi kendine sordu. Ama yanıt veremedi.

Sorunun cevabını, Bora ile Ahmet'in yüz yüze konuşmalarından sonra bulabileceğini düşünerek, zaman yitirmeden Ahmet'e telefon etti. Nezaket cümleleriyle başlayan konuşmanın sonunda ona,

"Ahmet abi, Çiğli'deki bröve töreninden sonra seni tanıştırdığım Teğmen Bora var ya; hatırladın mı onu?"

"Evet hatırladım."

"Biraz önce beni telefonla aradı. Sen tanışmanız sırasında ona, 'seni daha iyi tanımak isterim,' demiştin, onun için aramış. Belki hemen İzmir'den ayrılırsın düşüncesiyle, 'yarın öğle yemeğinde birlikte olabilir miyiz?' diye sordu."

"Tabii çok iyi olur. Ben de Bora'ya nasıl ulaşsam da birlikte yemek yesek diye düşünüyordum."

"O zaman, senin yarın öğle yemeğine davet ettiğini söyleyeyim mi?"

"Lütfen."

Aslında Ahmet bu yemek işine çok sevinmişti. "Ebru'yla Bora arasındaki duygusallığı yıpratabilmem için elime güzel bir fırsat geçti," diye mırıldandı. "Sanırım Bora'nın, son günlerde yaşadığı olayların etkisiyle, sinirleri oldukça gergin. Hırçın ve sert davranışlarından bu belli oluyor. Bildiğim kadarıyla da

Ebru kaba davranışlı erkeklerden hiç hoşlanmaz." diye aklından geçirdi. "Yemekte, önce Bora'yı kışkırtıp, sonra da masum ve mağdur rolü oynarsam; kışkırtmamın sonucunda o, kaba ve sert davranmaya başlar, bense alttan alıp, onu iğneleyici sözler söylemeyi sürdürürüm. Bu tutumum onu büsbütün deli eder ve kontrolsüz bir şekilde, bana hoş olmayan kelimeler sarf etmeye başlar. Tabii ki Ebru, onun bu davranışından oldukça etkilenir ve onun sandığından daha kaba bir insan olduğunu düşünür. Daha sonraki görüşmelerimizde de bu taktiğimi devam ettiririm. Sonunda Ebru, onu sevse bile bana döner ve benim eşim olur. Ben de babasının tam desteğini alarak, geleceğimle ilgili planlarımı gerçekleştirebilirim," diye düşündü.

BALIK LOKANTASI

Ahmet, Ebru ve Bora Kordonboyu'ndaki bir balık lokantasında, öğle yemeği için buluştular. Masada Bora Ahmet'le Ebru'nun karşısına oturdu.

Masa özenle donatılmıştı. Balıkların görüntüsü nefisti. Yemeklerle hiç ilgilenmeyen Bora, gözlerini Ahmet'e dikmiş, sabit bir bakışla onu süzüyordu. Bora'nın, kendisine kötü kötü bakmasına karşın ona gülümseyerek bakan Ahmet,

"Ne o delikanlı, bana neden kızgınsın?" diye sordu.

Böyle bir soruyla karşılaşacağını hiç ummayan Bora, ne yanıt vereceğini şaşırıp, mırıldandı:

"Hiç de kızgın değilim. Size öyle geliyor."

"Öyleyse mesele nedir?" diye sordu Ahmet. "Bana karşı olumsuz duyguların var gibi."

"Evet var!.."

"İyi de ben sana ne yaptım ki?"

"Daha ne yapacaksın, birbirini seven iki kişinin arasına giriyorsun."

"Kimmiş o birbirini seven iki kişi?"

"Ebru ile ben."

Böyle bir cevabı beklemeyen Ahmet'in öfkesi kabarmaya başladı. Çünkü Bora'nın sözleri onun en hassas noktasına dokunmuştu. Sesini bir parça yükselterek konuşmaya başladı.

"Ebru seni sevse neden benimle evlenmek istesin ki?"

"Çünkü Ebru'nun hassas olduğu bir dönemde, sen onun duygularını sömürerek, evlenmeye zorladın."

Bora'nın söylediği sözler Ebru'yu çok üzmüştü. Ona kırgın ve biraz da kızgın olarak baktı.

"Bora!.. Sen ne biçim konuşuyorsun öyle? Ahmet abi kimsenin arasına girmedi ve benim de duygularımı sömürmedi," dedi.

Ebru'nun tepkisi Ahmet için olumlu bir gelişmeydi; ancak Bora'nın kendisini küçük düşürücü sözleri onun öfkesini daha da kabarttı. Öfkelenmenin, planını gerçekleştirmede zararlı olacağını bildiği için kendi kendine bir kaç kez, "sakin ol, bir çuval inciri berbat etme," diye telkinde bulundu. Ama Bora'nın Ahmet'in yüzüne bakarak alaylı bir şekilde gülümsemesi, bardağı taşıran son damla oldu ve birden kontrolünü kaybedip, yumruğunu hızla masaya vurdu. Sonra da sesini yükselterek,

"Delikanlı!.. Ağzından çıkan sözü kulağın duysun. Ben, o tanımını yapmaya çalıştığın basit insanlardan değilim," dedi.

Havanın bir anda gerginleştiğini gören Ebru tansiyonu düşürebilmek için Bora'ya bakarak,

"Seninle benim aramda karşılıklı sevgi•ne zaman oluştu ki?" diye sordu.

"Affedersin Ebru, ben aramızda bir duygusallığın olduğunu düşünüyordum."

"Şey... Yok demiyorum da. Sadece Ahmet abinin aramıza girmediğini anlatmak istiyorum."

"Yani..."

"Sen, bana karşı bir şeyler duyduğunu, ben Ahmet abiyle evlenmeye karar verene dek hiçbir şekilde belli etmedin. Üstelik sana duygusallıkla yaklaştığımda, benden hep kaçtın. Dahası beni kardeşlikten öteye görmediğini her davranışınla, zaman zaman da kelimelerle anlattın."

"Haklısın, o zamanlar yanlış yapmışım. Şimdi, sen de gerçek duygularımı biliyorsun."

"Evet biliyorum da..."

"Neyi anlatmaya çalışıyorsun? Bana karşı olan duyguların değişti mi artık?"

"Şey..."

Ahmet, konuşmaların istemediği bir yöne girmesinden hiç hoşlanmamış ve Bora'nın kendisine karşı sarf ettiği küçültücü sözleri duyunca da canı çok sıkılmıştı. Böyle bir ruh durumundayken, kendisini daha fazla kontrol edemedi ve Bora'ya öfkeyle bakarak, sertçe söylendi:

"Delikanlı, Ebru Hanım'ı rahat bırakır mısın! Sana benimle evlenmeye karar verdiğini ve bu kararı uygulayacağını anlatmaya çalışıyor. Neden anlamak istemiyorsun?"

"Ahmet Bey, Ebru sizi sevmiyor. Sizi başarılarınızdan dolayı yalnızca takdir ediyor. Hem yaş durumunuza baksanıza, olacak şey mi bu? Onun bunalımda olduğu bir durumdan yararlanıp gönlünü çalmaya çalışıyorsunuz. Ancak onun yüreğinin duygusallık bölümüne girememişsiniz bile."

"Sen ne diyorsun kardeşim! Nereden biliyorsun ki bunları, rüyanda mı gördün?"

"Bora!.. Neler saçmalıyorsun sen? Bu konu üzerinde daha fazla konuşmanı istemiyorum," dedi Ebru.

"Ebru, senin gönlünün kimde olduğunu çok iyi biliyorum. Seni kesinlikle bu herife bırakmayacağım, bunu iyi bil, o da iyi bilsin."

"Delikanlı, terbiye sınırlarını aşma, senin için iyi olmaz."

"Ne olurmuş yani? Ebru'nun arkasına saklanıp, atıp tutması kolay değil mi? Kozumuzu teke tek paylaşalım."

"Nerede, ne zaman istersen. Yalnız bilmeni isterim ki, karatede siyah kuşak seviyesindeyim."

"Bana bak!.. Bu karate masallarıyla beni korkutacağını sanıyorsan, aldanırsın," diyerek, cebinden bir kartvizit çıkartan

Bora, onu Ahmet'in önüne atarak, "Yeri belirle, bana telefonla bildir. Eğer bunu yapmazsan; her şeyi göz ardı edip, uluorta yaparım bu işi," dedi.

Ardından masadan kalkan Bora, 'ne olur beni bağışla,' der gibi Ebru'ya bakarak, hızla uzaklaşıp gitti. Bora'nın arkasından ikisi de donup kaldılar. Bir süre konuşmadan birbirlerine baktılar. Ahmet, 'ne düşündüm ne oldu,' diye aklından geçirirken; Ebru'nun duygusallığını kullanmaya karar verdi. Sessizliği bozarak, alçak bir ses tonuyla konuşmaya başladı:

"Ebru'cuğum, senin yanında, böyle hoş olmayan bir davranışta bulunmak zorunda kaldığım için beni bağışla."

"Ama Ahmet abi konuşmanın hoş olmayan bir şekle girmesini sen başlattın."

"Onun bana söylediği sözler yenir yutulur gibi miydi?"

"Ne yapsaydı yani? Suratına vurur gibi masayı yumrukladın, o da karşılığını verdi."

Ebru'nun göz pınarlarında oluşan iki damla gözyaşı, yanaklarından aşağıya doğru kaydı. "Ah Bora ah!.. İşi daha büyük çıkmaza soktun..." diye içinden geçirdi.

Ahmet deli olmuştu. 'Tam evleneceğimiz sırada bu Bora denilen delikanlı, neden tekrar sahneye çıktı,' diye düşündü. Ebru'ya uzun uzun baktı. Bakışlarıyla, 'seni o delikanlıya bırakmayacağım' diyordu. Yine sessizce birbirlerini süzdüler. Düşünceler, ikisinin de aklından peş peşe şimşek hızıyla geçiyordu. Sessizliği Ebru bozdu:

"Ahmet abi, sen tekvandoda siyah kuşak seviyesindeyim dedin; ama Bora'nın da o sahada bir sürü birincilikleri var."

"Biliyorum Ebru. İlgi saham olduğu için başarılı olan tüm tekvandocuları tanırım."

"İyi de... Sana bir şey olursa, çok üzülürüm."

"Neden bana bir şey olsun ki?"

"Bilmem!.."

"Bora'ya bir şey olursa üzülmez misin?"

"Ona bir şey olmaz ki."

"Öyle mi sanıyorsun?"

"Ya Ahmet abi, şu dövüşü yapmasanız."

"Ne yani... Korkup da kaçmış duruma mı düşeyim?"

"Hayır, öyle bir duruma düşmeni istemem. Ama yapmak istediğiniz de çok ilkel ve saçma bir şey."

"Bunu neden bana söylüyorsun da Bora'ya söylemiyorsun?"

"Ne bileyim, sen daha büyüksün, daha olgunsun. Onu, bu işin saçma olduğuna ikna edebilirsin."

"Ebru görmedin mi? Kartvaziti suratıma atıp gitti. Giderken de eğer onunla dövüşmezsem; bu işi uluorta yapacağını haykırdı."

"Haklısın da hangi çağda yaşıyoruz? Sen ki, üniversitede öğretim üyesisin, üstelik de doçentsin. Bu tür davranışına herkes ne der?"

"Ne yapabilirim Ebru?.. Bu tür davranışların ilkellik olduğunun bilincindeyim; ama..."

"Aması ne Ahmet abi, ilkellik olduğunu biliyorsun da içgüdülerine mi söz geçiremiyorsun?"

"Konu o kadar basit değil Ebru."

"Peki, basit değilse, karmaşık olan tarafı nedir?"

"Ebru!.. Neden anlamak istemiyorsun, konu sensin. Sen o delikanlıya, ben Ahmet'i seviyorum, onunla evlenmek istiyorum desen sorun anında çözülür."

Bu sözler üzerine Ebru, Ahmet'in ne demek istediğini anlamış ve tüm yanlışın kendisinden kaynaklandığını fark etmişti. Çünkü Ahmet'le evlenmeye karar verdikten sonra Bora'ya, onu unutamadığını ve Ahmet'in evlilikten vazgeçmesi durumunda ona dönebileceğini ima etmişti. Ahmet'eyse Bora'yı sevdiğinden, onu unutmasının olanaksız olduğundan söz etmemiş ve ona karşı çok da dürüst olmayan bir davranış sergilemişti. "Artık Ahmet abiye her şeyi söylemenin zamanı geldi," diye düşündü.

"Ahmet abi, izin verirsen, sana bazı gerçeklerden söz etmek istiyorum."

"Tabii Ebru, seni dinliyorum."

"Bugüne dek sana, Bora'dan çok söz ettim. Ancak ona karşı olan duygularıma hiç değinmedim. Bunları anlatmanın benim için ne denli zor olduğunu bilemezsin. İnan bana! Sana vermiş olduğum söze, sonuna dek sadık kalacağım. Ama yüreğime söz geçiremiyorum. Seni çok takdir ediyorum; fakat duygularım Bora'ya yönelik, onları sana doğru döndüremiyorum."

"Yani... Bora'yı seviyorsun değil mi?"

Ahmet'in yüzüne bakamayan Ebru, bakışlarını yere indirdi, ne yapacağını bilemez durumdaydı. Göz pınarlarında oluşan yaşlar sicim gibi yanaklarından aşağıya inmeye başlamıştı. O sırada Ahmet, Ebru'nun başını, sağ eliyle çenesinden tutup yavaşça yukarıya doğru kaldırdı. Şeytani bir ifadeyle ona bakarak, "Ebru'yu etkilemenin tam sırası," diye düşündü.

"Ebru'cuğum ağlama, o güzel gözyaşlarına yazık. Bora'nın söylediklerinin pek çoğu doğru sanırım. Her şeyden önce, siz birbirinizi seviyorsunuz. Bu çok önemli. Sen Bora'yı severken, ben seninle nasıl evlenebilirim? Bedenin benimle, ruhun bir başkasıyla olacak. Bu benim ölçülerime göre olmaması gereken bir durum," dedi.

"Ahmet abi!.."

"Bu şartlarda, benim aranızdan çekilmem gerekli."

"Hemen öyle söyleme!.."

"Neden bu yaşıma kadar evlenmedim sanıyorsun? Bir zamanlar, çok güzel bir kız vardı. Onunla ben, birbirimizi çok seviyorduk ve evlenmeye karar vermiştik. Ama o töre denilen mantık dışı örfler var ya, birbirimize kavuşmamızın önüne geçti. Sevdiğim kızı, beşik kertmesi yaptıkları birisine verdiler. İkimiz de perişan olduk. O fazla dayanamayıp hastalandı. Kısa süre sonra da dünyadan göçtü gitti. Bense onu hiç unutamadım ve evlenmedim. Sonra seni tanıdım. O zamanlar küçücüktün; ama ona inanılmayacak kadar çok benziyordun. Büyüdün genç kız oldun. Gün geçtikçe ona daha çok benzedin. Zamanla yüreğimde, sana karşı bir şeyler kıpırdamaya başladı. Daha sonra seninle evlenirsem, onunla evlenmiş gibi olurum diye düşündüm ve seninle evlenmeye karar verdim. Ancak bugün anladım ki tek başına karar vermek, evlilik için yeterli olmuyor."

"Ahmet abi, ben sana evlenme konusunda vermiş olduğum söze sadığım. Sen evlenmemizi istediğin sürece senden başkasıyla evlenmeyeceğim. Ancak Bora'ya olan duygularımın küllenip küllenmeyeceğini bilemiyorum. Bu nedenle onu unutup unutamayacağım hakkında da kesin bir söz söyleyemiyorum."

Bu sözleri işitince Ahmet, "anlattığım hikaye iyi etki yaptı," diye aklından geçirdi. "Ancak duygularını biraz daha etkilemem lazım."

"Biliyorum; ama duygularının ileride bana doğru yöneleceğinden de eminim. Fakat senin mutluluğun için ikinci kez bağrıma taş basacağım. İstediğin anda sözü bozabilirsin."

"Yani..."

"İstersen beni bir kalemde silip atabilirsin. Size kesinlikle problem olmam."

"Ciddi misin Ahmet abi?"

"Evet çok ciddiyim."

"O zaman Bora'yla yapacağınız düelloya da gerek kalmadı değil mi?"

"Düelloyla ilgili kararım değişmedi. Ben birbirinize karşı olan sevginize duyduğum saygıdan dolayı böyle söyledim. Yoksa Bora'dan korktuğum için değil. Onunla dövüşeceğim. Aslında onun iyi bir derse ihtiyacı var."

"Ama Ahmet abi!.."

"Aması maması yok. Şunu da unutma: yapacağımız düellodan önce Bora, sana şimdi söylediklerimi duyarsa çok üzülürüm. Onun korktuğumu düşünmesini istemem."

"Anladım..."

"İstersen, biz de kalkalım. Yarın öğleden sonra problem, kökünden çözülecek. Bu gece rahat uyu, yarın sizler için mutlulukla dolu günlerin başlangıcı olacak."

"Şey..."

Bu sözler üzerine Ebru, 'ne denli iyi bir insan, onu bu şekilde yüzüstü bırakamam,' diye aklından geçirdi.

Eve geldiğinde Ebru'nun kafası karmakarışıktı. "Bora'yı çok seviyorum; ama Ahmet abiyi de bir kalemde silip atamam," diye yüksek sesle söylendi. Sonra, 'önce şu saçma düelloya engel olmalıyım; ama nasıl başaracağım bunu?' diye düşündü. Aklına hemen bir çözüm gelmedi. Biraz sonra, "Doktor Üsteğmen Kaan," diye mırıldandı. "Evet! Bu saçma dövüşe olsa olsa o mani olabilir," diye aklından geçirdi ve telefonla Kaan'ı arayarak, ona her şeyi olduğu gibi anlattı.

"Demek ki yarın öğleden sonra, neresi olduğunu bilmediğin, bir yerde dövüşecekler, öyle mi?" diye, sordu Kaan.

"Evet Kaan abi. Ne olur bu saçma dövüşe engel ol."

Kaan endişe etmemesini, bu işe mutlaka engel olacağını söyleyerek,

"Yarın sabah erkenden Boralara giderim, Sezen'e durumu anlatırım ve ikimiz de akşama kadar Bora'nın yanından ayrılmayız. Böylece bu saçmalığa engel oluruz," dedi.

DÖVÜŞ

Ahmet, Ebru'dan ayrıldıktan sonra, 'bu düelloyu Bora'nın gerginliği geçmeden, bugün yapmanın büyük yararı var,' diye düşündü, 'böyle gergin bir durumdayken yapacağı hatalar artar.'

Ahmet zaman yitirmeden, iyi ilişkiler içinde olduğu tekvando eğitimi veren bir salonun sahibine telefon ederek, salon müsaitse saat on altıda, Bora adında birisiyle salonda düello yapmak istediğini söyledi. Salonun müsait olduğunu öğrenince, "Bora'yı salona girmeden önce onu iyice hırpalayın," dedi. Ahmet'in bu isteği üzerine salon sahibi, o delikanlının salona girdiğinde kolunu bile kaldıramayacak durumda olacağının garantisini verdi. Bu görüşmeden sonra Bora'yı arayan Ahmet, salonun adresini vererek saat on altıda beklediğini bildirdi.

Saat on altıda salonun bulunduğu adrese gelen Bora, salonun bulunduğu binaya yaklaşırken, binanın üst katındaki pencerelerin birinden Ahmet ona bakıyordu. 'Nerede bu adamlar Bora birazdan içeri girecek,' diye düşündü. O sırada iki kişinin Bora'ya doğru yaklaştıklarını gördü. 'Ben de endişelenmeye başlamıştım, tam zamanında geldiler,' diye aklından geçirdi. Yüzünde haince bir ifade vardı ve çirkin bir sırıtışla onlara baktı. "Şimdi Bora'nın hakkından gelirler. Ben göz önünde fazla durmayayım," diye içinden geçirdi ve pencereden ayrılıp, alt kattaki salona doğru yürümeye başladı.

İki kişi Bora'ya yaklaşırken, birbiriyle yüksek sesle ve külhanbeyi ağzıyla konuşuyorlardı:

"Lan Meto! Bu muydu bacıma laf atan o... çocuğu?" dedi birisi öbürüne.

"Evet lan Çeto. Bu her...ydi."

"Vaay demek bu lavuk ha!.."

Bu sözleri üzerine almayan Bora yoluna devam ederken, Çeto diye isimlendirilen kişi hemen onun önüne geçerek, "Nereye lan lavuk, öyle destursuz gidilir mi?" dedi.

Bu söze ve davranışa çok sinirlenen Bora dik dik ona bakarak, konuştu:

"Ne istiyorsun kardeşim? Beni biriyle karıştırdınız sanırım."

"Hem bacıma laf at hem de sıkışınca inkar et. Yok öyle numara."

"Ben kimseye laf atmadım ve kardeşini de tanımıyorum."

"Vay vay vay! Bak şu hanım evladına, bir de bizi keleğe getirmeye çalışıyor."

Meto denilen kişi de Bora'nın arkasına geçmeye çalışırken, ona bağırdı:

"Senin adın Bora değil mi lan?"

O ana kadar bir yanlışlık olduğunu düşünen Bora, birden bir komplo içerisinde olduğunu ve bu kişilerin kendisine saldıracağını anladı. İnisiyatifi onlara kaptırmamak için beklemedikleri bir hızla şimşek gibi ikisine de peş peşe ayak, kol ve kafa darbeleri indirmeye başladı. Önce arkasına geçmek isteyen kişiyi saf dışı etti. Sonra ötekine döndü ama o pabucun pahalı olduğunu görünce bıçak çekti ve bıçağı Bora'nın yüzüne doğru salladı. Bora son anda başını bıçak darbesinde kurtardı fakat bıçak sağ omzunu sıyırarak, hafif bir yara açtı. Bu yaraya rağmen bıçağı sallayanın apış arasına kuvvetli bir diz darbesi vurup, anında havaya zıpladı ve kendi ekseni etrafında üç yüz altmış derece dönerek, sendeleyen adamın suratına balyoz gibi bir tekme attı.

Bu tekmeyi yiyen adam kaçmaya çalıştıysa da iki-üç adım sonra yere yığılıp kaldı.

Bora bu tuzağı Ahmet'in kurduğunu anladı ve hızla salondan içeriye girdi. Omzundaki kesikten akan kan, gömleğinin göğsüne kadar inmişti ve Bora'nın görüntüsü korkunçtu.

Ahmet oradaydı ve Bora'yı bekliyordu. Bora'nın giysilerinin kan içerisinde olduğunu görünce keyiflendi, alaylı bir tonla konuştu:

"Ne o Bora! Bu halin ne, benimle dövüşmemek için kendine ne yaptın?"

"Seni şimdi hatırladım. Sen üst üste yenilince müsabakaları bırakıp, tekvando hakemliğine başlayan Ahmet'sin. İki sene önce de şike yaptığın için hakemliğin elinden alınmıştı. Evet, evet o rezil sensin."

"Delikanlı ağzından çıkanı kulağın duysun. Zaten perişan olmuşsun! Şimdi seni fena yaparım."

"Dışarıda üzerime saldığın köpeklerin de böyle söylemişlerdi ama canlarını zor kurtardılar. Onlar da senin hamurundan oldukları için mertliği bırakıp bıçak çekerek bana saldırdılar. Sonra da can derdine düştüler. Birazdan sen de onlar gibi olacaksın. Sana benim tek kolum yeter de artar."

O iki kişinin salona gelmeyişinden, işlerin düşündüğü gibi iyi gitmediğini hisseden Ahmet, Bora'nın sözlerinden sonra onların bir şey yapamadıklarını anladı. İstemeyerek ağzından şu kelimeler döküldü:

"Onlar bu salonun en gözdeleriydi."

"Evet en iyilerini biraz önce gördüm. Böylece bana alçakça bir oyun hazırladığını da itiraf etmiş oldun. Haydi fazla konuşma da şu işi bitirelim. Sana ilk hamleyi yapma şansı veriyorum. Beşe kadar sayacağım hamle yapmazsan havlu attığını var sayıp buradan çıkıp gideceğim."

Bu sözleri duyan Ahmet'in gözleri ışıldadı ve hamle yapmadı. Bora da bunu pes etmek kabul ederek, salonun kapısına doğru yürüdü. Tam kapıdan çıkarken durdu, geriye döndü. Ahmet'e sert bir ses tonuyla seslendi:

"Buradan doğru Ebru'ya gideceksin ve ona, onunla benim aramdan çekildiğimi söyleyeceksin. Ama kesinlikle buraya geldiğimizden söz etmeyeceksin. Eğer bu söylediklerimi eksiksiz yerine getirmezsen, bugün tezgahladığın namertliği herkese anlatırım. Sonra da seni uluorta döverim. Artık gerisi sana kalmış. Anladın mı?"

"Tamam anladım..."

Ahmet, spor salonundan ayrıldıktan sonra Gümrük Semti'ndeki sık sık uğradığı bir lokantaya gitti. Denize karşı bir masaya oturdu. Yemek için bazı şeyler söyledi. Masada uzunca bir süre oturdu ancak yemeklere hiç dokunmadan devamlı içki içti.

Yemekler ona, o yemeklere bakarken aklından bir sürü düşünce peş peşe geçiyordu. "Bora Ebru'yu kazandığını sanıyor; ama onu benden bu kadar kolay alamayacak, asla bırakmayacağım onu. Ne olursa olsun eninde sonunda Ebru benim olacak," diye mırıldandı. Sonra yüzü acıyla buruştu. "Acaba Ebru'nun duyguları gerçekten Bora'ya yönelik mi, yoksa Bora beni yanıltmak için mi öyle söyledi?" diye içinden geçirdi. Sonra, "ama Ebru da aynı şeyleri söyledi," diye düşündü. Bu düşünceler birbiri ardı sıra aklından geçerken farkına varmadan, oldukça fazla içki içmişti. Üstelik bir lokma bile bir şey yemeden. Sonra, "Kalkıp Ebru'ya gideyim, onunla konuşayım," diye mırıldandı. Ancak ayağa kalkınca çok sarhoş olduğunu anladı. 'Önce otele gidip bir duş alayım, biraz kendimi toparlarım; sonra Ebru'ya giderim,' diye düşündü.

Lokantanın önünden bir taksiye bindi, şoföre otelin ismini söyledi ve arkasından uyuklamaya başladı. Daha doğrusu sızdı kaldı. Otele gelince şoför, epeyce uğraşmasına rağmen Ahmet'i uyandırıp, arabadan indiremedi. Oteldeki görevlilere durumu bildirdi. Görevliler Ahmet'i taksiden alıp odasına çıkardılar ve öylece yatağına yatırdılar.

Ahmet, gözünü açtığı zaman ertesi gün öğle olmuştu. Saatine baktı saat on ikiydi. 'Eyvah!.. Sızmış kalmışım. Ebru'ya gidip konuşamadım,' diye aklından geçirdi. Sonra, 'belki de iyi oldu. O durumda Ebru'nun beni görmesi hiç iyi olmazdı,' diye düşündü.

Bora spor salonundan ayrıldıktan sonra doğruca ailece tanıdıkları bir eczaneye gitti. Eczacı onun halini görünce endişeyle sordu:

"Bora! Ne bu halin, ne oldu sana? Kan revan içinde kalmışsın."

"Sorma Ali abi... Kavga ettim."

"Kiminle, neden kavga ettin?"

"Abi, benimki de şansızlık. Adamlar beni birisiyle karıştırmışlar. Sonunda anlaşıldı ama olan da oldu."

"Gel arkaya geçelim de yarana bakayım."

"Aslında hafif bir sıyrık."

"Gömleğini çıkar da yarayı göreyim."

Ali yarayı temizledi. Pansuman yapıp, gerekli ilaçları kullandıktan sonra güzelce sardı. Sonra Bora'ya gülümseyerek bakıp sordu:

"Bora bu iş yanlışlık gibi görünmüyor. Ne dersin?"

"Ali abi, bundan annemlere söz etme. Sana sonra anlatırım."

"Tamam söz etmeyeyim de eve bu kanlı gömlekle mi gideceksin?"

"Ya abi! İyi ki söyledin. Hiç aklıma gelmedi. Bana giydiğim gömleğe benzer bir gömlek alır mısın?"

Ali'nin aldığı gömlek, Bora'nın giydiği gömleğe çok benzemesine karşın aynısı değildi. Eve gelince, Sezen gömleğin evden çıkarken giydiği gömlek olmadığını hemen anladı. Bora'ya dikkatlice bakarak, bir şey söylemek istedi; ama Bora ağzını açmasına fırsat vermeden, "Ben yatacağım" deyip hızlı adımlarla odasına doğru yürüdü. Sezen de arkasından odaya girdi.

"Bora! Sanırım hoş olmayan bir şeyler olmuş," dedi.

"Sezen, nereden çıkardın bunu?"

"Canım kardeşim, ben bunca senelik Bora'yı tanımaz mıyım."

"Sezen, beni yalnız bırakır mısın?"

Bora'nın canının çok sıkıldığını anlayan Sezen, onun yanına geldi; sevgisinin belirtisi olarak sol elini onun sağ omzuna biraz hızlıca koyarak,

"Bora biliyorsun; seni çok seviyorum. Sen üzülünce ben daha fazla üzülüyorum," dedi.

Sezen bunu söylerken, Bora'nın yüzünü buruşturması gözünden kaçmadı. Aynı zamanda gömleğin altındaki sargı bezini de eliyle hissedince, ortada bir gariplik olduğunu anladı. Bora'nın yüzüne endişeyle bakarak söylendi:

"Bora!.. Gömleğini çıkarır mısın?"

"Neden çıkarayım?"

"Çıkar, çıkar..."

"Utanıyorum."

"Bana numara yapma! Neden utanıyormuşsun ki; yüzlerce kez birlikte, denize-havuza girmedik mi?"

"Girdik de..."

"Sen benden bir şey saklıyorsun."

Bora, olayları Sezen'den saklayamayacağını anladı ve her şeyi olduğu gibi anlattı. Sonra da anlattıklarından annesine söz etmemesini istedi. Zaten Sezen de aynı düşüncedeydi. Ama o, belli etmemesine rağmen Bora'nın kendisine hiçbir şey söylemeden, böyle bir dövüş yapmasına çok üzülmüştü.

Bir süre Bora'yı süzdü. Sonra odadan çıkıp balkona gitti; bir koltuğa oturdu. Bora'nın anlattıklarından sonra oldukça heyecanlanmıştı. Onun söylediklerini tekrar düşününce, 'ya ona bir şey olsaydı,' diye aklından geçirdi. Heyecanı biraz daha arttı ve yüreği yerinden fırlarcasına atmaya başladı. Sonra, "Şu Bora'yı ne çok seviyorum," diye mırıldandı.

Düşünceleri senelerce geriye gitti. Bora'nın trafik kazasında annesini, babasını ve ablasını kaybettikten sonra Hülya'nın onu Güzelyalı'daki evlerine getirişini hatırladı. O gün ne kadar da çekingen davranmışlardı birbirlerine.

Sonra aklına, birlikte yaşamaya başladıklarından üç-dört ay sonrası geldi. O günlerden birinde; Bora'yla, evlerinin arka bahçesindeki havuzun kenarında oturmuş konuşurlarken, Bora onun yüzünü sevgi dolu bir bakışla uzun uzun süzmüş ve çekingen bir ses tonuyla,

"Sezen!.. Biliyor musun? Ben ablamı çok seviyordum. O, hep bana yardım eder, yanlışlarımı düzeltir, beni her şeye karşı korurdu. Şimdi o yok. Fakat senin bana karşı olan davranışların, tıpkı ablamınkiler gibi," demişti.

Bora'nın söylediklerinden aşırı derecede duygulanan Sezen'in gözleri nemlenmiş, şefkat dolu buğulu gözlerle ona bakarak,

"Bora'cığım, kardeşim Metin'i kaybedeli iki seneden fazla oldu. Onu çok seviyordum. Aramızdan ayrıldığında, onun yerini kimsenin dolduramayacağını sandım. Ne zaman ki sen bizim yaşamımıza girdin, o günden bu yana düşüncelerimde bazı değişiklikler oldu. Metin'in yüreğimdeki yeri olduğu gibi kaldı ancak sen de yüreğimde, Metin'inki kadar büyük bir yer kapladın," deyip, yanağını okşamıştı.

Bunun üzerine Bora, Sezen'e sarılıp, kulağına,

"Eğer kabul edersen, bundan sonra, seni ablam gibi görüp öyle davranacağım," diye fısıldamıştı. Sezen de ona,

"Kabul etmek de ne demek. Beni çok mutlu edersin. Ben de sana, Metin'e davrandığım gibi davranıp, seni kardeşim olarak göreceğim," demişti.

O günden bugüne kadar geçen yıllarda aralarındaki sevgi, her geçen gün biraz daha güçlenmiş ve birbirlerini çok seven iki öz kardeşin sevgisine dönüşmüştü.

Sezen bunları düşünürken burnunun direği sızladı. "Ah Bora'cığım ah!.. Ebru ile olan ilişkin düzelse de, başta sen olmak üzere herkes rahat bir nefes alsa," diye kendi kendisine söylendi.

Ertesi sabah erken bir saatte Kaan Sezenlere geldi. Hülya'ya belli etmeden Sezen'e o gün öğleden sonra Ahmet'le Bora'nın düello edeceklerini ve düellonun nedenini anlattı. Sonra da o gün Bora'yı ne pahasına olursa olsun evde tutup, yalnız başına dışarıya çıkmasına engel olmalarının gerektiğini söyledi. Onun sözleri bitince bu düellonun bir gün önce yapıldığını bilen Sezen, Kaan'a gülümseyerek bakıp, kimse duymasın diye yavaş bir tonda; o işin bir gün önce olduğundan söz ederek, ayrıntıları sonra anlatacağını söyledi. Kaan bunları duyunca bir kahkaha attı.

"Ben de amma safmışım; geç kalmayayım diye, birlikten izin bile almadan gözümü açar açmaz yola koyulup buraya geldim. Halbuki olan olmuş. Yapacak bir şey kalmamış," dedi.

Sezen annesinin anlamaması için Kaan'ın elini tutup, onu balkona doğru çekti. Ne olduğunu anlamayan Hülya onların arkasından seslendi:

"Sezen!.. Kızım ne oluyor? Bana da anlatın."

"Anne Kaan'la benim aramda özel bir konu. Sana sonra anlatırım."

"Tamam kızım. Artık bazı konuları benden gizler oldunuz."

"Anne öyle söyleme. İstersen anlatayım."

"Yok kızım anlatma! Sonra konuşuruz."

"Nasıl istersen anne."

Balkona çıktıklarında Sezen, Bora'nın bir gün önce anlattıklarını Kaan'a tek tek söyledi. Sonra ona bakarak,

"İyi de sen böyle bir şey yapacaklarını nasıl öğrendin?" diye sordu.

"Dün Ebru telefon etti. Benden ne yapıp edip, Bora'nın düelloya gitmesini önlememi istedi."

"Demek ki Ebru'nun da bilmediği bazı şeyler varmış!.."

"Evet..."

Ahmet kendisini bir parça toparlayınca hemen hazırlanıp Ebru'ya gitti. Ebru onu görünce bir hayli şaşırdı. Yüzüne anlamsızca bakarak sordu:

"Ahmet abi hayırdır, ne arıyorsun burada? Yoksa..."

"Ebru, dün gece gözüme uyku girmedi. Sabaha dek düşündüm. Senin bana söylediklerine hak verdim ve düelloya gitmemeye karar verdim. Bora ne düşünürse düşünsün, isterse bana korktu desin. Umrumda bile değil. Dün de söylediğim gibi aranızdan çekiliyorum. Size mutluluklar dilerim."

"Beni Bora'ya mı bırakıyorsun?"

"Evet. İkinizin arasındaki temiz aşka saygı duyuyorum."

Ahmet, Ebru'ya bunları söylerken içinden de, "şimdilik Ebru şimdilik, sonunda yine benim olacaksın," diyordu.

"Ahmet abi, sen çok iyi bir insansın. Senin bu yaptığını kimse yapmaz. Sana nasıl teşekkür edeceğimi bilemiyorum."

"Ebru'cuğum, ben aranızdan çekiliyorum; ama bu sana karşı olan duygularımda değişiklik olduğu anlamına gelmez."

"Biliyorum abiciğim biliyorum! Zaten bu nedenle sana müteşekkirim ya."

"Bak Ebru, sana bir soru soracağım İstersen yanıt vermeyebilirsin. Eğer verirsen bu yanıt benim tüm yaşamımı etkileyecek."

"Seni dinliyorum Ahmet abi."

"Herhangi bir nedenle Bora ile evliliğiniz gerçekleşmezse, bana döner misin?"

Ebru böyle bir soruyu hiç beklemiyordu. Bir süre yere bakarak suskun kaldı. Sonra başını kaldırdı, Ahmet'e şaşırmış bir şekilde bakarak,

"Aranızdan çekiliyorum dedikten sonra bu soru biraz garip değil mi?" diye sordu.

"Sakın yanlış anlama. Yüreğinde, bana karşı ufacık da olsa bir sevgi var mı onu öğrenmek istedim. İleride bir şeye ihtiyacın olursa kollarım sana hep açık olacak. Bunu hiç unutma."

"Ahmet abi sen neler söylüyorsun? Ben seni hep bir abi gibi sevdim ve meslek hayatındaki başarılarını takdir ettim. Kısa süre önce bir yanlışlık yaptım; çok şükür ki Bora gözümü açtı da uçurumun kenarından döndüm."

"Ne söyleyebilirim ki... Beni abi gibi değil, başka türlü sevmeni isterdim. Aramızda söz kesildikten sonra senelerce baskı altında tuttuğum duygularım, bastırıldıkları yerden çıktılar; bundan sonra onları nasıl kontrol edeceğim bilmiyorum. Neyse belki bir gün..." Ahmet sözlerini tamamlamadı ve veda bile etmeden evden çıktı gitti.

Ahmet gittikten sonra Ebru, 'Ahmet abi ne söylemek istedi tam olarak anlayamadım; ama gönlünün bende olduğuna ve büyük bir özveride bulunduğuna inanıyorum,' diye içinden geçirdi. Sonra, 'yüreğinin ezikliğini çok iyi hissediyorum; çünkü benzer bir ezikliği ben de yaşadım,' diye düşündü. Sonra da yüzünde bir gülümseme belirdi. "Ancak Bora'ma kavuşacağım için de sonsuz bir mutluluk içerisindeyim," diye mırıldandı.

ÜZÜNTÜLER

Kara bulutlar yavaş yavaş dağılmaya başlamıştı. Bora ile Ebru birlikteliklerinin önündeki engel ortadan kalktıktan sonra mutluluğu doyasıya yaşamaya başlamışlardı. Ama Ebru'nun ailesi, Bora'ya karşı eskisi gibi sıcak davranmıyordu artık.

Ahmet ile sözün bozulmasından henüz iki gün geçmiş olmasına karşın Bora, Ebru'nun ağabeyi ve can arkadaşı Teğmen Hakan'la konuşarak, ondan anne ve babasını ikna etmesini ve onlar da İzmir'deyken Ebru'yla aralarında söz kesilmesini istedi. Bora'nın bu isteğine karşı Hakan, konunun daha önce evde tartışıldığını ve Boraların İstanbul'a gelerek, Ebru'yu istemelerinin en uygun davranış olacağına karar verildiğini söyledi.

Hakan'ın söylediklerine canı sıkılan Bora, 'demek ki Ebru'nun Ahmet'ten ayrılmasına memnun olmamışlar. Sanırım bana zorluk çıkarmak istiyorlar,' diye düşündü. Sonra, "Ne isterlerse yapacağım, yeter ki Ebru'yla birlikteliğimiz için resmi bir adım atılsın," diye mırıldandı.

O gün öğleden sonra Ebru'yla buluştuklarında konuyu onunla da konuştu. Konuşma sırasında Ebru'nun çok üzgün olduğu her halinden açıkça belli oluyordu.

"Bora, babamların bu saçma isteğine canım çok sıkılıyor. Neler söyledim onlara; ama beni dinlemediler," dedi.

"Sen üzülme canım. Sırtında taş taşı desinler, sana kavuşmak için onu da yaparım."

"Öyle de Hülya Hanım'la, Sezen bunu nasıl karşılayacaklar."

"Ben onlarla konuştum, bizim mutluluğumuz için her şeyi yapmaya hazırlar. Ancak bir sorun var."

Bora'nın son sözü üzerine Ebru, biraz merakla biraz da endişeyle ona bakarak,

"Nasıl bir sorun?" diye sordu.

"Endişelenme! Küçük bir sorun. Yalnızca zaman sorunu."

"Zaman neden sorun oluyor ki?"

"Ebru'cuğum bir hafta zamanım var. Sonra yeni uçacağım uçakların hazırlık kursuna katılmam, arkasından da hemen yeni birliğime gitmem gerekli."

"Bunun neresi sorun ki?"

"Ben, yeni birliğimde uçuş eğitimine başlamadan önce mutlaka söz kesilmesinin doğru olacağını düşünüyorum. Çünkü bir sürü problemi aşarak geldiğimiz bu noktada, ailelerimizin baskısıyla yeni problemlerle karşılaşabiliriz."

"Doğru söylüyorsun. Ne yapmamız lazım?"

"Tek yol var. Sizin en kısa sürede İstanbul'a dönmeniz, biriki gün içerisinde de bizim İstanbul'a gelerek, seni istememiz."

"Haklısın. İkimizin de zaman geçirmeden ailelerimizi ikna etmemiz lazım değil mi?"

"Evet. Biraz zor olacak; ama yapmamız gerekli."

"Daha doğrusu, benim babamı ikna etmem önemli; ama kesin tavrımı koyacağım. Zorla da olsa yarın İstanbul'a götüreceğim onları."

"Eğer bunu yapabilirsen, ertesi gün de biz İstanbul'a geliriz. İnşallah seni istemeye geldiğimizde olumsuz bir yanıtla karşılaşmayız."

"Sanmıyorum. Çünkü aile içerisinde buna olumlu karar verildi."

"Öyleyse zaman geçirmeden eve gidip ailelerimizle görüşelim."

❖

İstanbul'a gitmek için uçağa bindiklerinde, Elif son derece heyecanlıydı. Hülya'yla Bora, Elif'le Sezen yan yana oturdular. Elif, Sezen'i cam kenarına oturtup, onun sağ elini iki eli arasına aldı ve bildiği bütün duaları okumaya başladı. Uçak, pist içerisinde kalkış için gittikçe hızlanırken, uçağın gövdesinden ve tekerleklerinden gelen gürültüden, Elif'in kalbi duracak gibi oldu. Gözlerini kapattı, kaskatı kesildi. Sezen diğer eliyle de Elif'in ellerini tutarak ona güç vermeye çalıştı. Kısa sürede uçak havalandı ve İzmir Körfezi'nin üzerinde uçmaya başladı.

"Elif Teyze aç gözlerini artık. Bak, körfezin üzerinde uçuyoruz. Aşağısı şahane görünüyor."

Gözlerini yavaşça açan Elif, başını döndürmeden, göz ucuyla Sezen'e baktı. Onun kendisine güldüğünü görünce biraz kızdı, biraz da utandı.

"Utanmıyor musun, korkuyla alay edilir mi?" dedi.

"Elif Teyze alay etmiyorum. Yalnız ben değil, yan sırada oturanlar da gülüyorlar."

Yine göz ucuyla, yan sıraya bakan Elif, orada oturanların da güldüğünü görünce; yüzü utancından kıpkırmızı kesildi. Sezen, Elif'in çok üzüldüğünü görünce, onun o haline güldüğü için kendine kızdı ve onun gönlünü almak için dudaklarını tavşan dudağı gibi yapıp, çizgi filmlerdeki tavşanın sesiyle ona seslendi:

"Benim tatlı Elif Teyzeciğim nasılsın bakalım, bana çok mu kızdın?" Sonra da ağlamaklı bir ses tonuyla, "ama ben seni çok seviyorum, beni affet, affetmezsen kendimi uçaktan aşağı atarım," dedi.

"Deli kız! Bora'yla ikiniz hiç büyümeyeceksiniz."

"Ne yapalım Elif Teyze, annemle sana şımarıklık yapmazsak kime yapacağız ki."

✤

Uçaktan inip otellerine yerleştiklerinde saat on bir olmuştu. Hiç zaman kaybetmeden Ebruların evine gittiler.

Her şey Ebru'yla Bora'nın planladığı gibi gidiyordu. Ancak Ebru'nun anne ve babası Bora ve ailesine karşı oldukça soğuk bir tavır içindeydiler. Buna rağmen söz kesildi. Ama söz kesilmesinin ardından Ebru'nun babasının Hülya'ya, "Hanımefendi neydi aceleniz? Sanki yangından mal kaçırmak ister gibi hemen arkamızdan İstanbul'a gelmenizi ve Ebru'yu istemenizi çok garipsedim," demesi, karşılaştıkları muameleden sinirleri iyice gerilmiş olan Hülya'nın tepesini attırdı. Çocuklara dönerek kızgın bir ses tonuyla seslendi:

"Haydi bakalım, beyefendiye daha fazla gariplikler yaşatmadan gidelim."

"Ama anne biraz daha kalsaydık," diyen Bora'nın lafını ağzına tıkarcasına kalktı ve kapıya doğru yürüdü. Diğerleri de bir şey söyleyemeyip, onu takip ettiler.

Otele gelinceye dek hiçbirinin ağzından tek kelime çıkmadı. Hülya daha Ebrulardayken en kısa sürede İstanbul'dan ayrılmaya karar vermişti. Bora annesine hem kızıyor hem de hak veriyordu. Ama gönlü, hiç olmazsa Ebru ile iki gün daha birlikte olmayı istiyordu. Bunu annesine söylediğinde olumsuz yanıt aldı; ama isteğinde ısrar etti.

Bora'nın iki gün daha kalma ısrarı Hülya'nın kararını değiştirmedi. Annesinin bu katı tavrı karşısında, Bora yalvaran bir bakışla bakarak,

"Anneciğim ne olur bir gün daha kalalım," dedi.

"Oğlum, çok istiyorsan sen kal. Biz en kısa sürede İstanbul'dan ayrılacağız."

Bora bu kez Sezen'e doğru eğilerek, onun kulağına fısıldadı:

"Sezen, anneme bir şey söyler misin?"

"Annem haklı. İstanbul'da bir-iki gün daha kalırsak, onlarla tekrar beraber olmamız gerekebilir, bu da hiç hoş olmaz."

"Anlaşıldı... Yapacak bir şey yok. Siz giderseniz benim burada kalmam uygun olmaz, ben de sizinle geliyorum," diye mırıldandı Bora.

Bora ve ailesi, gerilimi oldukça yüksek günler yaşamaktaydılar. Tansiyonu iyice yükselmiş olan sinirlerinin, ancak uzun bir yolculukla gevşeyebileceğini düşünüp, araba kiralayarak, Çanakkale üzerinden İzmir'e dönmeyi planladılar.

Karar verir vermez hemen bir araba kiraladılar ve saat on dokuz civarında İstanbul'dan ayrıldılar. Tekirdağ'a geldiklerinde güneş ufka oldukça yaklaşmış, battım batıyorum diyordu. Yola devam etmeyip geceyi Tekirdağ'da geçirdiler.

Ertesi sabah erken kalkıp, vakit geçirmeden otelden ayrıldılar. Deniz kenarında bir çay evinde güzel bir kahvaltı yaptıktan sonra yola koyuldular. Arabanın içinde tam bir sessizlik vardı. Mecbur olmadan hiç kimse konuşmuyordu. Hepsinin yüzünden düşen bin parçaydı. Direksiyonda Hülya vardı. Sanki buralardan bir an önce uzaklaşmak istercesine süratli kullanıyordu arabayı. Hülya'nın yan tarafında oturan Elif, arabanın çok süratli gidişinden endişe duymaya başlamıştı. Arka sırada oturan Sezen'le Bora da en az onun kadar endişeliydi. Bir ara birbirlerine baktılar. Sezen çok alçak bir ses tonuyla Bora'ya seslendi:

"Bir şey yapsana! Bu gidişle Çanakkale'ye ulaşamadan bir kazaya kurban gideceğiz."

Hülya arka sıradaki fısıldaşmanın kendisiyle ilgili olduğunu anlamış ve bir kısmını da duymuştu. Suratı asık bir şekilde, geriye doğru bakarak konuştu:

"Siz orada ne fısıldaşıp duruyorsunuz? Sezen! Sen Çanakkale derken ne demek istedin?"

"Şey... Diyordum ki, Çanakkale'de kalsak da muharebelerin yapıldığı yerleri gezsek."

Cümlesini bitirir bitirmez Bora da söze karıştı:

"Evet, ben de aynı düşüncedeyim," deyip Elif'e baktı: "Sen ne dersin Elif Teyze?"

Korkudan, gözleri fal taşı gibi açılmış olan Elif, kısık ve heyecan dolu bir sesle,

"Çok doğru. Ben de çocukluğumdan beri hep görmek istemişimdir oraları," dedi.

"Tamam. Hepiniz istediğine göre öyle yapalım. Ancak Bora Hava Harp Okulu'nun sınavlarını kazandığında da Çanakkale üzerinden İzmir'e dönmüştük ve muharebelerin yapıldığı yerleri gezmiştik. Yanlış hatırlamıyorsam."

"Doğru söylüyorsun anneciğim; ama o zaman tam gezememiştik," dedi Bora.

"Anneciğim, hepimizin canı çok sıkılıyor, hem gezmiş oluruz hem de gerilmiş olan sinirlerimizi biraz gevşetiriz," diye, Sezen mırıldandı.

"He ya!.. çocuklar doğru söylüyor," diyerek, Elif de söze karıştı.

O sırada Hülya'nın gözü arabanın sürat saatine takıldı ve yüz seksen kilometreyi gördü. Birden ürperdi. "Ne yapıyorum ben? Sanırım hepsi tedirgin oldu. Haklılar da, kim olsa korkar" diye aklından geçirdi ve biraz yavaşladı. Arabanın sürati azalınca, hepsi derin bir nefes aldı.

Bir süre sonra da ağızlardan birer ikişer kelime çıkmaya başladı. Daha sonra kelimeler cümlelere dönüştü. Sonra da cümlelerin içerisinde espriler yer aldı. Gergin hava dağılmış, yerini gülücüklere ve şakalara bırakmıştı.

Zaman zaman iyi ki, İzmir'e bu şekilde dönüyoruz diye konuşuyorlardı aralarında. Keşan'ı geçip Gelibolu'ya doğru yaklaşırlarken, Hülya, Çanakkale Savaşları'ndan bahsederek; Mustafa Kemal Atatürk'ün kazandığı bu zaferin, Türkiye için ne kadar büyük bir önem taşıdığından söz etti.

"Tarih dersinde, bu savaşlarda Türklerin elli yedi binden fazla şehit, yüz elli beş binden fazla da yaralı, esir ve kayıp verdiğini öğrenmiştik," dedi Bora.

"Evet. İtilaf devletleri ise bizim kaynaklarımıza göre aşağıyukarı yüz seksen bin, yabancı kaynaklara göreyse iki yüz elli binden fazla kayıp vermişler," diyerek, Sezen Bora'nın sözünü tamamladı.

"Çocuklar isterseniz, hemen Çanakkale Muharebeleri'nin yapıldığı yerleri ziyaret edelim. Ne dersiniz?" diyerek Hülya sordu.

Bu teklifi Sezen'le Bora olumlu karşıladı. Elif ise pek hoşlanmasa da onlara uymak zorunda kaldı.

Çarpışmaların yapıldığı bölgeye geldiklerinde saat on ikiydi. Bir rehber kiraladılar ve güneş batıncaya kadar dolaştılar. Önce Şehitler Anıtı'nı gezdiler. Anıtın yapımının, kırk yıldan fazla sürdüğünü öğrendikleri zaman oldukça şaşırdılar. Daha sonra Mehmet Çavuş Anıtı'nı, Conkbayırı Türk Anıtı'nı, Elli Yedinci Alay Şehitliği'ni, Avustralyalı ve Yeni Zellandalılar için yapılan Tek Çam-Kanlı Sırt Anıt ve Mezarlığı ile Helles Anıtı'nı ziyaret ettiler. Gezi oldukça güzel geçmişti; ancak umduklarından fazla yorulmuşlar ve hiçbirinin konuşmaya takati kalmamıştı.

Geceyi Çanakkale de bir otelde geçirdiler. Ertesi gün, öğleye kadar uyudular. Sonra güzel bir kahvaltı yapıp, saat bire gelirken otelden ayrılarak, İzmir'e doğru yola koyuldular..

"Hülya Abla, artık hiçbir yerde durmadan İzmir'e evimize gidelim," dedi Elif.

"Neden Elif?"

"Dün çok yoruldum. Hâlâ dinlenmiş değilim. Çocuklar siz ne dersiniz?"

"Elif Teyze, dün ben de çok yorulmuştum," diyen Sezen, "ama bu sabah dinç olarak uyandım. Zaten uyandığımızda saat on bire geliyordu," diye devam etti. "Sen kendini nasıl hissediyorsun Bora?"

"Bomba gibi..."

"Tamam Elif, sadece Bergama'daki tarihi kalıntıları gezeriz. O da vaktimiz olursa."

Bergama'ya geldiklerinde saat beşe geliyordu. Hülya, yan tarafında oturan Elif'e bakıp, ne dersin gibilerden göz kırptı. Elif, arkadakilerin görmemesi için, sadece kaşlarını yukarıya doğru hareket ettirerek, burada durmayalım anlamında, cevap verdi.

"Çocuklar! İki gündür araba kullandığım için şu anda kendimi oldukça yorgun hissediyorum. İki-üç senedir, bu kadar uzun süre direksiyon başında oturmamıştım," dedi Hülya.

"Sevgili annemiz, mesaj alınmıştır. Yani durmadan İzmir'e gidiyoruz," diyerek, gülüştüler Sezen'le Bora.

Arabayı kiraladıkları şirkete teslim edip eve geldiklerinde hava kararmıştı. Balkona çıkıp oturdular. Elif'in iyice yorulduğu, her halinden belli oluyordu. Karınları da çok acıkmıştı. Hülya, Sezen'e doğru baktı:

"Kızım, pideciye telefon edip peynirli, kıymalı ve sucuklu pide ile ayran ısmarlar mısın?"

"Tamam anne. Hemen."

"Bora! Haydi çocuğum, sen de çay demleyiver. Elif'le benden hayır yok bu akşam."

"Peki anneciğim. Sizlere tavşan kanı gibi bir çay yapayım da içince yorgunluğunuz geçsin."

Pideler ve ayranlar geldi. Çay demlendi. Gerçekten de çay oldukça güzel olmuştu. Sezen'le Bora balkondaki masayı hazırladılar. Annelerini ve Elif'i çağırdılar. Elif 'Çok uykum var' diyerek, yemeğe gelmek istemedi. Ama Hülya, Elif'i zorla kaldırdı, masaya oturttu. Hiç konuşmadan pidelerini yediler. Ortalıkta sessizlik hüküm sürüyordu. Sessizliği Hülya bozdu:

"İyi ki Bergama'da durmamışız. Yoksa gece yarısına doğru gelecekmişiz eve."

"Anneciğim! Bergama'da Elif Teyze'yle kaş göz işareti yaparak ne konuştunuz?" diye sordu Sezen.

Bora da gülümseyerek söze karıştı:

"Bizi anlamadı sandınız ama her şeyi anladık."

"Aaaa. Ben de siz görmeyin diye ne kadar dikkat etmiştim," dedi Elif.

"Haydi bakalım! Vakit oldukça ilerledi, ben yarın işe gideceğim. Hepinize iyi geceler."

"Ben de yatıyorum çocuklar, iyi geceler," diyen Elif de odasına doğru yürüdü.

"İyi geceler Elif Teyze, ben de yatıyorum. Sana da iyi geceler Bora."

"Sana da Sezen."

Ertesi sabah öğleye doğru uyandı Bora. Yatağın içinden bir süre çıkmadı. Sağa sola dönerek zaman öldürürken aklında Ebru vardı. 'Son bir ay ne kadar dolu geçti. Bu arada az kalsın Ebru'mu kaybediyordum,' diye aklından geçirdi. 'Neyse problemler ortadan kalktı ve her şey olumlu bir yola girdi. Bundan sonra Ebru'ma dört elle sarılacağım. Onu kaybetmenin ne kadar acı olacağını çok iyi anladım,' diye içinden geçirdi.

Yataktan kalkıp balkona çıktı. Sezen oradaydı. Dalgın dalgın körfezi seyrediyordu. Bora Sezen'e seslendi:

"Hanımefendi neler düşünüyor acaba?"

"Aaa Bora'cığım günaydın nasılsın?"

"Sezen inan ki şu anda düşte miyim, uyanık mıyım bilmiyorum. Kısa sürede o kadar çok şey yaşadım ki, olayları takip etmekte zaman zaman zorlandım. Olayların gelişmesinde hızla akan bir derenin üzerine düşmüş yaprak gibiydim. Yaprak nasıl dere tarafından sürüklenip götürülürse, beni de olaylar alıp bir yere getirdi."

"Biliyorum, canım kardeşim. Yalnız senin değil, benim de başım döndü. Gel otur, sana bir çay getireyim."

Sezen çay almak için mutfağa gidince; Bora Çiğli'ye doğru baktı. İstem dışı gülümsedi. Mutluluk dolu bir gülümsemeydi bu. 'Acı-tatlı ne günler geçirdim şu eğitim üssünde. Ama sonunda ölünceye dek göğsümde gururla taşıyacağım Pilot Brövesi'ni takma hakkını kazandım. Hem de en başarılı pilot olarak. Künye kütüğüne devremizin simgesi olan maket uçağı çakarken, hem çok heyecanlanmış hem de büyük bir gurur duymuştum,' diye içinden geçirdi. Sonra aklına Ebru geldi. 'Acaba şimdi ne yapıyordur benim güzelim. Onunla şöyle baş başa doyasıya oturamadık bile. Şimdi o da burada olsa ne iyi olurdu,' diye düşündü.

Bröve töreninin üzerinden altı gün geçmesine karşın Ebru'yla Bora ancak beş-altı saat birlikte olabilmişlerdi. Çoğu kez de birileri olmuştu yanlarında. Baş başa kalabildikleri biriki saat içinde duygularını birazcık da olsa birbirlerine açabilmişler ve ne denli büyük bir aşkla birbirlerine bağlı olduklarını anlamışlardı.

Sezen iki bardak çay getirdi. Yaşamlarında büyük yeri olan bambu iskemlelere oturdular. İzmir Körfezi'ne karşı çaylarını yudumlamaya başladılar. Bir süre sessizlik hakim oldu ortama; sonra Bora gülümseyerek Sezen'e baktı.

"Son günlerde, ne denli gariplikler yaşadık değil mi?" diye sordu. "Bunca yıl, büyük bir giz olarak sakladığım aşkım, bir anda gürültülü bir şekilde ortaya çıktı; birdenbire söz kesildi ve biz söz kesilir kesilmez hemen İstanbul'dan ayrıldık."

"Haklısın, Ebru'yla doya doya görüşemediniz bile."

"İyi mi yaptık, kötü mü yaptık bilmiyorum."

"Bana göre çok iyi oldu. Hiç olmazsa için rahat olacak."

"Haklısın. Bir başkasıyla nişanlanacak, evlenecek gibi düşünceler olmayacak artık kafamda."

"Doğru söylüyorsun," dedi Ebru. "Eee artık Konyalı sayılırsın. Hiç bilmediğin bir şehir, bakalım sevebilecek misin orayı. Orada arkadaşlarından Teğmen Ali'yle birlikte olacaksın değil mi?"

"Ne yazık ki öyle olmayacak," derken iç geçirdi Bora. "Savaşa Hazırlık Eğitimi için Ali, Malatya'ya gidiyor. Ben Konya'ya yalnız gidiyorum."

"Aaa deme!.. Desene Dört Silahşorlar dağılıyor."

"Maalesef... En çok da Ali'yle bir arada olamayacağımız için üzülüyorum."

"Şimdi ben de çok üzüldüm."

"Ama İstanbul'dayken öğrendim ki Hakan helikopter pilotu olduktan sonra Konya'ya gelecekmiş. Bu haberi duyunca çok sevindim."

"Gerçekten de öyle. Hem iyi bir arkadaşın hem de Ebru'yla daha sık görüşme fırsatın olur."

"Evet haklısın. Ben de bunun için çok sevindim."

"Sevinilmeyecek gibi değil..."

"Sezen biliyorsun, yeni uçacağımız uçakları öğrenebilmemiz için on gün kadar İzmir'de kurs göreceğiz. Kurstan sonraysa bir hafta zamanım olacak. Bunun iki gününü, İstanbul'da Ebru'yla birlikte geçireyim, oradan Konya'ya giderim diye düşünüyorum. Ne dersin?"

"Vallahi hem annem hem de ben, son dakikaya değin burada olmanı isteriz."

"Size hak veriyorum ama bu fırsattan yararlanıp İstanbul'a gitmezsem, Ebru'yla uzun süre görüşemeyeceğiz..."

"Aman Bora! Daha dün İstanbul'dan geldik."

"Ama biraz önce senin de söylediğin gibi Ebru ile ben yalnız kalamadık ki," dedi Bora. "Hem sen Kaan abiyle, haftada iki-üç kez görüşmeden durabiliyor musun?"

"Haklısın...," diyen Sezen, gülümseyerek ona baktı. "Anladığım kadarıyla, her zaman olduğu gibi konuyu annemle görüşmemi istiyorsun."

"Benim anlayışlı kardeşim."

Sezen'in aksine, Annesi Bora'nın İstanbul'a gitmek istemesini doğal karşıladı. Karşıladı ama içinden de, 'keşke son ana kadar birlikte olsaydık,' diye geçirdi. Aklına, Bora'nın kursu bittiğinde izin alıp, o gidene dek günlerini Çeşme'de geçirmek geldi. Böylece gece gündüz bütün gün hep beraber olabileceklerdi. Bu düşüncesini çocuklara söylediğinde, onlar da hiç tereddütsüz bunu kabul ettiler.

Bora ile Ali değişik tip uçaklarda uçacakları için aynı yerde kurs görmelerine karşın başka dershanelerde öğrenim görüyorlardı. Tanıştıklarından beri ilk kez ayrılmışlardı. İkisi de bu durumu çok garipsemişti. Ama yapacak bir şeyleri yoktu. İkisi de tüm boş zamanlarını birlikte geçirmeye çalışıyorlardı.

On gün göz açıp kapatıncaya kadar geçmiş ve kurs bitmişti. Ali, bir süre ailesinin yanında kalıp, oradan Malatya'ya gitmeyi planladığı için o akşam İzmir'den ayrılmak üzere otobüs bileti almıştı.

Ali'yi uğurlamak için otobüs terminaline gelen Bora'yla Ali, uzun uzun anılarından söz ettiler. Dile kolaydı, altı sene geçirmişlerdi birlikte. Ne çok şey yaşamışlardı bu sürede. Bora, Kaan'la Ali'nin özverili davranışlarıyla, geçirdiği bunalımdan nasıl kurtulabildiğini de hiç unutmuyordu. Bu gibi nedenlerden dolayı Ali'nin yeri bambaşkaydı Bora'nın yüreğinde. Vedalaşmaları oldukça hüzünlü oldu. Otobüs yavaşça hareket etti. Bora Ali'ye el salladı ve otobüs gözden kaybolununcaya dek onu izlerken, "Benim vefakâr dostum," diye mırıldandı.

Bora'nın dört-beş gün sonra İzmir'den ayrılacak olmasına Hülya çok üzülüyordu. Hele onun İzmir'den başka bir kentte yaşayacağı aklına geldikçe de içi daralıyordu. O gün Hülya hastaneye giderken, 'Ne iyiydi, iki seneyi birlikte geçirdik İzmir'de,' diye aklından geçirdi. Sonra, "şimdi bir de Ebru çıktı ortaya. İzinlerin bir kısmını da onunla geçirmek isteyecek,' diye düşündü.

Aklından bu tür düşünceler birbiri ardına geçerken, ön tarafında giden arabanın şoförü aniden fren yaptı. Ona çarpmamak için Hülya da sertçe frene basmak zorunda kaldı; fakat arkasından gelen araba duramayarak, Hülya'nın arabasına hafifçe vurdu. Onun arkasından gelen taksinin şoförü de bütün çabasına karşın arabasını durduramadı ve önündeki arabaya çarptı.

Üç arabada da hafif hasar meydana gelmişti. Arabaları kullananlar, duruma baktılar ve trafik polisi çağırmaya karar verdiler. Polisin gelmesini beklerken, kazaya karışan taksiden inen bir kişi, Hülya'nın yanına geldi.

"Merhaba Hülya!"dedi.

Sesin geldiği tarafa dönen Hülya, kendisine merhaba diyen kişiyi görünce çok şaşırdı.

"Aaa!.. Sen haa!.."

"Evet Hülya. Kaderin cilvesine bak!.. Kaç sene sonra, bir trafik kazasında karşılaştık."

"Hay Allah. Nereden çıktın sen Murat?"

"Kazaya karışan takside, yolcu olarak Alsancak'a gidiyordum."

"Seni görmeyeli çok uzun zaman oldu."

"Evet..."

"Nasılsın, iyi misin?" diye sordu Hülya.

"İyiyim. Sen nasılsın?"

"Ben de iyiyim."

"Hâlâ Ege Üniversitesi'nde misin?"

"Evet aynı yerde."

"Anladım. Uygun görürsen, öğleden sonra senin yanına geleyim, biraz sohbet ederiz."

"Bilmem ki..."

"Lütfen itiraz etme."

"Şey!.."

"Hadi canım! İki doktor olarak, çalışmalarımız hakkında konuşuruz."

"Peki..."

Hülya arabasına binip hastaneye doğru giderken; olayın, daha doğrusu Murat'la karşılaşmasının, etkisinden kurtulamadı. Bu arada evliliklerinin son zamanlarında, ona karşı duyduğu olumsuz duygularının da küllendiğini hissetti. "Ne garip rastlantı, boşandığımızdan beri ilk kez karşılaşıyoruz. O da bir trafik kazasında," dedi kendi kendine.

O gün kendisini, bir türlü işine veremedi Hülya. Aklında hep Bora ve Murat vardı. 'Nereden çıktı bu adam? Ne güzel bir yaşam kurmuştuk. Ne kadar da mutlu yaşıyorduk,' diye düşündü. Bir taraftan da Murat'ı gördüğüne memnun olduğunu fark etti. 'Ne de olsa kızımın babası,' dedi içinden.

Murat, öğleden sonra, saat dört civarında, hastaneye geldi. Hülya, onu samimi bir arkadaşı gibi karşıladı.

"Hiç değişmemişsin. Yine cana yakın, insanı cezbeden Hülya'sın. Olduğun gibi duruyorsun."

"Sen de değişmemişsin."

"Sezen nasıl? Onu, o kadar çok özledim ki, bilemezsin."

"Kocaman kız oldu. Tıp Fakültesi'ne devam ediyor. Çok başarılı bir üniversite öğrencisi."

"Çok sevindim!.. Arabayı ne yaptın? Servise götürmedinse ben yardım edebilirim."

"Sabahleyin, şoförlerden birisi ile gönderdim. Yarın verecekler."

"Benim yapabileceğim bir şey varsa, her zaman hazırım."

"Teşekkür ederim. Sen neler yapıyorsun?"

"Alsancak'ta geçen yıl açılan özel hastanenin, genel cerrahi sorumlusuyum."

"Çok güzel. Zaten sen her zaman başarılısındır."

"Teşekkür ederim, sen de öyle," dedi Murat. "İstersen, dışarıda bir yerde oturalım, biraz konuşur, sohbet ederiz."

"Bilmem ki... Çocuklar merak ederler."

"Telefon edersin, geç kalacağım diye."

"Peki öyle yapayım. Ancak biraz işim var. Yarım saat sonra hastanenin girişinde buluşsak?"

"Olur. Kapıda bekleyeceğim seni."

Yarım saat sonra hastanenin girişinde buluştular. Murat'ın arabasıyla Alsancak'a gidip, Kordon'da bir yerde oturdular.

Hülya'nın kafası karmakarışık olmuştu. Kendi kendine, 'ben ne yapıyorum? On iki sene önce Murat'a karşı hiç de hoş olmayan duygularla doluydum; yüzüne bile bakmaya dayanamıyordum. Şimdi onunla aynı masada otururken hiç de sıkıntı duymuyorum,' diye düşündü.

"Hülya, daldın."

"Yok bir şey. Akşam bir yere gideceğiz de onu düşünüyordum. Daha yeni oturduk ama fazla zamanımın olmadığını söylemek zorundayım. Yarım saat sonra kalkmam gerekli."

"Tabi, istersen evine ben götürebilirim."

"Teşekkür ederim. Sana zahmet olmasın."

"Neden zahmet olsun. Zevk duyarım. Ama istemiyorsan..."

Konuşmaya o denli dalmışlardı ki, masalarına gelen garsonun farkına varmadılar. Garson dikkatlerini çekmek için hafifçe öksürdü ve Murat'a bakarak,

"Efendim, bir isteğiniz var mı?" diye sordu.

Murat da Hülya'ya gülümseyerek,

"Ne arzu edersin Hülya?" dedi.

"Çay alabilirim."

"Ben de çay alayım."

Murat, Hülya'ya bakarken, ilk tanıştıkları günler geldi gözlerinin önüne. 'Ne kadar hoş günlerdi onlar,' diye düşündü. Hülya ile buluşacağı zaman çok heyecanlanır, beraberken de yüreği hızlı hızlı çarpardı. Ona bakarken çok mutlu olur, güzelliğini seyretmeye doyamazdı. Hep ona bakmak, hep onu seyretmek isterdi. Zaman ne kadar da hızlı geçip giderdi onunla beraberken.

"Biliyor musun Hülya, kızımızı kaç kez okul çıkışında uzaktan seyredip, ona olan özlemimi gidermeye çalıştım," dedi Murat. "Seninle ayrıldıktan sonra hep sizi düşündüm. Seni aramak istedim, ama ayrılmamız o kadar gürültülü bir şekilde olmuştu ki çekindim. Sabahki kazada da senin yanına gelip, konuşmayı göze almam epey zaman aldı."

"Yaa!.."

"Hastanede, 'çocuklar' dedin. Sezen'den başka da var herhalde."

"Evet, bir de oğlum var."

"Evlendin mi?"

"Allah korusun. Bir defa yaptım o hatayı, başarılı olamadım ve defteri kapattım."

"Kendine haksızlık etme. Kabahatin büyük kısmı bendeydi."

"Neyse geldi geçti. Tekrar irdelemek gereksiz."

"Oğlum var dedin. Evlenmediysen..."

"Evlatlık aldım. On seneyi aşkın bir süredir beraberiz. En az Sezen kadar seviyorum onu. Mükemmel bir insan. Sezen'le beraber liseyi bitirdi. Sonra Hava Harp Okulu'na gitti. Bu sene de pilotluk eğitimini bitirerek pilot oldu. Şimdi çakı gibi bir pilot teğmen."

"Ne kadar güzel. Delikanlının ismi ne?"

"Bora."

"Güzel bir isim. Anladığım kadarıyla Sezen'le Bora'yı iyi yetiştirmişsin. Onlarla gurur duyuyorsundur herhalde."

"Çook hem de çok!.."

"Bora'yla tanışmak isterim."

"İnşallah..."

Çocuklarla ilgili epeyce konuştular. Daha sonra Murat, çalıştığı hastaneyi uzun uzun anlattı. Hülya da üniversitedeki değişikliklerden ve ilmi gelişmelerden söz etti. Bir ara Hülya saatine baktı. Bir hayli geç olduğunu gördü. Yarım saat demişti; fakat iki saate yakın bir süre geçmişti. Birkaç dakika sonra,

"Murat, her şey için çok teşekkür ederim. Kalksak iyi olacak."

"Tabii, hemen."

Murat'ın ısrarla eve götürme teklifini kabul etmeyen Hülya, garsondan taksi çağırmasını rica etti.

"Tekrar görüşmemiz mümkün olabilecek mi, hastaneye gelebilir miyim yine?"

"Bu görüşmeyi burada bitirsek iyi olacak. Kurulu düzenimi değiştirmek istemiyorum."

"Sezen'i benim yerime öp, sanırım güzel bir kız olmuştur."

"Hem de çok güzel; üstelik de akıllı."

Garson, taksinin geldiğini haber verdi. Masadan kalktılar. Hülya taksiye bindi, kapıyı kapatan Murat cama doğru eğilerek:

"Senden ayrıldıktan sonra evlenmedim. Yalnız yaşadım. Çok zor oldu; ama seni hiç unutamadım."

"İnce bir düşünce!.."

"İşte böyle..."

"Allahaısmarladık."

"Güle güle. Görüşmek ümidiyle."

Yaşadıklarının etkisiyle duyguları karmakarışık olan Hülya, eve geldiğinde saat oldukça ilerlemişti. Yüz hatlarından, içinde kopan fırtına kolayca belli oluyordu. Kapıyı açıp içeriye girdiğinde, herkesin kendisini beklediğini gördü.

"Aşk olsun Hülya! Nerede kaldın, meraktan çatladık," diye, Elif sitem etti.

"Anneciğim! Hiç iyi görünmüyorsun, ne oldu sana?" diye, Sezen sordu.

"Sormayın... Çok müthiş bir gün geçirdim."

"Hayırdır! Seni üzdüler mi yoksa?" diye, Bora söze karıştı.

"Hayır öyle bir şey değil."

"Meraktan çatlatma bizi. Ne olduysa anlatsana," dedi Elif.

"Sabah işe giderken, Basmane'de bir trafik kazasına karıştım."

Bora birden telaşlandı ve annesinin ellerini sevgiyle tutarak, gözlerine içine merakla baktı.

"Nasıl bir kaza?" diye heyecanla sordu. "Çok şükür sen iyi görünüyorsun, sana bir şey olmamış," dedi.

"Hayır küçük bir kazaydı," diyen Hülya. Kazayı en küçük ayrıntısına dek anlattı.

"Neyse, sana bir şey olmamış ya, ona şükür," dedi Elif. "Arabada çok hasar var mı?"

"Hayır, arka tampon çöktü, bagajda da hafif bir hasar oluştu. Arabayı servise gönderdim. Yarına hazır edecekler."

"Anneciğim, söylediğin gibi, bu küçük bir kaza; insanı uzun süre etkisi altında bırakacak bir şey değil," dedi Bora.

"Zaten beni bu derece etkileyen kaza değil."

"Nedir anneciğim?" diye Sezen sordu.

"Kızım, geçmişte babanla oldukça üzüntülü olaylar yaşadım. Sen küçüktün ama o günleri hatırlarsın. Senin de bildiğin gibi o olaylardan sonra babanla ayrıldık ve bir daha görüşmedik."

"Doğru..." üzüntülü bir ses tonuyla söyledi Sezen.

"Kaza ile ilgili, arabaların şoförleriyle görüşürken, kazaya karışan taksinin içinden Murat çıkmaz mı!"

"Kim bu Murat anne, yoksa babam mı?" diye sordu Sezen.

"Evet, Sezen'ciğim... Baban."

Bir anda, neye uğradığını şaşırdı Sezen. On iki seneden fazla olmuştu babasını görmeyeli. Duygularını gizlemeye hiç gerek duymadan, annesinin yüzüne heyecanla baktı. İçindeki özlemi açıkça ifade eden bir mimikle,

"Yaaa!.." diyebildi.

"Evet Sezen. Bunca sene sonra, bir trafik kazasında, tekrar görüştük babanla."

"Kim bilir neler söylemişsindir adamcağıza."

"Hayır kızım. Boşandığımız zamandaki gibi, olumsuz duygular hissetmedim. İki medeni insan gibi konuştuk. Hatta, akşam üstüne doğru hastaneye geldi."

"Ne kadar güzel. Beni sordu mu?"

"Tabi, seni çok özlemiş. Bora'dan da bahsettim. Oldukça merak etti. Eve gelip seni görmek, Bora'yla da tanışmak istedi. Fakat, ben olumsuz karşıladım."

"Anne!.. Neden eve gelmesine izin vermedin? Benim, ne kadar fazla baba özlemi duyduğumu biliyor musun?"

"Ama kızım!.."

"Haksız mıyım Bora?" diye, Sezen sordu.

"Bilmiyorum..."

Birden gerginleşen hava, hepsinin neşesini kaçırdı. Bir süre sonra deniz tarafındaki balkona çıkıp oturdular. O akşam üzeri, denizde gezinen yelkenliler, körfeze değişik bir güzellik getirmişti. Fakat kimsenin gözü bu değişikliğin farkında değildi. Çünkü Sezen'in gösterdiği aşırı tepki hepsini üzmüştü. Ağızlarını bıçak açmıyordu. Bora Sezen'in çok gergin olduğunu anladı ve yavaşça ona seslendi:

"Sezen, ister misin arka bahçeye inelim?"

"İyi olur Bora, içim daraldı zaten. Orada dertleşiriz biraz. Belki rahatlarım."

Her zaman yaptıkları gibi yine arka bahçede havuzun başına oturup, dertleştiler. Sezen yılların birikimiyle, başını öne eğip, hıçkıra hıçkıra ağlamaya başladı.

"Ağlama Sezen, o güzel gözyaşlarına yazık. Seni çok iyi anlıyorum. Benim durumumu biliyorsun. Hem babasız hem de annesiz yıllar geçirdim. Zannediyor musun ki onları hiç özlemiyorum ve düşünmüyorum?"

"Biliyorum, sen çok güçlü bir insansın. Ama ben de bu güne kadar hiç belli etmeyip, içime gömdüm özlemimi."

"Birde annemizi düşünelim Sezen; o, ne özverili bir insan, sana da bana da hem annelik hem babalık yaptı. Onun duyguları yok muydu? Zaman zaman ne büyük sıkıntılar çekti kim bilir? Her şeye karşın, ikimizi de kucaklayıp bağrına bastı. Bizi, maddi-manevi bütün tehlikelerden koruyabilmek için kanatlarını üzerimize gerdi. Biz ne yaptık? Hep bize versin istedik. Veremediği zamanlar -mutlaka gücünün yetmediği bir neden vardı- ona kızdık, yine versin istedik. En önemlisi de sorunları göğüsleyemediği zaman, ona anlayış gösterip, yeterince yardımcı olamadık."

"Evet Bora. Söylediklerin çok doğru. Bunları hiç düşünmeden, oldukça sert tepki gösterdim sanırım. Kim bilir ne kadar üzülmüştür?"

"Tahmin ediyorum... Gönlünü alsan iyi olur."

"Haklısın..."

O gece, Hülya'nın gözüne uyku girmedi. Kızının, böyle bir tepki göstereceğini hiç ummamıştı. 'Demek ki bunca senedir, benim üzülmemem için duygularını belli etmemiş ve bana tek kelime bile söylememiş,' diye düşündü. 'Ne de olsa babası,' diye içinden geçirdi ve Sezen'in davranışına hak verdi. Kızının duygularının bu denli yoğun olduğunu gördükten sonra da onun babasını görmesine hiçbir şeyin engel olamayacağını anladı.

Ancak nedenini bilmiyordu fakat Murat'ın da o sıralarda eve gelmesini istemiyordu. Bu meseleyi, hem kızını daha fazla üzmeden hem de kendisini tekrar sıkıntılı bir duruma sokmadan nasıl halledeceğini kestiremedi, "Allah'ım bu meseleyi nasıl çözeceğimi bilemiyorum, bana yardım et," diye dua etti.

Murat'la evliliklerini, büyük bir gerginlik yaşayarak, sona erdirmelerine karşın karşılaştıklarında; ona karşı duygularının, çok da olumsuz olmadığını hissetmişti. 'Ayrılmamıza neden olan olaylar, sadece onun değil ikimizin de yanlışlarından kaynaklandı galiba. Murat, üst üste yaşadığımız üzücü olaylarda hep bana destek olmaya çalıştı. Üstelik oğlumuz Metin'in rahatsızlığında elinden gelen her şeyi yaptı. Fakat hem oğlunun rahatsızlığına bir çare bulamamanın üzüntüsünü yaşadı hem de her şeyin nedeni oymuş gibi, ona karşı sergilediğim dayanılmaz davranışlarıma katlandı. Eğer birazcık da onu düşünerek olumlu davranışlarda bulunsaydım, belki beraberliğimiz devam edebilirdi,' diye düşündü.

O sıkıntılı günlerinde Bora ile tanıştığı zamanı anımsadı. Ona karşı o sıcak duyguları duymaya başladığında çoğu kez, 'acaba bunalımda olmasaydım, Bora yine dikkatimi çeker miydi?' diye hep kendi kendine sorduğunu, 'çok masum ve tatlı bir çocuk mutlaka çekerdi,' diye, soruyu cevapladığını anımsadı. 'Dikkatimi çekseydi bile ailemin bir ferdi olarak onu benimser ve bu denli sevebilir miydim?' sorusunaysa hiçbir zaman yanıt bulamadığını düşündü. Sonra aklına, Bora'nın kendisine ilk kez anne deyişi geldi.

Çocukların, lise ikinci sınıfın sonunda karne aldıkları gündü. Sezen yanına gelmiş, sıkıntılı bir ses tonuyla,

"Anne, biliyorsun Bora, çok çalışkan bir öğrenci. Buna karşın bazı hoş olmayan olaylar sonunda, bu sene bütünlemeye kaldı. Utancından, sana söyleyemedi," demişti.

"Ne gibi hoş olmayan olaylar, kızım?" diye sorduğundaysa,

"Bizim sınıfta Ceylan adında bir kız var. İki-üç aydır, Bora'yı bir şekilde etkisi altına aldı. O da kendisini kıza öyle kaptırdı ki, her şeyi bir tarafa bıraktı. Doğal olarak da derslere gereken ilgiyi göstermeyince, iki dersten bütünlemeye kaldı," diye yanıtlamıştı Sezen.

"Kızım! Bu tür olaylar herkesin başına gelebilir. Şu anda o, çok hassastır ve yardımımıza ihtiyacı vardır. En küçük olumsuz bir bakışla ya da sözle kırılabilir. Onu kazanmamız ve normal ruh yapısına döndürmemiz gerekir," demiş, "Bora'ya, bütünleme sınavlarına kalmasının önemli olmadığını; kendisini, içerisinde bulunduğu sıkıntılı durumdan en kısa sürede kurtaracağına gönülden inandığımı söyle," diye de devam etmişti.

Bu sözleri işiten Sezen, çok sevinmiş, koşarak Bora'nın odasına gitmişti. Kısa süre sonra Hülya da Bora'nın odasına gelmiş, odaya geldiğinde; Sezen'in, Bora'ya heyecanla bir şeyler anlattığını görmüştü. Hülya yanlarına gelip, hiçbir şey söylemeden Bora'ya sarılmış, yoğun bir sevgiyle kucaklayıp öpmüştü. Sonra onu iki kolundan tutup, gözlerinin içerisine bakarak,

"Bora'cığım, kardeşin benimle konuştu. Olayı olduğu gibi anlattı. O anlattıkları, kolayca üstesinden gelinecek şeyler. Hepimizin üzüntülü günleri olur, eğer böyle anlarda birbirimize anlayış gösterip yardım etmezsek, aramızdaki bağlar zayıf demektir. Biz seni yürekten seviyoruz, bizim sevgi bağlarımız çok güçlü. Biz o yoğun sevgiyle, en büyük problemlerimizin üstesinden geldik ve sıkıntılarımızı aştık. Bugün ailemiz, birbirini seven, her konuda yardımlaşmasını bilen, sağlıklı kişilerin oluşturduğu bir aile," demişti.

Bu sözler üzerine, aşırı duygulanan Bora, kızaran gözleriyle bir Hülya'ya bir Sezen'e bakmış, Hülya'nın elini öpmüş, Sezen'in de yanağını okşamıştı. Sonra yaşlı gözlerle, yine Hülya'ya bakıp,

"Hülya teyze, ailemi kaybettiğim o şanssız trafik kazasından bugüne dek bana öz annem gibi davrandın, üzüntülerimi paylaştın; ağladığımda benimle ağladın, sevindiğimde benimle sevindin. Dahası bana, hem anne hem de baba oldun. Bana onları hiç aratmadın. Bu nedenle seni çok ama çok sevdim. Eğer kabul edersen, bundan sonra sana anne demek istiyorum," demişti.

Çok mutlu olan Hülya, kulaklarına inanamamış, göz pınarlarında oluşan yaşları eliyle sildikten sonra ona şefkatle bakarken, ağzından şu kelimeler dökülmüştü:

"Bora'cığım beni çok mutlu ettin, böyle bir şeye hayır diyemem. Ancak şu anda duyguların çok yoğun, ileride pişman olmayasın?"

"Asla pişman olmam, böyle söyleyebilmeyi uzun zamandır istiyorum. Ancak Sezen'in ve senin tepkinizin nasıl olacağını tahmin edemediğim için şu ana kadar, bu konuyu sizinle konuşmaya cesaret edemedim," diyerek, duygularını dile getirmişti Bora.

Bu sözler üzerine Sezen'in de gözyaşları yanaklarından aşağıya inmeye başlamıştı. Üçü birbirlerine sıkıca sarılıp, gözlerinden akan mutluluk yaşlarıyla bir süre öylece kalmışlardı. Bu sırada Elif, yanlarına gelmiş, kızgın bir ifadeyle,

"On dakikadır, yemek hazır diye sesleniyorum, kimsenin aldırdığı yok! Yemekler buz oldu... Hem siz burada ne yapıyorsunuz?" demişti. Üçünün de gözlerinden akan yaşları görünce; kızgınlığı gitmiş, kaygıyla, "aaa... ağlamışsınız!.. Ne oldu, kötü bir haber mi var?" diye sormuştu. Hülya gülümseyerek Elif'e bakıp,

"Gözyaşları kötü haberden değil, mutluluktan, mutluluktan," diye, yanıt vermişti.

Hülya olayı hatırlayınca; yine mutluluktan gözleri yaşardı, içini güzel bir duygu kapladı ve sıkıntısı dağıldı. "Bu çocuk bana hep güzellikleri yaşatıyor zaten. Onu o denli..." tümcesini tamamlayamadan da uykuya daldı.

Ertesi sabah erken kalkan Hülya, balkona çıkıp oturdu. Kafası karma karışıktı. Dalgın bir şekilde körfeze bakıyordu. Gördüğü nesneleri algılamıyordu bile. Gece yatarken kafasından geçirdiği düşünceleri hatırlıyor, onları tekrar tekrar irdeliyordu. Bir süre sonra yanına gelen Sezen, ona sarılıp yanaklarından sevgiyle öptü.

"Anneciğim," dedi, "dün akşam seni üzdüm sanırım; bunun için kendime çok kızdım."

"Evet önce üzüldüm, sonra gösterdiğin tepkide, haklı olduğun tarafların da bulunduğunu düşündüm."

"Beni bağışlar mısın?"

"Kızım, anneler yufka yürekli olur. Evlatları, onları üzüp kırsalar da yine onlara kızamazlar, darılamazlar, sevgilerinde en ufak bir değişiklik olmaz."

"Canım annem benim! Seni o kadar çok seviyorum ki."

"Bak Sezen'ciğim, biraz önce de söylediğim gibi seni o davranışa iten haklı nedenlerin var."

"Anneciğim!.."

"Babanla ayrıldıktan sonra, seni onunla görüştürmemekle hata ettim."

"Hayır anne, sen beni hiç zorlamadın. Babamı görmeyi ben istemedim. Babamla görüşmeyi çok isteseydim; sanırım buna hayır demezdin. Ama ben eğer babamı görürsem; o tartışmalı, kavgalı ortamın geri gelebileceğini ve hoş olmayan olayları yeniden yaşabileceğimizi düşündüm ve korktum."

"Bu, baba sevgisine özlem duymadığın anlamına gelmez."

"Evet, ama..."

"Benim güzel kızım! İnsanların mutluluğunu oluşturan temel öğelerden biri belki de en önemlisi, sevgidir. Çocuk büyürken sevgiyi, hem annesinden hem de babasından almalıdır. Bu, çocuk bakımında oldukça yoğun olarak ele alınan bir konudur."

"Biliyorum anne."

"Ben bu konuyu çok iyi bilmeme rağmen, uygulamada başarılı olamadım. İşin içerisine duygularım karışınca, seni düşünmeyip kendimi düşündüm."

"Kendini suçlama anne. Senin beni ne büyük fedakarlıklara katlanarak büyüttüğünü çok iyi biliyorum."

"Bak kızım! Ne zaman istersen babanı görebilirsin. Çok istersen buraya da gelebilir."

"Sen annelerin en iyisisin. Söz veriyorum, seni bu konuda kesinlikle üzmeyeceğim."

Hülya öğleye doğru arabasını tamirhaneden aldı. İkindi üzeri de Çeşme'ye doğru yola koyuldular. Ilıca'ya vardıklarında güneş ufka doğru yaklaşıyordu. Her zaman kaldıkları motele yerleştiler. Hülya'yla Elif motelde kalıp dinlenmeyi tercih ederken, Sezen'le Bora giysilerini değiştirip, plaja indiler.

Plajda denize yakın bir yerde kumların üzerine oturdular. Dakikalarca hiç konuşmadılar, ara sıra birbirlerine bakıp gülümsemekle yetindiler.

Bora, Sezen'in bir gün önce yaşananlardan çok etkilendiğini iyi biliyordu; çünkü kendisi de babasız büyümenin zorluğunu uzun süredir yaşamaktaydı. O sevgiden yoksunluk, insanın yüreğini burkardı. Buna dayanmak çok güç olurdu bazen. Ayrıca son günlerde annesinde oluşan karamsarlıkların da Sezen'i üzdüğünü hissediyordu. "Şu anda Sezen güç anlar yaşıyor," diye düşündü. Onun yüzüne sevecenlikle bakarken düşünceleri seneler öncesine gitti.

Çocukluğunun en sıkıntılı günleriydi. Hiç beklemediği bir zamanda başına büyük bir felaket gelmişti. Öz ailesiyle birlikte İzmir'e gelişlerinin ilk saatlerinde talihsiz bir trafik kazası geçirmişler, kazada; annesi, babası ve ablası hayatlarını kaybetmişlerdi. O acılı günlerde, Hülya Hanım Bora'nın bakımını üstlenerek onu evlerine almıştı. Eve ilk gelişinde ürkek, kırılgan ve sevdiklerini kaybetmenin hüznüyle doluydu. İşte o günlerde Hülya Hanım'la Sezen, Bora'yı teselli edebilmek için çok çırpınmışlar, ona şefkat dolu bir ortam yaratarak acılarını unutturmaya çalışmışlardı. Gün geçtikçe bu davranışları büyük ölçüde olumlu sonuç vermişti.

Sonra düşünceleri Sezen'le birlikte ilk kez denize girişlerine gitti. O gün denizi ilk kez yakından görmüştü. Düşündüğünden oldukça farklı gelmişti deniz. Tuzlu olduğunu biliyordu; ama tuzun gözlerini yakacağını hiç tahmin etmemişti. Burnuna kaçan deniz suyu ise oldukça rahatsız etmişti onu. Bunlara karşın denizde yüzmek, kasabalarındaki gölette yüzmekten çok daha eğlenceli gelmişti Bora'ya.

Denizden çıkıp, el ele tutuşarak Hülya'nın yanına gelmişlerdi Sezen'le birlikte. Güneş ışınlarıyla ısınan kumlar çok ilginç gelmişti Bora'ya. Heyecanla Hülya'ya sormuştu:

"Hülya Teyze kumlar ne kadar sıcak. Ayaklarım ateşe basmış gibi oluyor. Sizinkiler de öyle mi?"

Annesinden önce Sezen yanıt vermişti Bora'ya:

"Benimkiler de sanki pişiyor gibi."

"Çocuklar yanıma gelin, sırtınıza güneş yağı süreyim. Yoksa, çok kötü yanarsınız. Gece yatınca yanıkların acısından uyuyamazsınız," deyişini hatırladı Hülya'nın. 'Canım annem benim,' diye içinden geçirdi.

Hülya ikisine de güneş yağı sürdükten sonra denize doğru yürüyüp Sezen'le kumların üzerine karşılıklı oturmuşlardı. Bir ara Bora dalgın dalgın Sezen'e bakmış, 'keşke, Sezen'in oturduğu yerde ablam olsaydı.' diye içinden geçirmişti. Hemen arkasından da, "yok yok Sezen'in yanında, ablam da otursaydı, daha iyi olurdu," diye düşünmüştü.

Sezen, Bora'nın kendisine bakarken bir şeyler düşündüğünü anlayıp, onu süzerek,

"Benden bir yaş küçüksün, boyunsa benimkinden daha uzun, oldukça da zayıfsın. Metin'in yerini doldurmazsın, ama seni sevdim," demiş, "umarım, hep bizimle kalırsın" diye de sürdürmüştü sözlerini. Sonra utancından kıpkırmızı olan yüzünü denize doğru çevirerek sormuştu:

"Yüzelim mi Bora?"

"Tabii..."

Beraberce denize doğru koşup, önce deniz kenarında biraz yürümüşler, sonra elleriyle ıslak kumların üzerine resimler yapmışlar, daha sonra da el ele tutuşarak denize girip yüzmüşlerdi. Bir ara Sezen, "Bora, sen bayağı güzel yüzüyorsun. Haydi yarışalım," demişti.

"Peki. Gel yan yana duralım. Sen üçe kadar say. Yarışa başlayalım. Şu karşıdaki dubaya kadar."

"Bir, iki, üç..."

Yüzmeye başladıklarında; önce Bora ilerideyken daha sonra yavaş yavaş Sezen öne geçip yarışı kazanmıştı. Bora, aslında çok hırslı bir çocuk olmasına rağmen yarışı kaybettiğine üzülmemişti. Bundan hoşnut bile olmuştu. Çünkü Sezen'e karşı yüreğinde sıcak duygular oluşmaya başlamıştı.

O zaman oluşmaya başlayan sıcak duygular, seneler geçtikçe yoğunlaşarak artmış ve kocaman bir yumak haline gelerek, ikisini de sımsıkı sarmıştı. Sezen yavaşça gözlerini Bora'ya çevirerek, dalgın dalgın baktı. Sonra yüzünde beliren bir gülümsemeyle sordu:

"Buraya ilk geldiğimiz günü hatırlıyor musun Bora?"

"Evet, çok iyi hatırlıyorum. Ben de şimdi o günü düşünüyordum."

"Çok güzel günlerdi onlar..."

"Haklısın, biz o günlerde; yaşamın güzel taraflarını yeniden keşfetmeye başlayıp, karamsarlıkları geride bırakarak, mutluluğu yakalamıştık."

"Doğru söylüyorsun da! O mutluluk yok artık."

"Neden? Ben, o sıkıntılı günlerdeki gibi karamsar değilim. Senin de olmaman lazım."

"Nasıl olmayabilirim ki Bora? Annemin tekrar bunalıma girmesinden korkuyorum."

"Sezen'ciğim, olaylara biraz da iyimserlik gözlüğünle bakar mısın?"

"Söylemesi kolay. Annem sen gidiyorsun diye üzülürken bir de benim baba özlemim çıktı ortaya. Kadıncağız ne yapacağını şaşırdı."

"Ben aileden tamamen kopup gitmiyorum ki... İzinlerimde yine beraber olacağız; hem sık sık da telefonla konuşuruz. Senin baba özlemi çekmen de gayet normal. Zaten annem de hak verdi sana."

"Aslında annemi karamsarlığa iten en büyük etken, sana bir şey olacak korkusu."

"Bu korkuya kapılmasının nedenini bir türlü anlayamıyorum."

"Öyle söyleme Bora... Annem kardeşim Metin'i kaybettikten sonra sevdiklerine kötü bir şey olacakmış gibi hep tedirginlik içinde."

"Bana kötü bir şey olacaksa, her zaman her yerde olabilir."

"Sen gel de bunu anneme anlat..."

"Zamanla alışır Sezen'ciğim, merak etme!"

"Olabilir de! Sen Hava Harp Okulu'na girdiğinden bu yana altı sene geçti; ama ilk günkü gibi hâlâ korku içinde."

"Ne diyeyim bilemiyorum ki..."

"Annem sana sıkılırken, bir de babam çıktı ortaya. Biliyorsun, beni babamla görüşme konusunda serbest bıraktı. Ancak bu kararı mantığıyla verdiğini tahmin ediyorum. Kendisi farkında değil; ama duygusal olarak böyle bir şeye hazır olduğunu sanmıyorum."

"Bana göre; babanla karşılaşmaları iyi olmuş, aradan uzun yıllar geçmiş olmasına karşın yeniden birlikte olsalar kanımca daha iyi olur. Hem sen de babanla beraber olmayı çok istiyorsun. Yanılıyor muyum?"

"Yanılmıyorsun. Babam da bizimle beraber yaşasa ne kadar hoş olur. Onu tanısan, çok iyi bir insandır."

"Sen öyle düşünüyorsan mutlaka iyidir. Hem onu sevebileceğimi sanıyorum."

"Keşke bu beraberlik olsa. O zaman sen gidince, annemin ruhunda oluşacak boşluğun bir kısmı belki dolabilir."

"Ben, bir kısmının değil, tamamına yakınının dolacağını sanıyorum. Aynı zamanda benim içim de rahat olur."

"Nasıl yapmalı da annemi ikna edip, yeniden bir araya gelmelerini sağlamalı?"

"Sen farkında olmadan bu süreci başlattın. Hem de kısa sürede çok ilerleme kaydettin."

"Ben ne yaptım ki?"

"Dün akşam gösterdiğin tepki, bunun başlangıcı oldu."

"Bu kanıya nasıl vardın?"

"Bu sabah, annemin sana davranışını anımsa. Her zamankinden daha farklı değil miydi?"

"Çok doğru... İşin bu tarafını hiç düşünmemiştim."

"Şimdi annemizi ikna edebilmek için izleyeceğimiz yolu belirleyelim."

"Benim aklıma hiçbir şey gelmiyor."

"Benim bir planım var," dedi Bora. "Önce beraberlik için bir şey söylemeyelim. Sadece, hep beraberken yaptığımız sohbetler sırasında, zaman zaman babandan ve onun iyi taraflarından söz edelim. Annemizin duygularında olumlu bir gelişme olunca, esas konuyu işlemeye başlarız."

"Çok güzel bir fikir, oldukça rahatlattın beni," dedi Sezen. "Hadi bakalım, yüzme yarışına var mısın?"

"Bu saatte mi? Güneş battı batacak."

"Evet. Ne olacak? Güneş batarken denize girmek oldukça zevkli olur."

Sezen, konuşmanın sonunda oldukça rahatlamıştı. Eski günlerde olduğu gibi yarıştılar, birbirlerine su attılar, ıslak kum üzerine resimler yaptılar. Böylece sıkıntılarını bir parça da olsa üzerlerinden atabildiler. Hava kararmak üzereydi. Zamanın nasıl geçtiğinin farkına varmamışlardı.

"Sezen! Hava karardı, hemen annemlerin yanına gidelim. Meraktan çatlamışlardır."

"Doğru söylüyorsun. Haydi elimizi çabuk tutalım."

O akşam ve onu izleyen günlerde; çocuklar fırsat buldukça, sözü Murat'a getirdiler. Başlangıçta, Hülya sözü hemen değiştirerek, konuyu kapatmak istediyse de kısa süre sonra o da Murat'la ilgili konular açıldığında konuşmalara katılmaya başladı. Planları oldukça başarılı bir uygulama içindeydi. Böyle hızlı bir gelişmeden her ikisi de çok memnundular.

Çeşme gezisi göz açıp kapayana kadar geçip gitmişti. Artık Bora'nın İstanbul'a gidiş zamanı da gelmişti.

Söz kesilmesi sırasında yaşanan olaylardan sonra Ebruların evinde bir süre kızılca kıyamet koptu. Ebru'nun çok mutlu olması gereken bu dönemde o, odasına kapandı ve günlerini ağlayarak geçirmeye başladı. Kızının çok üzülmesine karşın Mete Bey'in Bora'ya karşı olan olumsuz düşüncelerinde ilk günlerde en küçük bir değişiklik olmadı. Ancak günler geçtikçe, kızının kahrolmasına daha fazla dayanamayan Mete Bey'in yüreğindeki katılık, Nesrin Hanım'ın da etkisiyle yavaş yavaş yumuşadı ve çok sevdiği kızının odasına gelip, ne yaptıysa onun iyiliği için yaptığını söyleyerek, "Kızım seni, hayatta herkesten fazla sevdiğimi biliyorsun. Ahmet'e söz vermiştik. O nedenle Bora ile söz kesme işine sıcak bakmadım. Belki de tepkimin dozunu biraz fazla kaçırdım. Ama şunu iyi bil ki, sen benim için her şeyden daha kıymetlisin. Bundan sonra Bora'ya oğlum gibi davranacağım ve senin üzülmemen için elimden gelen her şeyi yapacağım," dedi.

Ebru bunları duyunca babasının boynuna sarılarak onu defalarca öptü ve kulağına, "Benim biricik iyi yürekli babacığım! Mutluluğum için yanımda olacağını biliyordum," diye fısıldadı.

Babasının sözleri, Ebru'yu içinde bulunduğu olumsuz ruh halinden çıkarmış ve onu tekrar yaşamın mutlu boyutuna taşımıştı.

Babasıyla barıştıktan kısa süre sonra Bora telefon edip, İstanbul'a geleceğini söyledi. Babasının güzel sözlerinden hemen sonra Bora'nın İstanbul'a geleceğini duyan Ebru, mutluluktan havalara uçtu.

Bora'nın İstanbul'a gelmesiyle her şey daha güzelleşti. Mete Bey ile Nesrin Hanım Bora'ya eski günlerde olduğu gibi sevecenlikle davranmaya başladılar ve onu evlat gibi bağırlarına bastılar. Bora'nın İstanbul'da bulunduğu iki günün her anını birlikte geçiren Ebru'yla Bora, güzelliklerin en güzelini yaşadılar. Ama iki gün, göz açıp kapayıncaya kadar çabucak geçiverdi ve ayrılık günü gelip çattı.

YOLCULUK

Ebru, yanaklarından aşağıya akan gözyaşlarına, bütün çabasına karşın engel olamıyordu. Duyguları alabildiğine yoğunlaşmıştı. Bora'nın ellerini sıkı sıkı tutmuş, gözlerinin içine bakıyor, bakışlarıyla, 'ne olur gitme, benimle burada kal,' diyordu. Biraz sonra yalnız kalacağını düşünmek bile kahrolmasına yetip artıyordu. Bora büyük bir sevgiyle onun yüzüne bakarak,

"Ebru'cuğum! Bu denli üzülme, ilk fırsatta yine geleceğim," dedi.

"Öyle de ilk fırsat dediğin, kim bilir ne kadar zaman sonra."

"Sanırım kısa bir süre."

Ebru'nun üzülmemesi ve kendisini yalnız hissetmemesi için İstanbul'daki tüm yakınları, Bora'yı uğurlamak üzere onunla birlikte otobüs terminaline gelmişlerdi. Ebru'nun gözüyse Bora'dan başkasını görmüyordu. Oysa onlar, onun üzüntüsünü dağıtmak için ellerinden gelen her şeyi yapıyorlardı.

Kolay değildi; birbirlerini ilk gördükleri andan bu yana, büyük bir sevgiyle sevmişti Bora'yı. Ancak Bora'dan ufacık da olsa bir karşılık göremediği için, altı yıl gibi uzun bir süre, sevgisini kelimelere döküp, anlatamamıştı. Gönlü çok şeyler yapmak istemişti. Ama Bora'nın kardeşlikten öteye gitmeyen davranışları, tüm isteklerine gem vurmuştu. Sonunda da sevgisinin karşılıksız olduğuna karar verip, aşkını yüreğine gömmeye çalışmıştı. Ancak hiç beklemediği bir anda, Bora'dan sevgisine karşılık görmüş ve yüreğinde yavaş da olsa küllenmeye başlayan aşkı, öncekinden daha güçlü olarak benliğini sarmıştı. Hele Bora'nın,

"Seni, beni sevdiğinden çok daha fazla seviyorum," demesi, dünyaların onun olmasına yetmişti. Kapkara bulutlarla dolu olan iç dünyası, bir anda mutluluktan ışıl ışıl olmuştu.

Duygusal bir uğurlamayla, otobüs terminalden hareket etti. Bora, Ebru'nun silueti kayboluncaya dek camdan geriye baktı. Sanki yüreği, içerisindeki büyük aşkıyla birlikte orada kalmıştı.

Ebru'nun görüntüsü, Bora'nın gözlerinin önünden bir süre gitmedi. Sonra birlikte geçirdikleri güzel anları düşünmeye başladı. Uzunca bir zaman sonra sağ omzundan gelen acı, onu daldığı düşten uyandırdı. Aralık kalmış olan perdeden geçip sağ omzuna gelen güneş ışınları, canını yakmaya başlamıştı. Perdeyi bir kere daha özenli bir şekilde kapattı. Sonra otobüsün içerisine şöyle bir göz attı, bütün koltuklar doluydu. Ön sırada, üç ya da dört yaşlarında sarı saçları bukle bukle olan bir kız çocuğuyla annesi oturuyordu. Sol taraftaki sırada, davranışlarından öğrenci oldukları belli olan iki delikanlı vardı. Yanındaysa orta yaşta, iyi giyimli, saçları özenle taranmış, uzunca boylu, ince yapılı bir beyefendi oturuyordu. Göz göze geldiler. Birbirlerine gülümsediler. Bora,

"İyi yolculuklar beyefendi," dedi. "Ben Bora."

"Size de iyi yolculuklar. Ben de Cengiz. Tanıştığımıza memnun oldum."

"Ben de memnun oldum."

"Duygusal bir vedalaşma yaşadınız. Çok etkilendim."

"Evet öyle oldu. Uğurlayanlar, sözlüm ve yakınlarıydı."

"Oldukça şanslısınız; sözlünüz çok güzel bir bayan. Diğerlerinin de sizi sevdikleri, her davranışlarından belli oluyordu."

"Teşekkür ederim... Yolculuğunuz nereye?"

"Konya'ya. Ya siz?"

"Ben de Konya'ya gidiyorum."

"Konya'lı mısınız?"

"Hayır, İzmir'liyim. Siz?."

"İstanbul'lu."

"Sanırım, Konya'da akrabalarınız var."

"Hayır yok. Ben, Konya Çimento Fabrikası'nda makine mühendisi olarak çalışıyorum. Fakültede çok sevdiğim Konyalı bir arkadaşım vardı, o sürükledi getirdi beni Konya'ya. Başlangıçta bir parça sıkıldım, ama şimdi yaşamımdan memnunum. Ya sizin Konya'yla ilişkiniz?"

"Ben havacı subayım. Konya'ya savaş eğitimi görmek için gidiyorum."

"Desenize jet pilotusunuz."

"Evet..." Bunu söylerken Bora büyük bir gurur duymuştu.

"Konya Hava Üssü'ndeki uçaklar, iniş ve kalkışlarında çimento fabrikasının üzerinden geçerler. Uçakların görkemli bir görünüşleri var, hep özenle seyrederim onları... Daha önce Konya'da bulundunuz mu?"

"Hayır bulunmadım. İlk kez gidiyorum. Ama Konya hakkında çok şey duydum."

"İyi şeyler miydi duyduklarınız?"

"Evet çoğunlukla öyleydi."

"Konya'da yaşamaya başlayınca, bu şehri seveceğinizden eminim."

"Umarım. Ancak Konya'daki yaşamım; daha çok hava üssünde geçecek."

"Olsun, yine de şehirdeki yaşam içerisine karışacaksınız."

"Haklısınız, bir seneye yakın bir süreyi, sadece üste geçiremem."

"Sözlünün seni çok sevdiği her halinden belliydi. Sanırım sen de onu en az onun seni sevdiği kadar seviyorsundur."

"Evet onu her şeyden çok seviyorum... Parmağınızda yüzük olduğuna göre sanırım evlisiniz."

"Evet, evliyim."

"Çocuğunuz var mı?"

"Henüz yok."

"Yeni evlisiniz herhalde?.."

"Hayır, beş sene oldu evleneli."

"Oldukça uzun bir süre..."

"Evet..."

"Çimento fabrikasından, uçakların iniş - kalkışları göründüğüne göre hava üssü ve fabrika birbirlerine yakın sanırım."

"Çok yakın. Araları, dört - beş kilometre kadar. Fabrikadan hava üssü rahatça görünür."

"Büyük olasılıkla hava üssünden de fabrika görülüyordur."

"Sanırım... Fabrikanın çevresi hemen hemen bomboştur. Üstelik de uzun bir bacası var. Duyduğuma göre pilotlar bu bacayı nirengi olarak kullanırlarmış."

"Ne kadar güzel. Bundan sonra o baca, bana hep sizi hatırlatacak."

Bora'yı Konya'ya götüren otobüs hareket edip yavaş yavaş uzaklaşırken, Ebru'nun gözlerinden aşağı süzülen yaşlar daha da fazlalaştı. O, otobüs gözden kayboluncaya dek sanki Bora görüyormuşçasına el salladı. Eve dönerlerken de, kimseye belli etmemeye çalışarak, için için ağladı. Daha yeni ayrılmalarına karşın özlem ateşi, şimdiden tüm benliğini sarmıştı. 'Bu ayrılığa nasıl dayanacağım?' diye düşündü. Bu düşüncesinin yanı sıra, 'kısa sürede yapacak bir şeyim de yok,' diye aklından geçirdi. Ama bunu bir türlü yüreğine anlatamadı. Eve geldiklerinde gözleri kıpkırmızı olmuştu.

"Kızım kendini biraz toparla," dedi annesi. "Duygularından bir parça uzaklaş, kendini harap etme."

"Tamam anneciğim. Ancak şimdi yalnız kalmak istiyorum. Ne olur anlayış gösterin."

Hakan kardeşinin yanına gelip ona sarıldı. Yanaklarından öptü.

"Canım benim! Kendine fazla eziyet etme. Bildiğin gibi yakında ben de Konya'da göreve başlayacağım. O zaman sadece Bora'nın İstanbul'a gelmesini beklemezsin, sen de zaman zaman Konya'ya gelirsin. Böylece daha sık görüşebilirsiniz," diyerek, Ebru'yu rahatlatmaya çalıştı. Sonra babasına bakıp, "Babacığım ben Fundalara gidiyorum. Akşam yemeğine belki gelemem," dedi.

"Peki oğlum, çok selam söyle."

"Abi, ben de gelmek istiyordum. Ama..."

"Ebru'cuğum sen şimdi biraz dinlen. Yarın beraber gideriz,"

"Peki abiciğim, selamlarımı söyle. Benim yerime de Funda'yı öp."

"Tamam canım. Haydi hoşça kalın."

Odasına çıkıp yatağına uzanan Ebru, Bora'yı düşünmeye başladı. "Şimdi İzmit'i geçmiştir herhalde, otobüste ne yapıyordur kim bilir?" diye düşündü. Aklına ona sevdalanışı geldi. Ne kadar uzun bir süre beklemişti de aşkına yanıt alamamıştı. Ahmet'le evlenme durumları ortaya çıkınca; hiç ummadığı bir zamanda, Bora ona telefon edip, onu çok sevdiğini söylemişti. Bunu duyduğu an çok şaşırmış, ne diyeceğini bilememişti. Hem mutlu olmuş hem de Ahmet'e evlenme sözü verdiği için sözüne sadık kalması gerektiğini düşünerek, ne yapması gerektiğini kestirememişti. Tüm bunları, tatlı bir gülümseyişle hatırladı. "Ne günler geçirdim; şu hınzır Bora'yla söz kesilinceye kadar," diye mırıldandı.

Sonra aklına Ahmet'le söz kesilmesi geldi:

Ahmet'i küçük yaşlarından beri tanıyordu. Ahmet, babasıyla olan iş ilişkileri nedeniyle zaman zaman evlerine gelip gidiyordu. "Geleceği parlak olan bir hukukçu" derdi babası. Hukuk Fakültesi'nde söz sahibiydi, dış ülkelerin pek çoğunda da tanınıyordu. Derslerini esprilerle süsleyerek anlatırdı. Bunun için de öğrencileri onun derslerini kaçırmak istemezlerdi. Ebru da onun dersini, diğer derslere göre daha zevkle izlerdi. Sportmen bir yapısı vardı Ahmet'in. Tenise ve tekvandoya karşı da ilgisi oldukça fazlaydı. Kırklı yaşların başlarında olmasına karşın pek çok kız öğrenci ona aşıktı. Ebru'ysa, onu hep ağabey olarak görmüş ve başarılarını da her zaman takdir etmişti.

Bir gün babası, tam yatmak üzereyken odasına gelmiş, önemli bir konu hakkında konuşmak isteğini söylemişti. Sonra heyecanını saklamaya çalışıp ona sarılmış, saçlarını okşamış, tatlı bir gülümsemeyle gözlerinin içine bakarak konuşmuştu:

"Ebru kızım, Devletler Hukuku dersinizi veren Doçent Ahmet var ya!"

"Ahmet abi mi?"

"Evet kızım o."

"Bir şey mi oldu, Ahmet abiye?"

"Yok kızım ona bir şey olur mu, aslan gibi maşallah."

"Eee..."

"Seninle evlenmek istiyor."

"Aaa, nasıl olur? O benim Ahmet abim."

"Yavrum! Hemen bir şey söyleme. Birkaç gün düşün. Aranızdaki yaş farkını biliyorum. Ancak fiziği bu yaş farkını hiç belli etmiyor."

Ebru o gece sabaha dek uyumamış ve bu evliliği irdelemişti. Bu irdeleme sırasında Bora'dan aşkına karşılık görmeyince nasıl perişan olduğu, hep ön planda yer almıştı. Zaman zaman, 'Ahmet abi de oldukça yakışıklı, pek çok kız arkadaşım da onunla evlenmeyi hayal edip duruyor,' diye içinden geçirmişti. Ama Bora'nın tüm benliğini sarmış olduğu gerçeğini de bir türlü aklından çıkaramamıştı. Üstelik Bora, İzmir'e gider gitmez Ceylan'la ilişki kurmuş, yani kendisinin ona karşı olan duygularını hiçe sayıp görmezden gelmişti. 'Ona sevdalıyım, ama onun yaptığı da kabul edilebilir gibi değil,' diye düşünmüştü.

Artılarla eksileri çok iyi değerlendirdikten sonra sabaha karşı, Ahmet'le evlenmeye karar vermişti. Aslında intikam duygularının etkisiyle verilmiş bir karardı bu. Böyle olmasına karşın kısa sürede nişan tarihi bile belirlenmişti.

Sonra her şey o denli hızlı değişmişti ki, bir anda Ahmet defteri kapanmış, Bora'yla söz kesilerek evliliğe ilk adım atılmıştı. Ancak Bora'nın eski çapkınlıkları da, Ebru'nun içini sürekli kemiren bir kurt olarak kalmıştı.

Yataktan kalktı, masanın üzerindeki Bora'nın resmini eline aldı. Sevgiyle baktı ona. 'Acaba Bora benden uzaktayken çapkınlık yapar mı?' diye aklından geçirdi. "Hayır, böyle bir şey yapmaz," diye mırıldandı. Fakat kurt içini kemirmeye devam etti. 'Ama beni ilk gördüğü andan beri büyük bir sevgiyle sevdiğini söyleyen Bora, o zamanlar bana sevgisini belli etmemiş olsa bile nasıl olup da Hava Harp Okulu'nda okurken ve ondan sonra onca çapkınlığı yapabilmişti. Arkadaşları bile devremizin Kazanova'sı diye söz ediyorlardı ondan,' diye düşündü.

Sonra fakültede kız arkadaşlarıyla yaptıkları konuşmalar geldi aklına. İçlerinde öyleleri vardı ki, evli erkeklerle bile ilişki kurmaktan çekinmiyorlardı. 'Bora çok yakışıklı bir erkek, bir genç kızın düşlediği her şey var onda. Onu kesinlikle rahat bırakmazlar. Onun zayıf bir anında her şey olabilir,' diye içinden geçirdi. Aklına, bir gün önce gittikleri çay bahçesinde yaşadıkları geldi. Yan masada oturan bayanlardan birisi, ısrarla Bora'yı süzmüş ve kendisi de onun yanında olmasına karşın davetkâr bakışlarını sürdürmüştü. Daha sonra olayı Bora'ya açtığında; o, 'kesinlikle böyle bir şeyin farkında değilim, hatta yanımızda kimler oturuyordu görmedim bile,' demişti. 'Ya yanında ben yokken böyle bir durumla karşılaşırsa nasıl davranır?' diye, aklından geçirdi.

Birbiri peşi sıra aklına gelen bu düşüncelerle oldukça yorulmuştu. Gözlerinden akan yaşlar da bir türlü dinmek bilmiyordu. Özlem duygularının üzerine kıskançlık da eklenince içi oldukça daralmıştı. O sırada odanın kapısı çaldı.

"Kim o?"

"Kızım, iki - üç kez seslendim, duymadın," dedi, kapıdan giren annesi. "Funda telefondaydı, Allah kavuştursun demek için aramış. Senden ses gelmeyince uyuyor dedim."

"İyi demişsin anne, şu anda kimseyle konuşacak halde değilim."

"Kızım!.. Güçlü olmaya çalış. Kendini bu kadar perişan etme."

"Anneciğim, onun özlemine nasıl dayanacağım? Arada bunca mesafe var, her istediğimde görüşemem ki."

"Yavrucuğum göreceksin, aradaki mesafe, sevginizi daha da güçlendirecek," deyip, saçlarını okşadı annesi.

"Fakat anneciğim..."

Derken gözyaşları daha da fazlalaştı. Annesi onun ruhunda kopan fırtınanın farkında değildi. Kızının, yalnız özlemle yoğunlaşan duyguların etkisiyle üzüldüğünü sanıyordu.

"Kızım ne oluyor? Beni endişelendirme. Yoksa kötü bir şey mi oldu aranızda?"

"Anneciğim, Bora'yla arama bir başkasının girmesinden korkuyorum."

"Aaa!.. Ne demek bu söylediğin şimdi?"

"Nereye gitsek, hemen hemen bütün bayanlar ona bakıyor."

"Tabi bakarlar kızım, boylu boslu, yakışıklı, aslan gibi maşallah. O da onlara bakıyor mu?"

"Hayır, o çoğu zaman farkında bile olmuyor."

"İyi işte, o bakmıyorsa kendine neden dert ediyorsun?"

"Ya zayıf bir anında yanlış bir şey yaparsa?"

"Ebru'cuğum!.. Bora çok iyi yetişmiş bir insan. Gördüğüm kadarıyla, etik değerlere de son derece önem veren bir kişi. Her şeyin ötesinde, seni çok seviyor. Bunu tüm davranışlarıyla da açıkça belli ediyor. Sen ona verdiğin değeri yitirmediğin sürece -bunun olmayacağı da açık- zayıf olduğu anlar da bile yanlış bir şey yapmayacağına ben gönülden inanıyorum."

"Doğru söylüyorsun değil mi anne?"

"Tabii doğru söylüyorum. Bak canım: Böyle yanlış düşünceleri kafandan atmazsan, sevginin verdiği mutluluğu doyasıya yaşayamazsın. Sonra hem sen üzülürsün hem de Bora."

"Ama anneciğim, içimdeki endişeden de bir türlü kurtulamıyorum."

"Güzel kızım, şimdi beni iyi dinle: eğer kıskançlıkla dolu davranışlarla, Bora'yı bunaltırsan, o zaman senden uzaklaşabilir."

"O benden uzaklaşacak olursa, yaşayamam ben."

"O ne biçim söz! Sana söylediğim şeyleri aklından çıkarmazsan, böyle bir şey asla olmaz."

Ebru, annesinin ne söylemek istediğini anlamayan bir yüz ifadesiyle ona baktı.

"Bak kızım, çocuğu asılsız kıskançlıklarla boğup, birlikteliğinizi işkence haline getirme."

"Anne düşüncelerim çok karmaşık. Tam olarak ne anlatmak istediğini anlayamıyorum."

"Tamam kızım, sonra yine konuşuruz. Haa Ebru'cuğum, yeni çay demlemiştim, bir bardak içer misin?"

"Çok iyi olur anne."

Annesi odadan çıktıktan sonra pencereyi açan Ebru, derin derin nefes aldı. Pencereden içeriye giren hava -ta uzaklardan- Bora'nın kokusunu getirmiş gibi geldi ona. Havayı bir daha, bir daha ciğerlerine doldurdu.

Aklına, bir gün önce salonda otururken Bora'yla yaptıkları konuşma geldi. Bora, "Ebru'cuğum, diğer bayanların davranışlarına aklını takıp da kendini üzme. Mutluluğumuzun tadını çıkaralım. Şunu unutma ki, ben sensiz bir yaşam düşünemiyorum. Her şeyimi ama her şeyimi, aldığım nefesi bile seninle paylaşmak istiyorum," diye kulağına fısıldamıştı. Aklına gelen bu sözler, yüzünde tatlı bir tebessüm oluşturdu... Annesinin sesiyle daldığı hayalden uyandı.

"Kızım telefon, Bora Bolu'dan arıyor."

"Tamam anneciğim, geliyorum."

Koşarak annesinin yanına geldi ve telefonun ahizesini kapar gibi onun elinden aldı.

"Alo... Bora'cığım sen misin?"

"Evet, tatlım benim. Nasılsın?"

"İyiyim. Sen gittiğinden bu yana, hep seni düşünüyorum. Hasretin ateşi, şimdiden yüreğimi dağlamaya başladı."

"Beni de. Otobüs mola verince sesini duymak istedim. Birkaç saat olmasına karşın seni ne kadar özlediğimi anlatmaya kelimeler yetmez."

Bora'nın sesi, bir anda Ebru'yu karamsar düşüncelerden uzaklaştırmış ve yüreğini mutlulukla doldurmuştu.

"Aşkım, canım, bir tanem, ben de seni çok özledim. Bu ayrılığa dayanmam çok zor. Sensiz geçen her saniye anlamsız ve boş geliyor bana."

Bu sözlerle başlayan konuşma, Bora'nın, molaya kadar geçen süredeki yolculuğunun hemen hemen her dakikasından söz etmesiyle sürdü. Sonra Ebru'nun, kıskançlık konusu hariç her şeyi yorumlarını da dahil olmak üzere, anlatmasıyla devam etti. Konuşmaya öyle dalmışlardı ki Bora, otobüsün kalkış anonsunu duymadı bile. Cengiz gelip "Haydi otobüs kalkıyor" demese az daha otobüsü kaçıracaktı.

Bora'yla yaptığı telefon konuşması moralini büyük ölçüde düzeltmişti Ebru'nun. Tekrar odasına çıkmayıp salonda kaldı ve annesiyle sohbete başladı.

Cengiz'le çok iyi anlaşan Bora, uzun uzun uçakları ve uçuşu anlattı. Uçuşa olan sevgisinden; Ebru'dan, Sezen'den, annesinden; İzmir'den söz etti. Cengiz de Konya'yı tanıtmaya çalıştı; eşi Candan'ı anlattı. Candan'ın çocuklara düşkünlüğünden söz etti. Molalarda birlikte çay içtiler, öğle yemeğini birlikte yediler. Dört-beş saat gibi kısa bir sürede birbirlerini çok sevdiler. Bora Cengiz'e abi diye, Cengiz de ona ismiyle hitap etmeye başladı.

"Bora, Konya'ya ilk kez gittiğini söyledin. Hava üssüne nasıl gideceksin, karşılamaya gelecekler mi?

"Karşılamaya gelen olmayacak; ama garajdan bir taksi tutarım, şoför götürür."

"İstersen, beni almaya gelecek olan araba ile seni üsse bırakırım."

"Bilmem ki Cengiz abi, sana zahmet olur."

"O ne biçim söz. Zaten, ben de o tarafa gidiyorum."

"Sana zahmet olmayacaksa, tamam."

Cihanbeyli'den sonra Cengiz'in gözleri bir ara kapandı ve uyuklamaya başladı. Bora'nın da dışarısını seyrederken göz kapakları ağırlaştı ve kapandı. Rüya görmeye başladı. Düşünde, Ahmet Ebru'yu sağ koluyla belinden kavramış, kendisine doğru çekiyordu. Ebru'ysa Ahmet'in bu hareketine direniyor; ama kendisini Ahmet'ten kurtaramıyordu. Ahmet kahkaha atarak Ebru'ya şöyle diyordu:

"Seni bırakacağımı mı sandın; o Bora denilen delikanlıya da yakında dersini vereceğim."

Bora sıkıntıdan ter içinde kalmıştı. Şoförün, fren pedalına sertçe basmasıyla, daldığı düş silinip gitti. Cengiz de uykudan uyandı. Uyku sersemi, Bora'ya anlamsız ve korkuyla bakarak sordu:

"Ne oluyor?"

"Bilmiyorum, Cengiz abi..."

"Böyle sert fren yapılmaz ki," dedi, yolculardan birisi yüksek sesle.

"Ne yapayım kardeşim, sen rahatsız olma diye çocuğu mu ezeydim?" dedi şoför.

"Şoför haklı," diyerek arka çıktı, yolculardan birisi.

"Evet şoför haklı," dedi, diğer bir yolcu da.

Bora uyku sersemliğini üzerinden atınca, "Çok şükür rüya imiş," diye mırıldandı. Uykusu iyice açılan Cengiz de dışarıya dikkatlice baktıktan sora Bora'ya döndü:

"Konya'ya gelmişiz, biraz sora hava üssünün önünden geçeceğiz," dedi.

"Cengiz abi, üssün önünde insem, nizamiye yakın mıdır, yürüyebilir miyim?"

"Evet. İki veya üç yüz metre kadar."

"O zaman ben, üssün önünden geçerken ineyim. Bir daha gerisin geriye gelmemiş olurum."

"Sen bilirsin... Haa unutmadan sana kartvizitimi vereyim."

"İyi olur Cengiz abi..."

"En kısa sürede bani telefonla ararsan sevinirim."

"Tabi, ararım..."

Bora, otobüs muavinine eliyle gel işareti yaptı. Yanına gelen muavine,

"Hava üssünün girişinde ineceğim," dedi.

Kısa süre sonra otobüs, ana caddeyi üsse bağlayan yolun başında durdu. Bora otobüsün bagajından bavulunu alırken, pencereden ona el sallayan Cengiz,

"Bora, beni aramayı unutma, görüşelim," diye seslendi.

"Arayacağım, Cengiz abi."

İKİNCİ BÖLÜM

SAVAŞA HAZIRLIK EĞİTİMİ

EĞİTİMİN İLK EVRELERİ

Otobüs hareket edip, garaja doğru ilerlerken; Bora da bavulunu alıp, derin bir nefes aldı. 'Eee!.. Hedefime ulaşabilmem için son basamağa geldim,' diye, içinden geçirirken keyifle gülümsedi. Aklından bunlar geçerken, şöyle etrafına bakındı. Çevredeki otlar kurumuş, sarının ağırlıkta olduğu bir renge bürünmüştü doğa. Şehre doğru üç - dört kilometre uzaklıkta, uzunca bacası olan büyük bir fabrika gördü. 'Bu, Cengiz abinin bahsettiği çimento fabrikası olsa gerek, gerçekten de üsse çok yakınmış,' diye düşündü. Üs nizamiyesi bulunduğu yerden görünüyordu, oldukça da yakındı. Nizamiyeye doğru yürüdü. Nizamiyedeki ağaçların oluşturduğu yeşillik, çevrenin sarımsı görüntüsü içinde göze oldukça hoş geliyordu.

Nizamiyeye geldiğinde, biraz ilerideki uçakların oluşturduğu kompozisyonu çok beğendi. 'İşte savaş birliği dediğin böyle olur,' diye düşündü. Heyecanlanmıştı, ilk kez bir savaş üssünün girişinde bulunuyordu. Biraz sonra nizamiyeden üsse girip, düşlerindeki hedefe giden yolun son bölümünün başlangıcına adım atacaktı. Yüreği hızla çarpmaya başladı. Ne de olsa yirmi yıla yakın bir bekleyişten sonra ulaşabilmişti bu noktaya. Nöbetçi Subaylığı'na girdi.

"Teğmen Bulut," diyerek, kendisini nöbetçi subayı yüzbaşıya tanıttı. "Savaşa Hazırlık Eğitimi için geldim."

"Hoş geldiniz teğmenim," dedi nöbetçi subayı, "askeri kimliğinizi görebilir miyim?"

"Tabii efendim, buyurun," diyerek kimliğini verdi Bora.

"Teğmen Bora Bulut..."

"Evet yüzbaşım."

"Tamam, ismini listede buldum," dedi yüzbaşı. "Çay içer misin teğmenim? Araba, beş dakika önce diğer bir teğmeni götürdü. Siz çay içerken geri gelir. Sonra sizi misafirhaneye gönderirim."

"Peki efendim, içerim."

Çay biterken araba geldi, Bora'yı alarak misafirhaneye doğru hareket etti. Misafirhaneye giderken, sağ tarafta birkaç değişik tipte uçak gördü Bora. 'Sanırım tatbikat uçakları,' diye düşündü. Biraz sonra eğitim yapacakları uçakları gördü. Çok hoşuna gitti. "Ne denli güzel duruyorlar" dedi. Daha sonra yolun sol tarafında büyük bir bina gördü. Yolun sağ tarafındaysa geniş bir asfalt saha vardı. Bu sahanın sonunda da heykellerden oluşan anlamlı bir anıt duruyordu. 'Burası Üs Karargâhı olsa gerek,' dedi içinden. Misafirhaneye geldiklerinde, 'üssün tümünü görmedim; ama gördüğüm kadarıyla çok etkilendim, çok beğendim,' diye içinden geçirdi.

Misafirhanenin güzel bir dış görüntüsü vardı. Bora'nın hoşuna gitti. 'Bir terslik olmazsa uzunca bir süre bu misafirhanede kalacağım,' diye düşündü. Büyük bir zevkle misafirhaneye girdi. Lobide bulunan bildiri panosundaki -kimin hangi odada kalacağını gösteren- yerleşme planına göz gezdirdi. Kalacağı oda ikinci kattaydı.

İkinci kata çıkınca, dinlenme salonuna benzeyen geniş bir bölüme geldi. Burası zevkli bir şekilde dizayn edilmişti. Koltuklar, sehpalar, süs bitkileri, aksesuarlar göze güzel görünüyordu. Odasını buldu, oda sade fakat her ihtiyaca cevap verecek şekildeydi. 'Görünüşe göre hiç sıkılmadan, rahat bir yaşamım olacak burada,' diye içinden geçirdi.

Duş yapıp yatağın üzerine uzandı. Yatak ne kadar da rahattı. 'Her şeyi, olduğundan daha güzel görüyorum, sanırım beni hedefime ulaştıracak son basamak olduğu için ortama iyimserlik gözlüğümle bakıyorum,' diye düşündü. Sonra, 'Olsun, hangi gözlükle bakarsam bakayım, şu an mutluyum ya, güzellik işte bu,' diye mırıldandı.

Yatakta bir süre uzandıktan sonra, kalktı giysilerini giydi. 'Ebru'mu da şimdiden çok özledim, nasıl geçecek bu ayrılık günleri? Bir yerden telefon edeyim,' diye düşündü. Merdiven başına geldiğinde, orada ankesörlü bir telefonun bulunduğunu gördü. Ebruların numarasını çevirdi.

"Aloo, buyurun!"

"Alo, Ebru sen misin?"

"Evet Bora benim. Nasılsın, neredesin, yolculuk nasıl geçiyor?"

"Konya'ya geldim. Hava üssündeki misafirhaneden arıyorum seni."

"Aaa, ne kadar iyi. Oh!.. Şimdi rahatladım. Bolu'dan telefon ettiğinden beri aklım sendeydi."

"Seninle olamamanın burukluğu dışında, iyi geçti yolculuk. Yanımda Konya Çimento Fabrikası'nda çalışan bir mühendis vardı. Çok tatlı biri, adı Cengiz. Benden on yaş kadar büyük ama iyi ahbap olduk. Sıkılmadan Konya'ya kadar geldim."

"Çok iyi. Şansın varmış. Kimi kez, insanın yanına hiç konuşmayan birisi oturur, o zaman sıkıntıdan patlarsın."

"Doğru, şanslıydım. Üstelik arkadaş da olduk. Kartvizitini verdi, mutlaka görüşmemizi devam ettirelim diye de ısrar etti."

"Konya'ya geldiğimde ben de tanışırım."

"Tabii. Cengiz abi seni terminalde görmüş çok beğenmiş..." diyerek, Cengiz'le konuştuklarını ve yolculuğu uzun uzun anlattı. "Eee, evdekiler nasıl?"

"Hepsi iyiler. Daha önce de söylediğim gibi abim hemen Fundalara gitti. Aralarındaki duygusal bağ süratle güçleniyor. Kısa sürede evlenirler gibi geliyor bana."

"Yaa... Ne diyelim. Umarım mutlu olurlar."

"Bora'cığım seni şimdiden çok özledim. Nasıl dayanacağım bu ayrılığa bilemiyorum."

"Ben de öyle. Şu Savaşa Hazırlık Eğitimi'ni başarıyla bitireyim, biz de hemen evleniriz."

"Bu arada başkalarına takılmak yok değil mi?"

"Ebru'cuğum!.. Yine neler söylüyorsun. Kaç kez bu konuyu konuştuk. Böyle bir şeyin olmasına imkan yok."

"Ama..."

"Haydi tatlım, ben seni sonra gene ararım. Seni çok çok öpüyorum. Evdekilere selamlar."

"Ben de seni öpüyorum. Tekrar görüşmek üzere."

Telefonu kapatan Bora, koltuklardan birine oturdu. 'Acaba kimler geldi?' diye düşünürken; merdivenlerden Tarık'ın çıktığını gördü. Koltuktan kalktı, ona doğru yürüdü.

"Tarık hoş geldin. Nasılsın?"

"Hoş bulduk Bora, iyiyim. Sen nasılsın?"

"Ben de iyiyim," deyip, Tarık'a sarılıp, onu öptü.

"Henüz ikimizden başka gelen yok sanırım."

"Yavaş yavaş gelirler. Yarın sabah bile gelen olur. Biliyorsun bazı arkadaşlar izni son dakikasına kadar kullanırlar."

"Doğru. Ama bir gün önce gelip dinlenmiş olarak göreve başlamak, bana göre daha doğru."

"Aynı düşüncedeyim," dedi Bora.

"Aşağıdaki lobide bir bildiri tahtası var, gördün mü?"

"Gördüm, ama henüz bildirilere bakmadım. Sen baktın mı?"

"Evet, yarın uygulanacak program asılmış."

"Başka önemli bir şey var mı?"

"Hayır yok. En önemli bildiri, yarın sabah saat dokuzda üs karargâhındaki brifing salonunda toplanılması."

"Tamam. O zaman, diğer bildirilere daha sonra bakarım."

"Şehri gördün mü?"

"Hayır daha fırsat bulamadım."

"Garajdan üsse gelirken şehrin bir kısmını görmüşsündür."

"Hayır görmedim. Konya'ya geldiğim otobüs, üssün önünden geçiyordu; garaja kadar gitmeyip üssün önünde indim. Onun için Konya'yla ilgili yalnız bu üssü biliyorum."

"Konya, ne İstanbul'a benziyor ne de İzmir'e."

"Olsun!.. Şehir beni fazla ilgilendirmiyor."

"Ama hafta sonlarını geçireceğimiz yer şehir."

"O da doğru. Otobüste Konya'da oturan birisiyle tanıştım. Başlangıçta Konya'yı sevimli bulmayabileceğimi; ama daha sonra çok seveceğimi söyledi."

"Bir bildiği vardır."

"Sanırım. Nasıl olsa Konya'yı tanıyacağız. O zaman haklı mı haksız mı göreceğiz."

Diğer arkadaşları da birer ikişer gelmeye başladılar. Akşam yemeğinden sonra teğmenlerin yarısından fazlası gelmişti. Öğrenci subay gazinosunda birbirlerine izin süresince yaptıklarını anlattılar, çay - kahve içtiler, bazı olaylara güldüler bazılarına da üzüldüler. Bir arkadaşlarının kız kardeşini trafik kazasında kaybetmesi o akşam hepsinin en fazla üzüldüğü olay oldu.

Ertesi gün, saat dokuzda bütün teğmenler üs brifing salonunda toplandılar. Bazıları üsse kısa süre önce geldikleri için ancak elbiselerini değiştirip brifinge yetişebilmişlerdi. Brifingde ilgili subaylar tarafından, savaş eğitimi süresince uygulanacak programdan bahsedildi. Kuramsal ders programıyla uçuş programının eşgüdümlü olarak yürütüleceğini, uygulanacak programı başarıyla bitirebilenlerin savaşa hazır pilotlar olarak savaş birliklerine atanacaklarını bildirdiler. Yürütülen program boyunca, her an değerlendirileceklerini, başarısız olanların, üst seviyede de değerlendirilmeleri için Hava Kuvvetleri Uçuş Kurulu'na sevk edileceklerini açıkladılar. Son olarak Üs Komutanı teğmenlere 'hoş geldiniz' diyerek, kısa bir konuşma yaptı. Sözlerini şöyle sonlandırdı:

"Değerli arkadaşlarım, şu anda altı sene gibi uzunca bir eğitim sürecini başarıyla bitirmiş ve brövelerini göğüslerine takmış, pırıl pırıl birer pilot teğmen olarak burada bulunuyorsunuz. Sizler özverili davranışlarınızla zoru başarmış, yurdumuzu gök yüzünde koruyan; dostlarımıza güven, düşmanlarımıza korku veren çelik kanatlı kartallarımıza katılmak için son aşamaya gelmiş subaylarsınız. Ancak unutmamanız gereken bir husus var. Her ne kadar pilot olduysanız da asıl olan, savaşa hazır pilot olmaktır. Burada bu eğitimi göreceksiniz. Eğitim süresince sakın biz pilot olduk, nasıl olsa buradaki eğitimi kolaylıkla başarabiliriz, diye düşünmeyin. Burada, zaman zaman bugüne kadar yapmış olduğunuzdan daha fazla çalışmanız gerekecektir. Şunu iyi bilin ki başarılı olamayan pilotun uçuş hakkı elinden alınır ve pilotluğu biter. Bunu içinize korku salmak için söylemiyorum; ancak bilmenizde fayda olduğunu düşünerek sizlere hatırlatıyorum. Geçmiş dönemlerde başarısızlıklarından dolayı uçuştan ayrılan arkadaşlarımız oldu. Ama bizim arzumuz hepinizi savaşa hazır pilotlar olarak buradan savaş birliklerine göndermektir. Bunu hiçbir zaman unutmayın. Hepinize başarılar diliyorum."

Bu konuşmasıyla Komutan, Savaşa Hazırlık Eğitimi'nin ne denli ciddi ve hayati önemde olduğunu vurgulamış, son basamakta tökezlenmemeleri için teğmenleri uyarmıştı.

Bir hafta kadar süren, kuramsal ve uygulamalı birlik eğitiminden sonra yapılan sınavları başarıyla tamamlayanlar, uçuş eğitimine başladılar. Bora da bunların arasındaydı. Eğitim görecekleri uçaklar, İzmir'de son uçtukları uçaklara çok benziyordu.

Başlangıç safhası, teğmenlerin uçaklara alışmalarını sağlayacak şekilde planlanmıştı. Bu görevler; uçağın kalkışını, inişini ve özelliklerini öğreten manevralardan oluşuyordu.

Bora, ilk görevi uçmadan önce çok heyecanlandı. Ne de olsa bir aydan fazla ara vermişti uçuşa. Ancak gerek park yerinden piste giderken gerekse kalkışta hiç zorluk çekmedi. Sanki Çiğli'de uçtukları uçaklardan birisinin içerisinde uçuyormuş gibi geldi ona.

Uçuş öğretmeni Yüzbaşı Ali Ok, sakin yaratılışlı, pek gülümsemeyen, ciddi; oldukça bilgili; orta boylu, biraz da kilolu bir kişiydi. Konuşmasından, dinlemesinden, konuların kritik noktalarını anlaşılır bir tarzda açık olarak anlatmasından hem akıllı hem de zeki bir pilot olduğu anlaşılıyordu.

Kalkıştan bir süre sonra Yüzbaşı Ali,

"Sağ tarafa bak, asfalt yolu görüyor musun?" diye sordu.

"Evet efendim görüyorum. Hemen yan tarafında buğday siloları var."

"Tamam. O, Konya - Ankara yoludur. Üssün hemen yanından geçer. Görüşün kısıtlı olduğu durumlarda, üssün yerini belirlemede iyi bir nirengidir."

"Anladım Yüzbaşım."

"İlk olarak bize ayrılan bölgeye gidip, sana uçağın özelliklerini göstereceğim."

Çalışma yapacakları bölgeye gelinceye kadar kumandalar Bora'da kaldı. Bölgeye geldiklerinde kumandaları öğretmen aldı ve uçağın özelliklerini anlamaya yardım eden manevraları gösterip, Bora'dan yapmasını istedi. Bora manevraların nasıl yapılacağını bir gün önce iyice çalışıp öğrenmesine karşın o anda tam olarak yapamadı. Sıkıntıdan vücudu ter içerisinde kaldı. Ağlamaklı oldu. 'Bu manevraların benzerlerini Çiğli'de çok güzel yapıyordum. Ne oldu da burada yapamıyorum,' diye düşünürken, Yüzbaşı Ali,

"Bora!.. nefes alıp vermenden, üzüldüğünü anlıyorum. Ama ilk uçuşta manevraları tam olarak yapamamak gayet normaldir," dedi.

"Evet efendim. Ama ben, böyle manevraları, Çiğli'de çok rahat olarak ve mükemmel bir şekilde yapabiliyordum. Şimdi ne oldu anlayamıyorum."

"Uçakların birbirlerine çok benzemesine karşın yapılarındaki bazı farklılıklar nedeniyle; kumandaların kullanılışında, uçak motorlarının güçlerinin azaltılıp artırılmasında, bilinmesi gereken bazı kritik hususlar vardır. İşte bu eğitim de sizlerin bunları öğrenebilmeniz için yaptırılıyor."

"Anladım efendim. Demek ki iyi bir savaş pilotu olabilmek için daha pek çok şey bilmemiz gerekiyor."

"Çok doğru. Bunu anlaman bile, eğitimde önemli bir adım attığını gösterir."

"Sağ olun efendim"

"Eveeet. Bugünlük bu kadar çalışma yeter. Şimdi sana çalışma bölgelerini ve Konya civarını tanıtacağım."

Kumandaları alan Yüzbaşı Ali, Bora'ya çalışma bölgelerinin sınırlarını yeryüzündeki belirgin coğrafi engebeleri göstererek anlattı. Sonra Konya çevresindeki yol, tepe, baraj, göl gibi önemli nirengileri gösterdi. Daha sonra da uçağı iniş için meydana doğru döndürdü. İniş istikametlerine göre trafik paternlerini göstererek, kumandaları Bora'ya verdi.

"Haydi bakalım Bora, inişe gidelim. Kumandalar sende, ben gerektiğinde bazı ikazlarda bulunacağım, gerekirse de kumandalara müdahale edeceğim."

"Anladım efendim."

"Birkaç iniş - kalkış çalışırız, daha sonra da son iniş yapıp görevi tamamlarız."

"Anladım efendim."

İlk iniş oldukça yumuşak olmuştu. Öğretmeni bu inişten sonra övgü dolu sözler söyledi. Ama Bora, tekerleklerin piste temasını hissedememişti. Tekerleklerin piste temas edişini hissedememesinin normal olmadığını biliyordu; ancak içinden, 'Sanırım bu işi kavradım,' diye geçirmekten de kendisini alamadı.

İkinci inişe gelirken; Bora, piste yaklaşmada biraz zorlandı ve pist üzerine geldiklerinde, tekerlekler piste değmek üzere diye düşünüp, motorların gücünü birden minimuma azalttı. Öğretmeni hızla uçağın gücünü maksimuma getirmesine karşın tekerlekler oldukça sert bir şekilde piste temas etti. Uçuş kulesi, çok sert bir iniş olduğunu söyleyerek, kalkış yapmamalarını ikaz etti.

"Bora ne yaptın, neden gaz kollarını birden rölanti durumuna getirdin?"

"Yüzbaşım, ben tekerlekler piste temas ediyor sandım."

"Anladığım kadarıyla piste olan yüksekliği kestiremedin."

"Sanırım öyle oldu efendim."

"Şimdi uçağın, iniş sistemini ve kanatların gövdeye bağlantılarını iyice kontrol etmeleri gerekecek. İnşallah bağlantılarda çatlak çıkmaz."

Bora ağlamaklı oldu. İlk kez böyle bir durumla karşılaşıyordu. Üs Komutanı'nın söyledikleri geldi aklına. 'Acaba uçuştan ayırırlar mı?' diye içinden geçirdi. Sonra sert iniş yaptı diye bir pilotu uçuştan ayırmayacaklarını düşündü. Aklından bu tür düşünceler geçerken bir anda uçağın kontrolünü kaybetti. Öğretmeni hemen kontrolü kendisine almasa, az daha uçak toprağa çıkıyordu.

"Ne yapıyorsun Bora! Müdahale etmesem uçak toprağa çıkacaktı, kumandalar bende," dedi Yüzbaşı Ali.

"Anladım efendim. Kumandalar sizde."

Bora başından kaynar sular dökülüyormuş gibi hissetti. Çok üzüldü. Üzüntüsünden ne söyleyeceğini bilemedi. Uçağın içerisinde sanki küçüldü, küçüldü de ufacık kaldı. Yüzbaşı Ali, uçağı park yerine getirdi, motorları durdurdu. Uçaktan aşağıya indiler. Bora hemen arkasını dönüp, öğretmeni ve uçağın makinisti görmesin diye yanaklarındaki yaşları sildi. Ancak gözlerinin kızarıklığı açıkça görülüyor, akan yaşların izleriyse hâlâ yanaklarında duruyordu. Bora'nın, bu denli hassas durumda olması, öğretmenini de çok üzdü. Uçuş sonrası kritiğinde bazı hataların olmasına karşın iyi bir uçuş olduğunu söyleyen öğretmeni,

"İnişin sert olması tam olarak senin hatan değil, hatanın çoğu benimdi. Birinci iniş çok güzel olduğu için ikincisinin bu kadar sert olacağını düşünemedim ve kumandalara müdahale etmekte geciktim. Aslında ilk eğitim görevindeki inişlerde kumandalara, daha hatanın başlangıcında müdahale etmek için hazırlıklı olmam gerekirdi. Kendini fazla üzme ancak uçağın özelliklerini de iyi öğren," dedi.

"Haklısınız efendim. Daha dikkatli olmam gerekli."

"Bir şey daha! Şimdi söyleyeceğimi hiçbir zaman aklından çıkarma. Eğer bir hata yaparsan, o hatanın incelemesini görev devam ederken yapma. Daha sonra enine boyuna düşünerek yap. Görev içerisinde böyle bir şey yapmaya kalkarsan, bu kez hatalar birbirini takip eder."

"Çok iyi anladım. İnişteki hatamı düşünürken az daha uçağı toprağa çıkarıyordum. Bana büyük bir ders oldu."

"Bu kez kendini fazla üzme ama yaptığın hataların da iyi bir analizini yap ve kendine dersler çıkar."

"Peki efendim."

Uçuş kritiğinden sonra sessiz bir yere gidip, o günkü uçuşunu iyice analiz eden Bora, manevralardaki hatalarını birer birer ortaya çıkardı. Çiğli'de arkadaşlarıyla yaptığı çalışmalarını hatırladı. Onlarla birlikteymiş gibi kritik noktaları buldu. Bu kritik noktaları bir daha unutmamak üzere aklına iyice yerleştirdi.

Akşam yemeğinden sonra da ertesi günkü uçuşta yapacağı manevraları çalışan Bora, çalışmasını bitirince Ali'ye telefon etti. Ali'yi bulabilmek için epeyce uğraştı; ama sonunda ona ulaşabildi.

"Alo, Ali sen misin?"

"Evet, benim Bora."

"Nasılsın, iyi misin?"

"Hem iyiyim hem değilim. Sen nasılsın?"

"Ben de hem iyiyim hem değilim. Bugün yeni uçaklarla ilk uçuşumu yaptım ancak az kaldı, uçağı inişte kırıyordum."

"Kırıyordum dediğine göre kırmayı başaramadın demek ki!.. Şaka bir tarafa neler oldu?"

"İniş - kalkış çalışması yapıyorduk. Birinci iniş tesadüfen çok güzel oldu; ama uçağın piste temasını hissedemedim. Bu inişin ardından, öğretmen övücü sözler söyledi ve bu işi anladığımı sandı. İkinci yaklaşmada, benim yine güzel bir iniş yapacağımı umarak, rahat bir şekilde otururken, uçağın birden çok sert olarak piste inmesiyle şaşırdı kaldı. Aslında uçak inmedi de düştü."

"Eee sonra?.."

"Sonrası, uçuş kulesi çok sert iniş yaptığımızı ve kalkış yapmamamızı ikaz etti. Telsizden gelen ses öyle yüksekti ki, duymayan kalmadı. Cümle aleme rezil oldum."

"Vah, Bora'cığım vah!.."

"Bakalım yarın neler yumurtlayacağım. Allah'tan uçuş öğretmenim çok iyi bir insan da hatanın kendisinde olduğunu söyledi. Biliyor musun onun adı da Ali."

"Yaa! Ne iyi, Ali'nin biri gitti, diğeri geldi desene. İyiliği de isminin Ali olmasındandır sanırım."

"Ne demezsin. Senin adın da Ali ama hiç de iyi bir insan değilsin."

"Haydi oradan! Benden iyi insan bulamazsın sen."

"Ali'ciğim şaka bir tarafa bugünkü olaya canım çok sıkılıyor."

"Fazla canını sıkma. Ara sıra, bu gibi hatalar yapmanın da iyi tarafları vardır. Çünkü her şey her seferinde eksiksiz olursa o zaman insan kendisini her şeyi çok iyi yapabilen bir kişi olarak görür. Biliyorsun ondan sonra da tehlike çanları çalmaya başlar."

"Doğru söylüyorsun. Sen neler yapıyorsun, uçuşlar nasıl gidiyor?"

"Ben uçuşa yarın başlayacağım. İki gündür aşırı yan rüzgar vardı. Eğitim uçuşlarını durdurdular."

"Yarın uçarsan akşam beni ara, konuşalım."

"Tamam ararım."

Konuşmalarını uzunca bir süre devam ettirdiler. Ailelerinden bahsettiler. Çiğli'deki ilk uçuş günlerindeki dayanışmalarından söz edip, keşke yine birlikte olsaydık ve birbirimizi destekleseydik, dediler.

Ertesi gün hava bulutluydu ve eğitim uçuşuna müsait değildi. Bütün gün kuramsal ders programı uygulandı. O gün uçuş yapılmaması Bora'ya ilk görev uçuşunda yaptığı hatayı iyice irdelemesine olanak sağladı. Sonunda hatasını buldu. Çiğli'de uçtukları uçaklarla, burada uçtukları uçaklar arasında ağırlık farkı vardı. Yeni uçtuğu uçaklar daha ağırdı. İnişte hatta manevraları yaparken uçağın gücünü daha dikkatli artırıp - azaltmak gerektiğini anladı. Bu sonuca erişebilmek için oldukça uzun bir çalışma yapmıştı. Bora çok hırslı bir pilottu, hep en iyi olmak istiyordu. Hatasının sebebini bulabilmek için onca çalışmayı yapmasının nedeni de buydu. Akşam yemeğinden sonra Ali telefonla aradı. O gün ilk uçuşa çıktığını söyledi. İnişte tıpkı Bora gibi sert bir iniş yaptığını, ancak öğretmenin zamanında müdahale etmesiyle inişin çok sert olmaktan sert inişe döndüğünü anlattı.

"Ali ben hatanın sebebini buldum. Umarım senin yaptığın hata da aynı nedenden."

"Neymiş sert inişlerin sebebi?"

"Bak Ali, şimdi uçtuğumuz uçaklar Çiğli'dekilere nazaran daha ağır. Hele senin uçtukların çok daha ağır. Motorların gücünü azaltırken, daha dikkatli olup yavaşça azaltmak gerekli."

"Tabii ya! Hiç aklıma gelmedi. Öğretmen motorların gücünü azaltırken bir parça daha yavaş ol dedi, ama o zaman neden öyle söylediğini anlayamamıştım. Şimdi her şeyi daha iyi anladım."

"Ben de!.. Ama bu sonuca varmak epey zamanımı aldı."

"Bu husus manevraları yaparken de geçerli olmalı."

"Tabii."

"Ya Bora! Taa Konya'dan benim imdadıma yetiştin. Sen -her zaman söylediğim gibi- pilot olmak için gelmişsin bu dünyaya."

"Hadi abartma... Ama iyi olabilmek için hatanın nedenini buluncaya kadar üzerinde çalışmak gerekli. Daha iyi olabilmek içinse hatanın sebebini bulduktan sonra aynı nedenle olabilecek diğer hataları da saptayıp, onları da yapmamalı."

"Haklısın. Sen bu işin profesörüsün zaten."

Birlikte güldüler bu söze. Ali Ebru'yu sordu. Bora uzun uzun anlattı. Ali de ailesini anlattı. Kardeşinden büyük bir övgüyle söz etti. Anadolu Üniversitesi'nin Sinema - Televizyon Bölümü'nü kazandığını, yakında Eskişehir'e gideceğini söyledi. Bora da çok sevindi bu habere.

"Çok iyi olmuş. Zaten Veli'nin sanatsal yönü oldukça güçlüdür."

"Ama annemle babam Veli'nin tercihinden pek hoşnut olmadılar. Biliyorsun onlar onun hep doktor olmasını istediler."

"Doğru da insanın hoşlandığı bir alanda öğrenim görmesi çok güzel bir şey."

"Ben de sana katılıyorum. Hiç olmazsa o, istediği branşta uğraş verecek. Benim gibi rüzgarın sürüklediği bir yönde değil."

"Ali neden öyle söylüyorsun. Savaş pilotu olmak çok güzel bir şey. Gökyüzüne çıkıp uçağından yeryüzüne bakmak, uçağınla türlü akrobasi manevraları yaparak uçsuz bucaksız maviliğin içerisinde dans etmek..."

"Öyle de!.. Çok zor bir meslek. Kaç kişiydik; kaçımız bizim durumumuza gelebildi... Yolda yürürken düşsen, görmende bir bozukluk olsa hemen uçuştan ayırırlar."

"Ali'ciğim bir pilotun, her zaman ve her yerde kendisine çok iyi bakmasını bilmesi lazım. Aynı zamanda da yaşama iyimserlik gözlüğünle bakacaksın."

"Haklısın, yine görüşmek dileğiyle. İyi geceler,"

"Sana da Ali..."

Yaptığı hatanın nedenini anlayan Bora, bir sonraki uçuşa daha istekli ve daha bilinçli olarak çıktı. Yine öğretmeniyle birlikte uçuyordu. Görev hatasız başlamıştı. Kalkış, belirli yüksekliğe kadar tırmanış, düz uçuş, çalışma sahasına gidiş, orada yapılan çalışmalar hepsi güzel olmuştu. Görevin son bölümündeyse üç iniş yapılarak uçuş bitirilecekti. Bora'nın öğretmeni, bir önceki uçuşta yaşadıkları sert inişin bir daha olmaması için temkinliydi. Bora da hata yapmamak için elinden gelen gayreti gösteriyordu. İlk iniş çok güzel olmamakla birlikte kötü değildi. Bu kez Bora, uçağın gücünü azaltmakta geciktiği için uçağın tekerlekleri piste değer değmez uçak yeniden havalanmıştı. Ancak Bora, yumuşak bir kumanda kullanarak uçağı yeniden, iyi bir şekilde piste indirebilmişti. Tekrar havalandılar, yeniden inişe gelirken Bora uçağın istem dışı havalanmasının nedenini düşündü ve yaptığı hatayı buldu. Hatası gaz kollarını rölantiye getirirken geç kalmasıydı. Bu kez hatasını göz önünde tutarak yaptığı iniş çok güzel oldu.

Üçüncü iniş çalışması için kalkış yaptıklarında önlerindeki uçak tarafından acil durum bildirildi. Uçağın acil durum bildirisine, uçuş kulesi,

"Sekiz üç sıfır (uçağın numarası) acil durumunuzu tekrar edin," dedi.

"Sağ motorun yangın uyarı lambası yandı. Acil durum trafik uygulamasıyla inişe geleceğiz."

"Anlaşıldı, sekiz üç sıfır. İniş sıranız bir."

"Anlaşıldı kule iniş sıramız bir. Direk rüzgar altına (inişte, piste paralel uçulan ve pisti karşılamak için yapılacak dönüş noktasına gidiş yolu) giriyoruz. Yüksekliğimiz normalden biraz fazla olacak."

"Serbestsiniz sekiz üç sıfır," diyen kule, arkasından, havadaki tüm uçakları uyardı: "Yangın uyarı lambası yanan bir uçak inişe geliyor, iniş trafiğini terk edin, ikinci anonsa dek trafiğe girmeyin."

Sekiz üç sıfır, rüzgar altına girdiğinde telsizi vericide kaldı. (Bir çeşit telsiz arızası. Uçak içerisindeki pilotların, kendi aralarındaki konuşmalarının, tüm uçaklar ve kule tarafından duyulması.) Öğretmen pilot, acil durum olmasına karşın öğrenci pilotun bir şeyler öğrenebilmesi için uçağı birlikte kullanmayı düşündü.

"Ercan, kumandalar müşterek."

Öğretmen, söylediklerinin herkes tarafından duyulduğunun farkında değildi.

"Anladım efendim."

"Yüksekliğimizi normalden bin feet, süratimizi de yirmi mil fazla yapacağız. Bunu, eğer kule ya da diğer bir uçak tarafından uçağın yandığı görülür ve bize bildirilirse, paraşütle atlayabilme yüksekliğine çıkabilelim diye yapacağız." Sözünü bitirdiği anda ikinci uyarı lambasının da yandığını gördü. "Hay aksi sol motorun da yangın uyarı lambası yandı."

Bir anda Teğmenin nefesleri sıklaştı ve ne olduğu anlaşılmayan bir şeyler söyledi. Durumun daha da ciddileştiğini anlayan öğretmen,

"Kumandalar bende. Söylediğimi duydun mu? Kumandalar bende diyorum," diye yüksek sesle konuştu.

"Hocaam!.. Uçak yanıyoor ne yapacağız şimdi?"

"Evladım telaşlanma, yalnızca kumandalardan. elini çek. Gerisini ben yaparım."

"Yanacağız, kül olacağız bu uçakta!"

"Şu kumandaları bana bırakır mısın, uçağı doğru dürüst kullanamıyorum."

Konuşmalardan, uçağın içinde öğretmenle öğrenci pilot arasında büyük bir mücadele olduğunu anlayan Yüzbaşı Ali Bora'ya,

"Eğer uçakta yangın olmayıp, yalnız elektrik sisteminde bir arıza varsa; uçak anormal kumanda kullanımından çakılacağa benziyor," dedi.

"Yüzbaşım, Ercan, güreşçidir ve devremizin en kuvvetli teğmenidir. Ağır siklette madalyası var."

"Allah kolaylık versin. İşleri zora benziyor."

"Ercaaan!.. Bırak şu kumandaları."

"Ho...caam gidiyoruz."

"Güzel kardeşim!.. Bırak kumandaları!.."

"..., ..."

Telsizden yalnız nefes sesi duyuldu.

"Sekiz üç sıfır kule konuşuyor. Vericide kaldınız."

Telsiz arızasından kulenin söylediklerini duyamadılar. Aşırı gerginlikten şuursuzca davranan Ercan'ın toparlanabilmesi için ne yapacağını şaşıran öğretmeni, son çare olarak ısıtıcı sistemi en soğuk duruma getirdi. Soğuk havanın etkisiyle bir parça kendisini toparlayan Ercan,

"Hocam neler oluyor?" diye sordu.

Ercan'ın kendisine geldiğini anlayan öğretmeni,

"Ercan, kumandaları bırak etrafı seyret. Bak her yer ne denli güzel görünüyor değil mi? dedi.

"Evet efendim."

Bu arada kumandaları bırakan Ercan, girdiği şokun da etkisiyle sağa - sola anlamsız bakınırken, uçağı kontrol altına alan öğretmeni, motorla ilgili diğer göstergeleri kontrol etti. Tüm veriler normaldi. "Sanırım yangın yok, bu yalnızca elektrik arızası," diye düşündü. Uçuş kontrol kulesine bu durumu bildirdi. Kule de uçakta yangın görülmediğini ve aynı düşüncede olduklarını belirtti. Ama telsiz arızası nedeniyle kulenin söylediklerini duyamadılar. Tecrübeli bir pilot olan öğretmen, telsiz arızası olduğunu anladı. "İniş için alçalmada ve inişte telsizle yardım alamayacağım, bu nedenle çok dikkatli olmam gerekli," diye düşünüp, planlamasını buna göre yaptı. Bundan sonra Teğmen Ercan'dan da olumsuz bir davranış gelmedi ve uçak bir parça sert olarak inişi tamamladı.

MİSAFİRLİK

Hafta sonu Cengiz'e telefon eden Bora, eğer durumları uygunsa, Cumartesi öğleden sonra ziyaretlerine gelmek istediğini söyledi. Buna çok memnun olan Cengiz,

"Ben de merak etmeye başlamıştım, acaba bir sorun mu çıktı diye."

"Haklısın Cengiz abi, kurslar, sınavlar bir türlü bitmek bilmedi. Epey bir zaman geçti; seni aramakta geciktim, bağışla beni."

"O ne biçim söz. Seni özlediğim için sitem ettim."

"Sağol abi, Candan Hanım nasıl?"

"Çok iyi. Her seferin de 'bu kadar uzun uzun anlattığın Bora'yı merak ediyorum; ama onun bizi arayıp sorduğu yok' diyor."

"Candan Hanım da haklı; inşallah bundan sonra sık sık görüşebileceğiz."

"İnşallah. Cumartesi saat ikide bekliyoruz."

"Tamam Cengiz abi, görüşmek üzere."

Lacivert takım elbisesinin içine, leylak rengi gömleğini giyen ve açık mor renkli kravatını takan Bora, büyük bir özenle hazırlanmıştı o gün. Saat tam ikide elinde güzel bir gül buketiyle Cengizlerin evinin önündeydi. Her zaman oldukça rahat olan Bora, nedense o gün bir parça heyecanlıydı. Kapının zilini çalarken, kendi kendine, 'Neden bu denli heyecanlıyım acaba?' diye sordu.

Kapıyı Cengiz açtı. Kapıyı çalanın Bora olduğunu görünce, yüzünde tatlı bir gülümseme belirdi. Sarılıp öptü onu. Sonra onu yukarıdan aşağı şöyle bir süzerek,

"Hani, çok şık giyinmiş bayanlara, 'moda mecmualarından çıkmış gibisin,' denir ya; bu sözü şimdi ben sana söyleyeceğim. Bu ne şıklık!.." dedi Cengiz.

"Cengiz abi, utandırma beni!"

"Yok yok doğru söylüyorum."

"İltifatına teşekkür ederim abi."

Bora'yı salona getiren Cengiz, onu Candan'la tanıştırdı. Candan oldukça güzel bir bayandı. Çok da bakımlı görünüyordu. Bora'nın yanına gelip elini sıkan Candan,

"Cengiz sizden o kadar çok söz etti ki, o anlatırken abartıyor diye düşünmüştüm. Ama haklıymış. Hatta az bile söylemiş."

Candan'ın sevecen bakışları, Bora'yı hemen etkilemiş ve ona karşı saygı dolu bir sevgi oluşmuştu içinde.

"Çok teşekkür ederim. Sizin gibi hoş bir bayandan güzel sözler işitmek sevindirdi beni."

Kısa sürede Candan'la Bora'nın arasında da Cengiz'le olduğu gibi güzel bir arkadaşlık bağı oluştu. Günün geri kalan kısmı hızla geçti. Bora bir ara pencereden dışarıya baktı. Hava kararmak üzereydi. "Zaman çabucak geçmiş. İyi ki gelmişim," diye, içinden geçirdi. Onlarla birlikte iken kendisini evindeki kadar rahat hissetmişti.

"Cengiz abi hava kararmış, gitsem iyi olacak."

"Aaa... daha erken biraz daha kal," dedi Candan.

"Candan abla, bildiğiniz gibi uçuş eğitimim devam ediyor."

"Ama bugün Cumartesi, yarın göreviniz yoktur herhalde!.." diyerek, Cengiz Candan'ı destekledi.

"Cumartesi de olsa belirli bir zamanda yatmam lazım. Yani hafta sonu da olsa sağlığıma özen göstermem gerekli. Sonra işler kötü gider."

"Bu söze bir şey söyleyemem. Sen bilirsin," dedi Cengiz. "Ama şunu unutma; artık sen de aileden birisi oldun ne zaman istersen teklifsiz gelebilirsin."

"Evet, ben de Cengiz gibi düşünüyorum."

"İkinize de çok teşekkür ederim. Bana evimdeymişim gibi sıcak bir gün geçirttiniz."

Bora takip eden haftalarda da sık sık Cengizlere gitti. Aralarında güzel bir dostluk kuruldu. Birlikte olduklarında, Bora o kadar çok Ebru'dan söz etti ki, onlar da Ebru'yu her haliyle iyice tanıdılar. Doğal olarak da her ziyaret sonrasında, Bora, o gün yaşadıklarını en ince ayrıntısına dek telefonla Ebru'ya anlattı. O da onları Bora'nın anlatmalarıyla tanıdı. Bu dostluktan Bora oldukça mutluydu. Çünkü onlarla birlikteyken kendisini evinde gibi hissediyordu.

Bora yeni eğitim uçaklarına iyice alışmıştı artık. Savaşa Hazırlık Eğitimi'nin de neredeyse yarısını bitirmişti. Her geçen gün görevlerinde daha başarılı oluyordu. Öğretmeni olmadan yaptığı yalnız uçuşlarsa ona büyük bir zevk veriyordu. Her seferinde, 'İyi ki pilot olmuşum. Beni bu denli mutlu edecek başka bir meslek düşünemiyorum,' diye aklından geçirmekteydi.

O gün öğretmeniyle birlikte çift kişilik bir uçakta kol uçuşuna çıktılar. Görev iki uçakla planlanmıştı. Diğer uçakta da bir teğmen ve bir öğretmen uçuyordu.

Kalkışta Bora ve öğretmeni iki numara olarak kolda kalktılar. Yüzbaşı Ali kalkış sırasında kumandalara müdahale etme ihtiyacını hiç duymadı. Yani kolda kalkışı Bora yaptı. Güzel bir kalkış oldu. Bora'nın uçağı bir numaraya yapışmış gibiydi sanki. Öğretmeni onun bu başarısını çok takdir etti. 'Bu çocukta büyük bir kabiliyet var,' diye düşündü. Görevin diğer bölümlerinde de Bora, sanki senelerin pilotu gibi her şeyi mükemmele yakın yaptı.

Uçuş sonrası kritikten sonra Bora'yla öğretmeni, filonun önündeki yolda aşağı yukarı yürümeye başladılar. Sağdan soldan konuşurlarken, bir ara Yüzbaşı Ali durdu. Bora'ya gülümseyerek bakıp,

"Biliyor musun, sende büyük bir uçuş yeteneği var," dedi. "Ben bunca senenin pilotuyum. Söylenenlere göre iyi de bir pilotum; ama tüm uçuculuk hayatımda, bugün senin yaptığın kadar güzel bir kol kalkışı yapamadım."

"Estağfirullah efendim olur mu öyle şey."

"Evet doğru söylüyorum. Görevin her safhasında da son derece başarılıydın. Seni şimdi akrotim filosuna göndersem çok rahat gösteri uçuşlarına çıkabilirsin."

Bora, öğretmeninin son söylediklerinin imkansız olduğunu biliyordu fakat duyduklarından da çok mutlu olmuştu. 'Her şeyiyle çok takdir ettiğim öğretmenimden böyle güzel sözler duymak sevindirici' diye içinden geçirdi.

ÜÇÜNCÜ BÖLÜM

DUYGUSALLIKLAR

SÜRPRİZ EVLİLİK

Hakan helikopter pilotu olduktan sonra daha önce planlandığı gibi Konya'ya tayin oldu. Onun Konya'ya gelişi, Bora'nın yaşantısında önemli değişiklikler meydana getirdi. Hakan ev kiraladıktan sonra Ebru'nun Konya'ya sık sık gelip gitmeye başlaması da bu değişikliklerin en güzellerindendi.

Bora'nın, Ebru'nun anne ve babasıyla arasındaki soğukluk da tamamen ortadan kalkmış, eski günlerde olduğu gibi Bora, yeniden ailenin sevilen bir bireyi olmuştu.

Hakan İzmir'de helikopter pilotluğu için eğitim görürken, çok eski ahbapları olan bir ailenin büyük kızları Funda ile aralarında söz kesilmişti. Funda çok güzel bir kızdı ve Hakan onu çok seviyordu.

Boş zamanlarında iki arkadaş hep birlikte olmaktaydılar. Haftasonlarındaysa Bora, genellikle Hakan'ın evine gidiyordu. Sohbetlerindeki başlıca konu Funda'yla Ebru'ydu. Ancak Hakan her seferinde sözü evirip çevirip Funda'ya getirmekte çok başarılıydı.

Bora Hakan'a göre daha şanslıydı. Çünkü o, Ebru'yu, Hakan'ın Funda'yı görmesinden daha sık görebiliyordu. Funda'nın ailesi onu tek başına Konya'ya göndermediği için Hakan sürekli Funda'yı görememekten şikayetçiydi. Hemen evlenme isteğineyse aileler sıcak bakmıyordu.

Hakan'la Funda hasret çekmenin sona ermesi için ellerinden gelen her şeyi yapmalarına karşın buna bir türlü çare bulamıyorlardı.

❖

Sabah brifinginden çıkan Bora, brifing odasının kapısında Hakan'ı görünce çok şaşırdı. O saatte Hakan'ın kendi filosundaki brifingde olması gerekirken, Boraların filosunda olması bazı hoş olmayan olayların olduğunun işaretiydi. Üstelik Hakan'ın yüzü sapsarı, gözleri ise kıpkırmızıydı. Üzerinde uçuş giysisi yerine günlük üniforması vardı. Kravatı gevşek ve sağa doğru çarpıktı. Hızla Hakan'ın yanına gelen Bora,

"Hakan, ne bu halin? Perişan bir durumdasın," dedi.

"Sorma Bora, başım dertte."

"Hayırdır, ne oldu?"

"Burası çok kalabalık, daha sakin bir yere gidelim. Orada anlatırım."

"Tamam, filonun arkasına gidelim. Oraya kimse gelmez."

Filonun arkasına gelince, Hakan ağlamaklı bir sesle,

"Ben mahvoldum, bu işin üstesinden nasıl geleceğim bilemiyorum," deyip, ne olur bana yardım et diyen gözlerle Bora'ya baktı.

"Hakan anladığım kadarıyla kötü bir şeyler olmuş ve benden yardım istiyorsun. Ancak olanları anlatmazsan, sana nasıl yardım edebilirim ki. Haydi, ne oldu anlat bana."

"Şey! Funda hamileymiş."

"Neee!.. Ne diyorsun sen, nasıl olur? Hemen hemen hiç görüşmüyorsunuz ki."

"Geçen ay İstanbul'dayken Fundalara gitmiştim. Evde kimse yoktu. Birbirimizle biraz fazla yakınlaştık. Kendimizi kontrol edemedik. Sonra da olan oldu."

"Eee... Hemen hamile mi kalınırmış?"

"Dün gece Funda ağlayarak telefon etti. Aylık rahatsızlığının olmadığını söyledi."

"İşte bu kötü haber ama kendini koyuverme. Bir çaresini buluruz."

"Çaresi, kısa sürede evlenmemiz. Ama bunu ne ben ne de Funda büyüklerimize anlatamayız. Üstelik onun hamile olduğunu anlarlarsa, o da biter, ben de biterim."

"Bir ay gecikme olduğuna göre, en geç bir ay içerisinde evlenmeniz gerekli ki, çocuğumuz yedi aylık doğdu diyebilesiniz."

"Doğru söylüyorsun; ama bu evlilik için ailelerimizi kim ikna edecek?"

"Ebru'ya anlatsan."

"İmkânsız. Sen belki bilmiyorsun fakat o çok tutucudur. Beni hiç bağışlamaz."

"Bak Hakan, tutucu mutucu bu işi ancak Ebru ayarlar. İstersen onunla ben konuşurum."

"Kesinlikle olmaz."

"O zaman sen bilirsin. Biraz düşün öğle yemeğinde yine görüşürüz. Benim şimdi lider brifingine gitmem gerekli, geç bile kaldım."

"Tamam öğlen görüşürüz. Sana iyi uçuşlar."

"Ha aklıma geldi. Şu anda kafan karmakarışık, ne olur ne olmaz, bugün sakın uçuşa çıkma olur mu?"

"Tamam uçmam. Sabah filoya gelince, uçuşlarımı sildirmiştim zaten."

Öğle yemeğinde, konuyu enine boyuna bir kere daha görüştüler. Hakan başka çözüm tarzı olmadığını anlayınca, Bora'nın Ebru'yla görüşmesini kabul etti. Bora zaman geçirmeden telefonla Ebru'yu aradı ve ona Funda'nın hamile olduğunu söyledi. İşittiklerine çok şaşıran Ebru,

"Kulaklarıma inanamıyorum; abimden böyle bir şey ummazdım," dedi.

"Olan olmuş bir kere Ebru. Bu işi fazla büyütmemek gerekir. Hem onları da hoş gör."

"Nasıl hoş görebilirim ki? Olan olay benim değerlerime göre affedilebilecek bir şey değil."

"Yerden göğe kadar haklısın. Ancak aile büyükleriniz bunu duyarsa büyük bir rezalet çıkacağını da unutmamak gerekir."

"Doğru söylüyorsun... Peki benden ne istiyorsun?"

"Kısa sürede evlenmelerini sağlamamız lazım."

"Anlamadım!.. Nasıl yapabiliriz ki?"

"Sana büyük bir iş düşüyor. Hakan'ın Konya'da çok sıkıldığını, zaman zaman bunalıma girdiğini, bir an önce Funda'yla evlendirilmesinin iyi olacağı gibi bir şeyler söylersin."

"Bunları kime söyleyeceğim?"

"Önce olumlu bir yaklaşımla Funda'yla görüş. Ona planımızı anlat. Sonra hem kendi annenle hem de Funda'nın annesiyle konuş onları evliliğe ikna et. Onlar da babalarınızı ikna etsinler; en kısa sürede nişan yapılsın, bir ay içinde de düğün."

"Ya Bora, aklım karıştı. Ben bunları nasıl yapacağım? Ah! Abi ah! Herkesi ne duruma düşürdün!.."

"Ebru'cuğum, canım benim, sağ duyulu düşün. Eğer bu durum, herkes tarafından öğrenilirse hepimiz çok fazla üzülürüz. Bunun için bu işi mutlaka halletmeliyiz. Bütün bunları da ancak sen ayarlayabilirsin."

"Anladım. Başka bir yol yok sanırım."

Büyükler, bu evliliğin kısa sürede yapılmasına razı olmadılar. Bora ile Ebru baktılar ki onları böyle ikna edemeyecekler, olayın iç yüzünü Ebru'nun ve Funda'nın annesine anlatmaya, onlardan da eşlerini razı etmelerini istemeye karar verdiler. Önce anneler bunu kabul etmedi ancak düğün hemen olmazsa, karşılaşacakları rezilliği düşününce kabul ettiler ve her türlü yolu deneyerek eşlerini de ikna ettiler. Sonuçta, haftasonu aile arasında nişan, bir ay sonra da düğün yapılmasına karar verildi. Hızla hazırlıklar yapıldı ve düğün için de Hilton Oteli seçildi.

Bir aylık süre hızla geçti ve düğün günü geldi. Düğün salonu oldukça kalabalıktı, hemen hemen iki tarafın da tüm tanıdıkları oradaydı. Davetlilerin arasında sayıları oldukça fazla olan ve koyu mavi resmi balo giysileriyle, bakışları üzerlerine çeken Hakan'ın silah arkadaşları, hoş bir görüntü sergiliyorlardı.

Tam gelinle damat salona girecekleri sırada teğmenler, salonun kapısından ortasına doğru yüz yüze bakacak şekilde iki sıra halinde yer aldılar ve kılıçlarını çekerek havaya kaldırdılar. Karşılıklı duranlar kılıçlarının uçlarını birbirine temas ettirdiler. Böylece üstü kılıçlarla kapalı, iki kişinin geçebileceği genişlikte bir koridor oluştu. Hakan ve Funda, bu koridordan, kılıçların altından yürüyerek salona girdiler. Muhteşem bir görüntü meydana geldi. Tüm davetliler, hem gelinle damadı hem de bu ihtişamlı salona girişi ayakta coşkuyla alkışladılar.

Balo salonunun sıcak bir görüntüsü vardı, yemekler nefisti, program oldukça zengindi. Herkes çok eğleniyordu. Funda'yla Hakan son derece mutluydular. Bora'yla Ebru ise sanki bulutların üzerinde uçuyorlardı. Gözleri birbirlerinden başka kimseyi görmüyordu. Konuşmaya daldıkları bir anda, Mete Bey,

"Bora oğlum!" dedi. "Bak Hakan'la Funda dans ediyor, istersen Ebru'yla siz de onlara eşlik edin. Hem onları yalnız bırakmamış olursunuz hem de daha çok eğlenirsiniz, ne dersin?"

"Babacığım biz zamanın nasıl geçtiğinin farkında bile değiliz," diyerek, dansa kalkmamayı yeğlediğini anlatmaya çalıştı Ebru.

"Ebru'cuğum baban haklı," dedi Bora. " Haydi bizde dans edelim."

"Olur canım."

Dans ederlerken, çok hoş görünüyorlardı. Ebru, omuzlarını açıkta bırakan, sırttan ve göğüsten hafif yırtmaçlı uçuk mavi tuvaletiyle adeta bir kuğu gibiydi. Bora'ysa, omuzlarındaki yıldızlar pırıl pırıl parlayan giysisinin içerisinde, karizmatik bir salon erkeği görünümündeydi. Hareketleri de müzikle o denli uyumluydu ki, salondakilerin çoğu onları seyrediyordu.

Salonun havası, müziğin büyüsü, içtikleri alkolün tesiri; ikisinin de duygularını alabildiğine yoğunlaştırmıştı. Ebru'nun gözlerinin içine büyük bir aşkla bakan Bora,

"Hayatım," dedi, "şu an hiç bitmesin istiyorum."

"Ben de öyle. Başım dönüyor, başımı döndüren içtiğim şampanya değil, senin kollarında olmam."

Bora, dudaklarını yavaşça Ebru'nun yanağına dokundurdu. Ebru'ysa, o anın güzelliğini daha da artırmak için gözlerinin yumarak, Bora'ya biraz daha sokuldu. Bir süre sonra gözlerini açıp, büyük bir sevgiyle Bora'ya gülümsedi. Bora da ona. Artık yalnız gözleriyle konuşuyorlardı, bakışlarıyla aşklarını anlatıyorlardı birbirlerine. Bu anlatış; kelimelerden daha güçlüydü, çünkü gözleri hep gerçeği söylüyordu, bu söyleşinin içerisindeyse mutluluğun doruğuna ulaşmışlığın görüntüsü vardı.

"Şu anda, seni doyasıya öpmek istiyorum ama herkesin ortasında olmaz ki," diye Ebru'nun kulağına fısıldadı Bora.

"Ben de..."

"Biliyor musun, çok az baş başa kalabiliyoruz. Hep birileri oluyor yanımızda."

"Evet!.. Ne büyük şanssızlık. Oysa ki birbirimize anlatacak o kadar çok şeyimiz var ki."

"Doğru, iki sevgili olarak, ileriye dönük doğru dürüst plan yapama zevkini bile yaşayamadık!.."

"Haklısın..."

"Bak ne diyeceğim, bir bahane uydurup gidelim mi?"

"Ne kadar iyi olur ancak annenle baban çok üzülürler. Onların üzülmesini istemem."

"Ama... Onlar üzülmesin diye her isteklerini yerine getirmek durumunda mı olacağız?"

"Hayır. Elbette bizim de kendimize özgü yaşamımız olacak; fakat şu anda bazı değerleri de göz ardı etmememiz gerekir."

"İyi de o kendimize özgü yaşamımız ne zaman gelecek? Yarın Konya'ya döneceksin, kim bilir bir daha ne zaman görüşebileceğiz."

"Eve dönünce, herkes yattıktan sonra benim odama gelsene, uzun uzun konuşuruz."

"Bilmem ki, nasıl olur."

"Sana anlatacaklarım var."

"Evdeki duruma bağlı," diyerek, gülümsedi Ebru.

Mete Bey, Ebru'yla Bora'nın mutluluğunu, onların birbirlerine bakışlarından anlamış ve çok duygulanmıştı. Gözleri yaşardı, 'İyi ki, Ahmet'ten vazgeçildi, şimdi ikisi de çok mutlu,' diye içinden geçirirken, iki damla yaş yanaklarından aşağıya süzülmeye başladı. Kimseye belli etmemeye çalışarak onları eliyle sildi. O anda eşiyle göz göze geldiler, onun da gözleri kıpkırmızıydı. Nesrin Hanım,

"Mete'ciğim, birbirlerine ne kadar çok yakışıyorlar değil mi?" diye sordu.

"Evet Nesrin'ciğim!.. Allah birlikteliklerini bozmasın."

"Çok mutluyum çook!" dedi Nesrin Hanım, Mete Bey'in elini tutarak.

"Dans edelim ister misin?" diye sordu, Mete Bey.

"Olur canım."

Ünlü bir ses sanatçısının, sahneye geleceği anons edilene dek uzunca bir süre dans ettiler. Pistten, önde anneyle baba, arkalarından Hakan'la Funda onların da arkasından, Bora'yla Ebru el ele tutuşarak masalarına doğru yürüdüler.

"Bora'cığım, annen nasıl?" diye sordu Ebru. "Kaan abiyle Sezen ne yapıyorlar?"

"Dün telefonla konuştum. Hepsi iyilermiş. Uzun süre oldu birbirimizi görmeyeli; beni çok özlemişler."

"Sen özlemedin mi onları?"

"Özlemez olur muyum. Burnumda tütüyorlar. Onları görmeyi çok istiyorum."

"İzin alsan olmaz mı?"

"Acil durumlar hariç izin alamam. Ama önümüzdeki günlerde oldukça büyük çaplı ve uçuşlu bir tatbikat var. Bu tatbikatta Konya Hava Üssü'nde, yabancı ülkelerin savaş uçakları da dahil çok sayıda uçağın katılacağı yoğun uçuşlar olacak. Hakan'a da onun için fazla izin veremediler. Bu tatbikat süresince bizim uçuşların iki - üç gün beklemeye alınma olasılığı var. Böyle bir şey olursa sanırım İzmir'e gidebilirim."

"İnşallah!.. Fakat bir parça da kıskandım, İzmir'e gitmeyi düşünüyorsun diye."

"Ama Ebru'cuğum!.."

"Şaka şaka! Ali nasıl, neler yapıyor?"

"Ne yapsın. Çok arzu etmesine karşın düğüne gelemedi. Malatya'da hava çok kötüymüş. Uçak seferlerinin yanında pek çok otobüs seferi de ertelenmiş. Gerçi Konya'da da hava kötüydü; ama düğünle birlikte seni de göreceğim için sıkıntılı bir yolculuktan sonra geldim."

"Yani..."

"Sen olmasan, ben de gelmezdim."

"Ben de senin için dağları aşardım."

"Biliyorum, yapardın."

"Bora'cığım, abimle Funda birbirlerine çok yakışıyorlar değil mi?"

"Evet, çok yakışıyorlar. Tıpkı bizim gibi."

"Funda güzel bir kız, abim çok şanslı."

"Evet, ama benim Ebru'm herkesten daha güzel."

Funda, gerçekten çok güzel ve alımlı bir kızdı. Hakan'la birbirlerini çocukluk yaşlarında tanımışlardı. Hakan'ın okula ilk başladığı dönemde, Bakırköy'de aynı sokakta oturuyorlardı. İki aile birbirlerine çok düşkün oldukları için sık sık beraber olurlardı. Bu beraberliklerinde Funda, Hakan, Ebru çoğunlukta evcilik oynamayı yeğlerlerdi. Oyunda genellikle Hakan baba, Funda anne, Ebru'ysa hep çocuk olurdu. Ta o günlerde başlamıştı; Hakan'la Funda'nın birbirlerini beğenileri.

Masaya oturmadan, Ebru'yla Funda makyaj tazelemek istediler. Hakan'la Bora da onlara eşlik ederek beraberce salondan çıktılar. Hakan'la Bora, Funda'yla Ebru'yu beklerken, Hakan,

"Bora, Konya'ya dönünce hemen bir ev tutacağım, evi dayayıp döşeyeceğim, en kısa sürede de Funda'yı evimize getireceğim," dedi, "Yalnızlık çekilecek gibi değil."

"Haklısın. İyi düşünmüşsün."

"Sen ne düşünüyorsun?"

"Ben evliliği, Savaşa Hazırlık Eğitimlerini bitirdikten sonra düşünüyorum."

"En doğrusu o. O zaman sen de benim gibi savaşa hazır pilot olacaksın. Bakalım ilk atanman nereye olacak..."

"İnşallah Bandırma'ya olur da İstanbul'a gidiş - geliş mesele olmaz."

"İnşallah... Ama önce Akıncı Üssü'ne gidip, F-16 uçaklarında Savaşa Hazırlık Eğitimi görmen gerekli."

"Biliyorum, zaten Savaşa Hazırlık Eğitimleri derken oradaki eğitimi de belirtmek istedim."

Masaya döndüklerinde, Mete Bey'le Nesrin Hanım'ı el ele tutuşmuş, birbirlerine sevgiyle bakan, bakışlarını tatlı bir gülümsemeyle süsleyen iki kişi olarak buldular. Her hallerinden, yoğun duygular içerisinde oldukları belli oluyordu. Çocuklarının, neşe içerisinde, güzellikler yaşayarak eriştikleri mutluk, onları çok etkilenmişti.

Eve döndüklerinde tatlı bir yorgunluk vardı herkesin üzerlerinde. Fazla oturmayıp odalarına çekildiler. Bora geçirdikleri geceyi ve Ebru'yu düşünüyordu. "Acaba gelecek mi?" diye kendi kendine sordu. Bir süre sonra odanın kapısı yavaşça açıldı ve içeriye biri girdi. Koridordan gelen ışığın oluşturduğu siluetten gelen kişinin bayan olduğunu anladı Bora. Yarı çıplak olan vücuduna hemen pijamasının üstünü giyip, gece lambasını yaktı. Ebru'yu görünce heyecanlandı, ona doğru yürüdü, ellerini tuttu.

"Ellerin çok sıcak," dedi, "bir şey mi oldu, yoksa rahatsız mısın canım?"

"Hayır rahatsız değilim, heyecandan sanırım," diyerek, Bora'ya sarıldı Ebru.

"Canım benim!.." deyip, o da Ebru'ya sarıldı.

Bora, Ebru'nun sıcaklığını hissetti, büyük bir haz duydu bundan. Bu duyguyu yitirmemek için daha da sıkı sarıldı ona, şimdiye kadar duymadığı bir güzellik, bir tatlılık yaşıyordu. Sanki Ebru içerisine giriyordu ve onunla özdeşleşiyordu. Ebru'ysa duygularındaki aşırı yoğunluğun etkisiyle ayakları yerden kesilmiş gibiydi. Onun kokusunu duymak, nefesinin sıcaklığını boynunda hissetmek başımı döndürüyordu. Uzunca bir süre öylece kaldılar.

"Ebru'cuğum gel şöyle oturalım," diyerek, Ebru'yla birlikte yatağın üzerine oturdu Bora.

"Bora!.. Seni çok seviyorum. Ne kadar uzun bir süre bekledim senin için."

"Ben de seni çok seviyorum canım. Senin o güzel yüzün, seni tanıdıktan sonra bir saniye bile gözümün önünden ayrılmadı."

"Biliyor musun? Seni hep kıskandım. O kızlarla olan arkadaşlıklarında üzüntülerimi içime attım. Zaman zaman da yatağımda yüzümü yastığa gömerek ağladım."

"Sana hiç kıyamam ben. Bana karşı olan duygularının bu denli yoğun olduğunun farkına varamadım, bağışla beni," diyerek Ebru'ya sarıldı."Bağışlamak ne kelime, şu anda bana yaşattığın mutluluk her şeye bedel," deyip o da ona sarıldı.

Bora'nın dudakları, yavaşça Ebru'nun yüzünde dolaştı. Ebrunun yüreği yerinden fırlarcasına atıyor; bedeniyse, ilk kez hissettiği, değişik bir duygunun verdiği mutluluğu alabildiğine yaşıyordu. O da dudaklarını Bora'nın yüzünde dolaştırdı. Bora da o ana kadar duymadığı bir duygu sarmalı içerisindeydi. Düşünceleri ile bedeni bütünleşmiş, alabildiğince Ebru'yu yaşıyordu.

Ebru'nun üzerindeki gecelik kayarak, yatağın üzerine düştü. Bora'nın pijamasının düğmeleri de açılmıştı. Tenlerinin birbirlerine değmesiyle kanları, daha delice akmaya başladı. O ana dek yoğun bir duygusallıkla yaşadıkları aşkları, tenlerinin de katılımıyla daha da güçlendi. Bir süre sonra koridordan bir gürültü geldi. Hemen kendisini toparlayan Bora,

"Ebru'cuğum," dedi, "kapının önünde birisi var galiba."

"Kim olursa olsun! Şu anın büyüsünü bozmayalım," diyen Ebru, büyük bir istekle öptü Bora'yı.

Bora ne yapacağını şaşırdı. En az, o da Ebru kadar istekliydi. Fakat "şu an ve burası, daha ilerisi için uygun değil," diye düşünüyordu. Ama Ebru'nun baş döndürücü güzelliği, onu sıkı sıkı saran kolları, kulağına, 'seninle birlikte olmak çok güzel bir duygu' deyişi, kararsız kılmıştı Bora'yı. Sonunda o da daha fazla dayanamayıp, "ne olursa olsun," diye içinden geçirerek Ebru'ya sarıldı. İkisi de anlatımsız bir mutluluğu yaşıyorlardı.

Koridordan tekrar bir gürültü geldi. Hızlı adımlarla birisi yürüyordu. Gürültüyü ikisi de duydu. Ebru'yu saran kollarını gevşeten Bora,

"Güzelim dışarıda bir şeyler oluyor, farkında mısın?"

"Evet. Tam da sırasını buldular."

"Sanki olumsuz bir durum var gibi. İstersen üstümüzü başımızı düzeltelim."

"Haklısın!.."

Hemen giyindiler. Bora, kapıyı açıp koridora bakarken Ebru lavaboya girdi. Koridorda Mete Bey vardı. Biraz telaşlı görünüyordu. Bora'yı gören Mete Bey, ona bakıp, ellerini iki yana açarak fısıldadı:

"Kusura bakma oğlum seni de uyandırdım."

"Hiç önemli değil efendim. Sıkıntılı bir durum var sanırım."

"Hem öyle hem değil. Nesrin Hanım'ın midesi çok ağrıdı. Zaten mide rahatsızlığı var, bu akşam da çok mutluydu, oldukça da duygulandı; yemesine, içmesine dikkat etmedi."

"Çok üzüldüm! Geçmiş olsun."

"Teşekkür ederim oğlum. Önce ilacı bulamadım. İlacı bulamayınca kaygılandım, bir - iki sefer hızlı hızlı ilaç dolabına gidip geldim. Neyse sonra ilacı buldum -mutfaktaymış- ve içirdim. Bir süre sonra ağrısı geçer."

"Ümit ederim. Nesrin Hanım'a geçmiş olsun dileklerimi iletirseniz sevinirim."

"Tabi iletirim. O da seni uyandırdığımız için çok üzülecek. Allah'tan diğerleri uyanmadılar. Haydi oğlum iyi geceler."

"İyi geceler efendim."

Odaya geri gelen Bora, Ebru'nun kapının arkasında durduğunu gördü. Konuşmaları olduğu gibi duymuştu. Bora'ya sarılıp onu öpen Ebru,

"Hep böyle yediğine dikkat etmez, sonra da ağrı çeker. Gecemizi de berbat etti," dedi gülümseyerek.

"Öyle söyleme Ebru," dedi Bora. "Sanırım böylesi daha iyi oldu. Çünkü sonu nereye varırdı bilmiyorum."

"Bilemediğin sona varsaydık, belki de daha iyi olurdu. O zaman abimler gibi biz de bir an önce evlenirdik."

"Ama!.."

CAN SIKICI AKŞAM

Bora her geçen gün Ebru'ya daha çok bağlanıyordu ve kesinlikle onsuz bir yaşamı düşünemiyordu. Hakanların düğünlerinin olduğu gece, Ebruların evindeki yatak odasında birlikte geçirdikleri o tertemiz, sevgi dolu kısacık süreyi ve o sırada iyice yoğunlaşmış olan duygularını hiç aklından çıkaramıyordu.

İstanbul'dan Konya'ya döndükten sonraki ilk hafta sonu duyguları, özlemle alabildiğine yoğunlaşmıştı. Telefonla uzunca bir süre Ebru'yla konuşmasının sonunda misafirhanede daha fazla kalamayıp kendisini dışarıya attı. Uzunca bir yürüyüş yaptı. Ne yapacağını bilemez durumdaydı. Aklına Cengizler geldi. "Telefon edeyim, müsaitlerse onlara gideyim," diye düşündü.

Telefona Cengiz çıktı. Ses tonundan Bora'nın sesini duymaktan mutlu olduğu anlaşılıyordu. Daha bir - iki kelime konuşmuşlardı ki Cengiz,

"Bora'cığım işin yoksa bize gelsene," diye Bora'yı eve davet etti.

"Cengiz abi, ben de müsait olup olmadığınızı öğrenmek için telefon etmiştim; ama sen önce davranıp beni çağırdın," diyerek, geleceğini ima etti Bora. "Candan abla nasıl?"

"Çok iyi, bugün keyfi yerinde. Kız kardeşi geldi. Sevinçten uçuyor."

"Onun adına sevindim. Sanırım kardeşi bir süre kalır."

"Yok fazla kalmayacak. Hafta sonu için geliyor. Pazar akşamı dönecek."

"Sadece hafta sonu için geldiğine göre yakın bir şehirde otuyor olmalı."

"Evet, Ankara'da oturuyor."

Bora Candan'ın kız kardeşinin akşam geleceğini öğrenince, biraz canı sıkıldı. "Evlerine bir misafir gelecek, geceyi onunla geçirmek isterler, ben fazlalık olurum," diye düşündü.

"Cengiz abi, ben daha sonra geleyim. Bu hafta sonu konuğunuz var."

"Olmaz öyle şey. Sonra Candan çok üzülür. Hem Ceyda çok cana yakın bir kızdır."

Cengiz'i iyi tanıyordu. Ses tonundan mutlaka gelmesini istediğini anladı. Hele son söylediği cümlelerden, gitmezse kırılacağını anladı.

"Peki abi, bir saat sonra gelirim."

"Tamam. Haa şimdiden söyleyeyim, akşam yemeğine de kalacaksın."

"Yemeğe kalmasam olmaz mı?"

"Olmaz, zaten Candan yemekten önce bırakmaz seni."

"Cengiz abi, artık evet demekten başka söyleyecek sözüm kalmadı. Dediğin gibi olsun."

"Güzel, haydi oyalanma hemen gel."

"Görüşmek üzere."

Bora her zamanki gibi şık bir kıyafetle geldi Cengizlere. Kapıyı Cengiz açtı. Bora'yı görünce başıyla gövdesini biraz geriye doğru çekerek, anlamlı bir ıslık çaldı ve arkasından şöyle dedi:

"Yine her zaman ki gibi çok şıksın."

"Sağol Cengiz abi senin iyi görüşün."

"Hadi gel içeri," diyen Cengiz, Bora'nın elini tutup, onu salona götürdü.

Candan Bora'yı görünce hemen ona doğru gelip, ellerinden tuttu ve sevgiyle yanaklarından öptü.

"Bora gel sana kardeşimi tanıştırayım," diyerek, onu Ceyda'nın yanına götürdü ve ikisini birbirlerine tanıştırdı.

"Tanıştığımıza memnun oldum Ceyda Hanım."

Bora'nın elini sıkarken Ceyda, onun gözlerinin içerisine bakarak, 'ne kadar yakışıklı bir erkek,' diye içinden geçirirdi.

"Tanıştığımıza ben de çok sevindim. İyi ki bu hafta sonu Konya'ya gelmişim."

"Evet, tanışma töreni bitti. Herkes rahat etsin," diyen Cengiz, samimi bir hava yaratmaya çalıştı.

Sonra Bora'ya bakarak, merakla sordu:

"Eee anlat bakalım, uçuşlar nasıl gidiyor?"

"Nazar değmesin çok iyi."

"Sanırım Konya'yı da iyice tanımışsınızdır," diye Ceyda da konuşmaya katıldı.

"Maalesef, hiç tanıyamadım desem yalan olmaz."

"Ciddi olamazsınız, siz gelmeden önce Cengiz abi sizden söz ederken, epeydir Konya'da olduğunuzu söyledi."

"Doğru söylemiş; ama ben o denli yoğun bir çalışma içerisindeydim ki, başımı kaşıyacak zamanım olmuyor. Uçuşta yapılacak manevraların öğrenilmesi, onlarla ilgili kuramsal dersler, sınavlar ve en önemlisi de uçuşlar, oldukça fazla zaman alıyorlar. Fırsat buldukça da Cengiz abilere geliyorum. Tüm bunlardan sonra kalan zamanda da ancak iki - üç kez şehre inebildim."

"Anladığım kadarıyla uçuşlar iyi gidiyor," diyerek, Candan da söze katıldı.

"Bir - iki hususu göz ardı edersek, şimdiye kadar oldukça iyi."

"Sevindim buna. Sıra Konya'yı tanımaya geldi sanırım," dedi Cengiz. "Şimdiye kadar sana Konya'yı gezdirmediğim için ben de biraz kabahatliyim."

"Olur mu öyle şey Cengiz abi."

Bu arada mutfağa gidip gelen Candan Bora'yla Cengiz'e elinde tuttuğu tepsideki kanepelerden ikram etti. Sonra Cengiz'e dönüp,

"Bora'ya içecek bir şeyler ikram etsek nasıl olur?" diye gülümseyerek sordu.

"Tabi ya, çocuğun boğazı kurudu. Sürekli konuşturuyoruz onu. Bora canım kardeşim, kusura bakma bağışla beni. Ne vereyim sana?"

"O nasıl söz Cengiz abi, alkolsüz bir şey olsun."

"Neden alkolsüz? Bak hepimiz hafif alkollü bir şeyler içiyoruz."

"Uzun zamandır alkollü içki içmiyorum. Uçuşu olumsuz etkiliyor da. Birden çarpılırım diye korktum. Daha sonra yemekte alırım."

"Peki, o zaman portakal suyu vereyim."

"Olabilir."

Bora'nın yanına gelen Ceyda, onu anlamlı bir şekildi süzerek,

"Bu denli disiplin içerisinde yaşamak, sıkıntılı değil mi?" diye sordu.

"Başkalarını bilmem; ancak benim için hayır. Çünkü uçuşu çok seviyorum. Uçuştaki başarısızlığın bendeki etkisi, kelimelere sığmayacak kadar olumsuz oluyor. Hele başarısızlık nedeniyle uçuştan ayrılma durumunda kalırsam, yaşamım altüst olur."

"Bu ne büyük sevgi," dedi Candan.

"Buna sevgi değil aşk demek gerekir," derken, Ceyda anlamlı bir bakışla Bora'yı süzdü.

Sözü değiştirmek isteyen Cengiz, sesini biraz yükselterek konuştu:

"Ceyda, Ankara'da işlerin nasıl, Bulut ne yapıyor?"

"Çok iyi Cengiz abi. Büyük bir şirketin tüm reklam işlerini aldık. Oldukça iyi kazanç sağlayacağız. Oğlum da iyi. Bu hafta sonu babaannesinin yanında."

"Çok sevindim. Desene binlerce dolarlık bir iş."

"Belki daha fazla. Evvelsi gün ihaleyi kazandık. Henüz kesin hesaplama yapamadık; ama yüz binlerce dolar olabilir."

"Ankara'da oturuyorsunuz sanırım," diye söze karıştı Bora.

"Evet. Beş yıldır Ankaralıyım."

"Ne kadar iyi. Çok istememe rağmen ben Ankara'da hiç bulunamadım. Sadece otobüsle transit geçişler yaptım. Aslında Anıtkabir'i ziyaret etmeyi çok istiyorum."

"O zaman sizi Ankara'ya bekliyorum. Benim misafirim olursunuz. Size Ankara'yı güzelce gezdiririm. Ankara'da Anıtkabir'le birlikte görmeye değer pek çok yer var."

"İnşallah, fırsat bulursam gelirim. Hem eşinizle de tanışma fırsatım olur."

Birden hepsinin yüzü bir hoş oldu. Bora, 'Acaba yanlış bir şey mi söyledim,' diye düşünürken, ona doğru bakan Cengiz,

"Bora'cığım, Ceyda'nın eşi, iki yıl önce talihsiz bir trafik kazası geçirdi. Ağır yaralı olarak hastaneye kaldırıldı, tüm uğraşlara karşın kurtarılamadı," dedi.

"Ceyda Hanım bağışlayın beni, bilmeyerek üzülmenize neden oldum."

"Canınızı sıkmayın, alıştım artık. Oğlumla birlikte o üzüntülü günü unutmaya çalışıyoruz. Ancak hatırası her yerde. Eşimi kaybedince onun işini devam ettirmeye karar verdim ve dişiyle tırnağıyla kurup geliştirdiği şirketin başına geçtim. Şirket, oldukça tanınmış bir reklam şirketiydi. Allah yardım etti de batırmadım. Üstelik iki yıl gibi kısa bir sürede dört - beş misli büyüttüm."

"İnanılmaz bir şey bu, genç yaşınızda böyle bir başarı. Bravo size."

"Teşekkür ederim. Ama düşündüğünüz kadar genç değilim."

"Nereden baksanız; yirmili yaşların başında görünüyorsunuz."

"Çok naziksiniz Bora Bey. Bir on sene eklerseniz, belki yaşıma yaklaşırsınız."

"Söylediğinize inanmak zor. Ama ben görünüşünüzden söz ediyorum."

"Benim kardeşim, yaşını hiç göstermez," dedi Candan.

"Candan Hanım, siz abla olduğunuza göre... İmkansız!.. Ne denli genç görünüyorsunuz ikiniz de."

"Centilmenliğine ben de teşekkür ediyorum."

"İnanın tüm söylediklerim gerçek."

"Bora tavla biliyor musun?" diye sordu Cengiz.

"Usta bir oyuncu değilim; ama kötü de sayılmam. Arzu edersen oynayabiliriz."

"Haydi gel bakalım. Biz oynarken bayanlar da masayı hazırlar."

Yemek salonuna geçen bayanlar, masayı hazırlarlarken; Ceyda, Candan'a yalnız yaşamanın zorluklarını anlatıyordu. Bulut'un tüm yaşantısını doldurduğunu, o olmasa yalnızlığa dayanamayacağını, kendisini işine bu denli vermesinin en büyük nedeninin de kendisini oyalamak olduğunu anlatıyordu. Bir ara Candan'a bakıp,

"Ne denli yakışıklı bir erkek, ona bakarken insanın içi bir hoş oluyor," dedi.

"Evet Ceyda, çok da sempatik birisi."

"Candan inanır mısın, eşimi kaybedeli beri ilk kez bu tür duyguları yaşıyorum."

"Aman duygularına gem vur Ceyda. Bora sözlü. Anlattıklarına göre sözlüsü çok güzel bir bayan ve o da onu deliler gibi seviyor."

"Ne olacak ki söz o denli önemli mi?"

"Alkolün etkisiyle böyle konuşuyorsun. Yarın ayılınca, bu düşüncelerinden utanırsın."

"Hiç de utanmam. Onu çok beğendim."

"Bakalım o ne düşünüyor, senin için."

"O daha toy bir delikanlı. Ben onu etkilemesini bilirim."

"Ceyda ne olur bir taşkınlık yapma. Hoş olmayan bir durum olursa Cengiz çok üzülür."

"Aman Candan! Cengiz önce kendisine baksın. Kaç yıldır evlisiniz, henüz çocuğunuz bile yok."

"Aaa... Ayıp oluyor ama!.."

"Neden ayıp olsun ki, çocuk yapmasını bilmiyor musunuz? Yoksa Cengiz abi..."

"Eee, pes vallahi, senin yalnızlıktan ar damarın çatlamış kızım."

"Kızma, Candan'cığım. Şaka yapıyorum."

Yemek masasını özenle hazırladılar. Bu arada Bora, tavlada Cengiz'i iki kere üst üste yendi. Tavlada çok iddialı olan Cengiz, bu yenilgiye feci bozuldu; ama Bora'ya belli etmemeye çalıştı. Bora Cengiz'in ne denli sinirlendiğini anladığı için onun üzerine gitmedi. Yalnız, "Bugün çok şanslıyım," demekle yetindi.

"Yemek hazır, oyununuz bittiyse masaya buyurun," diyerek Ceyda, beyleri yemeğe çağırdı.

"Oyun bitti geliyoruz," diye, bir parça sertçe yanıt verdi Cengiz.

"Ne oldu enişte? Sesin biraz üzüntülü gibi."

"Ne olacak, yenildim."

"Kulaklarıma inanamıyorum. İlk olarak yenildiğini duyuyorum."

"Bugün bende anormal bir şans var. Yoksa Cengiz abiyi rüyamda bile yenemem."

"Eee o yenince söylemediğini bırakmaz. Şimdi birisi de onu yendi. İşte kartallar adamı böyle yapar. Bora seni tebrik ediyorum," diyen Ceyda, Bora'nın yanına gelip, ona sarıldı ve yanaklarından öptü.

Ceyda'nın göstermiş olduğu bu yakınlık, Bora'nın bir parça canını sıktı. Ama bir şey söyleyemedi. Yemekte Ceyda gözlerini Bora'dan ayırmadan konuşuyor, davranışları ve konuşmasıyla Bora'yı etkilemeye çalışıyordu. İş hayatının ve bu hayatta patron olmanın getirdiği rahatlıkla kendisini kontrol etme ihtiyacı da duymuyordu.

Cengiz Candan'a bakıp kaş - göz işaretiyle, 'Ne yapıyor bu Ceyda?' diye sordu. Candan da Bora ve Ceyda'ya belli etmemeye çalışarak omuzlarını hafifçe yukarıya hareket ettirerek, 'Bilmiyorum' diye yanıt verdi. Bunun üzerine Cengiz, gözleriyle mutfağı işaret edip, masadan kalktı ve mutfağa yürüdü. Onun arkasından da Candan masadan kalkıp mutfağa gitti.

"Candan! Ceyda ne yapmaya çalışıyor?"

"Anormal bir şey mi yapıyor ki?"

"Daha ne yapacak! Bora'yı sözleriyle taciz ediyor. Farkında değil misin?"

"Ben abartılacak bir şey görmüyorum. Bir parça yakınlık gösteriyor."

"İyi de çocuğun sözlü olduğunu söylemedin mi Ceyda'ya?"

"Söyledim, ama önemsemedi."

"Bora'nın ne kadar rahatsız olduğunun farkına varmadın mı?"

"Farkındayım ama ne yapabilirim ki?"

"Ceyda'yı yemek salonundan al götür!.."

"Peki, denerim."

Cengiz'le Candan salondan ayrılınca, cüretkârlığını biraz daha artıran Ceyda, Bora'ya davetkâr bir şekilde bakarak fısıldadı:

"Bora oldukça yakışıklısın, seni çok beğendim. Görüşmemizi sürdürelim."

"Affedersiniz Ceyda Hanım! Sanırım sözlü olduğumu biliyorsunuz."

"Benim için önemli değil."

"Benim için önemli. Sözlümü çok seviyorum ve takındığınız tavır da hiç hoşuma gitmiyor."

"Bayanlar hakkında oldukça deneyimsizsin."

"Bakın Ceyda Hanım, sizin gibi bayanlarla oldukça fazla ilişkim oldu. Lütfen bu konuyu burada kapatalım."

O sırada Candan salona geri geldi. Ceyda'nın asık suratını ve Bora'nın sıkıntılı durumunu görünce üzüldü. "Sanırım aralarında hoş olmayan bir tartışma geçti," diye düşündü. Ceyda'ya gülümseyerek seslendi:

"Ceyda'cığım sana bir şey göstereceğim. Benimle çalışma odasına gelir misin?"

Candan ile Ceyda salondan ayrıldıktan sonra yalnız kalan Bora, derin bir nefes aldı. 'Çok güzel bir bayan ancak onunla vakit geçirmeye hiç niyetim yok,' diye içinden geçirdi. Sonra da, 'Bundan sonra benim için yalnız Ebru var. Ondan başkasına yan gözle bile bakmak bana yakışmaz,' diye düşündü.

Kafasından bu düşünceler geçerken, Cengiz'in gelişini fark etmedi. Bora'nın düşünceli durumu Cengiz'in canını sıktı. 'Çocuğu güzel bir akşam geçirelim diye eve çağırdık; ama sıkıntılı bir atmosfer oluştu,' diye düşünerek Bora'ya,

"Bora'cığım canının sıkıldığını biliyorum. Ben de çok üzüldüm. Aslında Ceyda böyle davranışlarda bulunan bir insan değildir. Sanıyorum alkolün etkisiyle oldu. Onu ilk kez böyle görüyorum," dedi.

"Cengiz abi canım sıkıldı ama çok değil."

"Bir el daha tavla oynayalım mı?"

"Eğer izin verirsen ben gideyim. Belirli bir saatte üsse dönmemiz gerekiyor. Benim de yarım saatim kaldı."

"Sen bilirsin. Candan'ı çağırayım."

"İstersen onlara hiç seslenme. Sanıyorum şu anda Candan Hanım Ceyda Hanım'la ilgileniyor."

"Hoş olmayan bir gece oldu. Bağışla bizi. İnşallah başka bir gün acısını çıkartırız."

"Cengiz abi bu gece de her zaman olduğu gibi sizinle birlikte olmaktan büyük bir zevk aldım."

"Buna sevindim fakat Ceyda sana biraz sıkıntı verdi sanırım."

"Yooo davranışları beni sıkmadı. Alkolü biraz fazla kaçırdı ve içine gömdüğü duygularını kontrol edemedi."

"Bora oldukça anlayışlı bir insansın."

DÖRDÜNCÜ BÖLÜM

KOMPLO

SİNSİ PLAN

Aradan on güne yakın bir süre geçmesine karşın Bora, Ceyda'nın aklından bir türlü çıkmıyordu. Ankara'ya geldiğinden beri her olay Bora'yı hatırlatıyordu ona. Kendisine defalarca, 'Ne oluyor, neden aklım hep Bora'da?' diye sormuş; ama yanıtını bulamamıştı. Sonunda ona tutulduğunun farkına vardı. 'Ona aşık mı oldum?' diye aklından geçirdi. Sonra, 'Hayır, aşk böyle olmaz' diye düşündü. Daha sonra duygularını yeniden gözden geçirdi; bunun aşk olmadığını, sadece iki senedir bastırdığı ve artık gemleyemediği istekler olduğunu anladı.

O sabah masasında otururken gözlerini yumdu ve Bora'yı düşünmeye başladı: 'Bora, bayanların dikkatini çekecek kadar boylu boslu, yakışıklı ve karizmatik bir delikanlı,' diye içinden geçirdi. Sonra, 'Bir - iki kez Konya'ya gidersem, nasıl olsa Bora'yı istediğim kıvama sokarım,' diye düşündü.

Aynı gün, şirketin hem İstanbul'daki işlerini düzenleyen hem de hukuk müşavirliğini yapan Ahmet, bazı konularda görüşünü almak üzere Ceyda'ya geldi. Ahmet aynı zamanda Ceyda'nın eski bir arkadaşıydı ve ilişkileri abi - kardeş gibiydi. Sabahtan öğleye dek iş üzerinde çalıştılar. Çalışmaları bitince de birlikte yemeğe çıktılar.

Gölbaşı'ndaki ikisinin de çok sevdiği ve gölün hemen kıyısında bulunan, güzel bir lokantaya gittiler. Birlikte çok kez gelmişlerdi bu lokantaya. Her zamanki gibi gölün görüntüsü çok güzeldi. Nedense manzara Ahmet'i bir hayli etkilemişti o gün. Manzaraya dalmış gitmişken Ceyda,

"Heey!.. Nerelere gittin?" diye seslendi.

Ceyda'nın sorusuyla kendine gelen Ahmet, bir süre onun yüzüne gülümseyerek baktı. Sonra elini avuçları arasına alarak mırıldandı:

"Şu anda hiçbir şey düşünmüyorum. Manzaranın güzelliği büyüledi beni."

Yanıta gülümseyen Ceyda, hınzırca bir ifadeyle onun yüzüne bakarak, bir gizi ortaya çıkarmak isteyen gizemli bir tavırla sordu:

"Ahmet abi ne oldu sizin evlilik?"

Hiç beklemediği bir anda böyle bir soru, manzaranın oluşturduğu güzel duygularının üzerine hızlı bir sünger çekti. Soruya biraz canı sıkılmıştı Ahmet'in. 'Nereden çıktı bu konu şimdi?' diye düşündü. Kaçamak cevap vermeye karar verdi.

"Sorma Ceyda, olmadı."

Ancak Ceyda'nın konuyu kapatmaya pek niyeti yoktu. Oturduğu iskemlede biraz doğrularak yeniden sordu:

"Neden ki?"

Ahmet, canı sıkılsa da Ceyda'nın sorularının süreceğini anladı. Onunla arasının gerilmesini istemiyordu. Çünkü hem iyi arkadaştılar hem de şirketten hukuk müşavirliği karşılığında hatırı sayılır miktarda bir para alıyordu.

"Ebru'nun eski sevgilisi ortaya çıktı. O da ona geri döndü."

"Kimmiş bu eski sevgili?"

"Ağabeyinin sınıf arkadaşı, bir Pilot Teğmen. Şimdi Konya'da."

"İsmi ne teğmenin?"

"Bora."

Bora kelimesini duyan Ceyda birden heyecanlandı. Biraz daha doğrulup, Ahmet'e meraklı bir tavırla sordu:

"Bora mı?"

"Evet!.. Tanıyor musun?"

"Sanırım... Hem de iyi tanıyorum... Çok yakışıklı bir delikanlı," derken iç geçirdi.

"Nerden tanıyorsun bu teğmeni?"

Ceyda, Konya'da geçirdikleri akşamı bir parça da abartarak Ahmet'e anlattı. Ahmet duyduklarına oldukça şaşırdı. Çünkü Ceyda, Bora'nın kendisine çok yakın davrandığından söz edip, yakında Ankara'ya geleceğini söylemişti.

"Ama o Ebru ile sözlü, nasıl oluyor da sana ilgi duyuyor ve bunu da açıkça belli ediyor?"

"Aşk olsun Ahmet abi!.. Ben erkekleri etkileyemeyecek kadar çirkin miyim?"

"Onun için söylemedim. Bora, Ebru için ölümü bile göze aldı. Bu davranışına çok şaşırdım da..."

Ceyda, Bora'nın Konya'da kendisine neden soğuk davrandığını şimdi daha iyi anlamıştı. Biraz Ebru'yu kıskandı. Biraz da kızdı ona. 'O kız olmasaydı; güzel bir ilişki kurabilirdim Bora'yla,' diye aklından geçirdi. Sonra, 'Ahmet abiyi de kullanarak, Bora ile nişanlısının arasını açabilirim,' diye aklına şeytanca bir fikir geldi.

"Eee... sen de Ebru'dan pek kolay vazgeçmişe benziyorsun."

"Hayır asla vazgeçmedim."

"Ne yani!.. Vazgeçmedin de ne yaptın?"

"Bir şey yapmadım, yakında neler yapacağımı göreceksin."

Hain planının uygulamasında, Ahmet'e vereceği rolün umduğundan daha etkili sonuçlar vereceğini anlayan Ceyda'nın gözlerinin içi güldü. Ancak Ahmet'ten ters bir tepki almamak için onu denemek üzere sordu:

"Ahmet abi, Ebru'dan vazgeçmediysen, onunla evlenebilmek için her türlü mücadeleyi yapar mısın?"

Bu soru üzerine Ahmet, 'Sanırım Ceyda Bora'ya duyduğu ilgiyi benim yardımımla ilişkiye dönüştürmek istiyor,' diye düşündü. Sonra, 'Bu gerçekleşirse Ebru da bana kalır. Böylece benim de ekmeğime yağ sürülür,' diye aklından geçirdi ve hiç tereddüt etmeden,

"Evet hem de legal illegal her şeyi," diye yanıt verdi.

"O zaman, seninle birlikte bazı şeyler yapabiliriz."

"Neler geçiyor aklından?"

"Ahmet abi yemeklerimizi yerken, düşünelim. Sonra bir plan oluştururuz."

"Olur öyle yapalım. Senin güzel bir plan yapacağından eminim."

Yemeklerini yerken Ceyda hiç konuşmadı. Sürekli düşündü. Göl üzerindeki kayıklara doğru dalgın dalgın bakarken, aklına bir fikir geldi: 'Ahmet abi Ebru'ya, benimle Bora arasında bir yakınlık oluştuğunu; hatta yakınlıktan da öteye bir ilişki başladığını ima yollu anlatırsa, sanırım Ebru bundan çok olumsuz etkilenir ve aralarında soğuk rüzgârlar esmeye başlar. Bundan sonra da ben Bora'yı rahatça etkilerim. Ebru da Ahmet abiye kalır.' Bu planın çok etkili olacağını düşündü ve Ahmet'e anlattı.

Ceyda'yı dinleyen Ahmet'in yüzünde haince bir gülümseme belirdi. 'Ebru ile Bora'nın arası açılınca Ebru bana kalır ve ben de hayallerimi gerçekleştirme fırsatını yakalarım,' diye düşündü. Ceyda'nın gözlerinin içine bakarak,

"Senden korkulur!.. Müthiş bir plan bu," dedi. "İstanbul'a döner dönmez hemen uygulamaya başlayacağım."

Olayların böyle gelişmesi Ceyda'yı sevindirmişti. Bakışları, yeniden göl üzerindeki kayıklara doğru çevrildi. Planının başarıya ulaşacağından emin mırıldandı:

"İyi ki bugün bir araya gelmişiz." Sonra Ahmet'e bakıp, kadehini kaldırdı. "Haydi Ahmet abi kısa süre sonra elde edeceğimiz başarımızın şerefine."

Ahmet de kadehini kaldırdı. Böylece korkunç planın uygulaması başladı.

Ahmet, Ankara'dan İstanbul'a dönünce, hiç vakit kaybetmeden, Ceyda'yla yaptıkları planı nasıl uygulayacağını düşünmeye başladı. Önce bazı nedenler yaratıp, Ebru'nun babası Mete Bey'le görüşmelerini sıklaştırarak, aralarında oluşan soğukluğu ortadan kaldırmayı düşündü. Bunu başardıktan sonra Mete Beylerin evlerine gelip gitmelere yeniden başlayarak, uygun bir zamanda Bora için hazırladıkları düzmece olayı Ebru'ya anlatmaya karar verdi.

Soğukluğun nedeni Ebru'yla Ahmet arasındaki sözün bozulup, Ebru'yla Bora arasında söz kesilmesi olduğu için Mete Bey'le dostluklarının askıya alınması Ahmet tarafından başlatılmıştı. Aslında Mete Bey Ahmet'le ilişkilerinin bu duruma gelmesinden çok da hoşnut değildi. Hatta suçluluk duygusu bile hissediyordu. Bunun için Ahmet'in aralarındaki soğukluğu gidermek üzere yaptığı yaklaşımlar, Mete Bey'i son derece memnun etmişti. Kısa sürede eskiden olduğu gibi yine zaman zaman birlikte öğle yemeği yemeye başlamışlardı.

Ahmet'in, Nesrin Hanımı da evde ziyaret etmenin zamanı geldi mi acaba diye düşündüğü bir sırada, Mete Bey onu evlerinde akşam yemeğine davet etti. Buna çok sevinen Ahmet, sevincini gizleyerek, sanki bir parça canı sıkılmış gibi bir tavırla bu çağrıya yanıt verdi:

"Mete Bey sizden böyle bir davet almak beni son derece mutlu etti. Ama bilmem ki doğru olur mu?"

"Neden olmasın ki, sen bizim aile dostumuzsun. Biz yaşanan o olayı tamamen unuttuk."

Ahmet duyduklarına inanamıyordu. 'Körün isteği bir göz Allah verdi iki göz,' diye aklından geçirdi. 'Eh!.. Ebru'yla her şeyi istediğim şekilde konuşabilme olasılığı avucumun içinde artık,' diye düşündü. Mete Bey'in ısrarla daveti tekrarlaması üzerine Ahmet sessizliğini bozdu:

"Sizi çok sevdiğimi ve saydığımı biliyorsunuz; bunun için kırmama imkan yok."

"Çok güzel. O halde Cumartesi akşamı seni yemeğe bekliyoruz."

"Nasıl uygun görürseniz."

Mete Bey'in kimseye danışmadan Ahmet'i yemeğe çağırması Ebru'nun hiç hoşuna gitmedi. Etik değerlerle bağdaşmayacağını söyleyerek buna itiraz etti. Ancak babasının ısrarla bu yemeğin gerçekleşeceğini söylemesi karşısında fazla direnemedi ve istemeyerek de olsa durumu kabullendi. Bu akşam yemeğiyle Ahmet'in eve gelip gitmesi yeniden başladı ve gün geçtikçe de daha sıklaştı.

Tatbikat nedeniyle Konya'daki eğitim uçuşları beklemeye alınmadı. Bunun üzerine Bora, tatbikattan yirmi gün sonraki Kurban Bayramı tatilinde İzmir'e gitmeye karar verdi. Ebru, Bora'nın bu kararına oldukça üzüldü. Oysa bayram tatilinde Bora'nın İstanbul'da olacağını varsayarak bir sürü plan yapmıştı.

Bora, sürpriz yapmak için İzmir'e geleceğini evdekilere bildirmedi. Onlar onun İstanbul'a gideceğini sandıkları için bayram sabahı erken bir saatte, onu karşılarında görünce hem çok şaşırdılar hem de çok sevindiler.

Hülya'yla Ebru önce anlamsızca Bora'yı süzdüler; sonra kendisini toparlayan Sezen koşarak onun boynuna sarıldı ve yanaklarından öperken,

"İyi ki geldin, şu sıralarda sana çok ihtiyacım var," dedi.

Şaşkınlığı geçen Hülya da Bora'ya sarılıp, defalarca yanaklarından öperken,

"Kokunu seveyim oğlum. Beni kokuna hasret bıraktın," diye mırıldandı.

Salondan gelen seslerin ne olduğunu merak eden Elif de hızla mutfaktan onların yanına geldi. Bora'yı görünce o da ona sarılarak,

"Gözlerime inanamıyorum. Sen İzmir'desin ve bizimle beraberim. Bu ne güzel sürpriz," deyip, yanaklarından öptü.

Karşılaşma seremonisi sona erince, Elif Hülya'yla Sezen'e doğru bakarak sordu:

"Bora'nın şerefine güzel bir kahvaltı hazırlayalım ne dersiniz?"

"Haklısın Elif. Haydi birlikte hazırlayalım," dedi Hülya.

HASTALIK

Hülya ile Elif salondan ayrıldıktan sonra Sezen, hüzünle Bora'nın yüzüne bakıp sonra bakışlarını yere indirdi. Onun yüzündeki durgunluğu fark eden Bora, sağ eliyle onun çenesinden tutup yüzünü yukarı doğru kaldırdı. Bu kez gözlerinin kızarmış ve nemlenmiş olduğunu gördü. Sezen'in büyük bir acı yaşadığını fark etti ve merakla sordu:

"Sezen'ciğim hayırdır! Senin canın bir şeye çok sıkılmış. Nedir seni bu denli üzen şey?"

Bu soru üzerine gözlerindeki nem gözyaşlarına dönüşüp, yanaklarından aşağı süzüldü Sezen'in. Kendisini daha fazla tutamayıp Bora'nın boynuna sarıldı; başını onun omzuna dayayarak, hıçkırarak ağlamaya başladı.

Sezen'in bu durumundan çok etkilenen Bora'nın yüreği acıdı ve onun da gözleri yaşardı. Sezen'i şefkatle saran kollarını biraz daha sıkarak,

"Sezen'ciğim, nedenini bilmiyorum; ama şu anda duygularının çok yoğun olduğunu ve içinde kopan fırtınanın tüm benliğini etkilediğini görüyorum," diye kulağına fısıldadı.

"Bora, çok kötü bir durumla karşı karşıya kaldım. Kimseye de açılamadım."

"Sezen, canım kardeşim! Hadi eski günlerdeki gibi derdini anlat bana. Belki yardım edebilirim."

"Umarım... ama çok zor."

"Babanla ilgili bir sorun mu?"

"Hayır, keşke onunla ilgili olsaydı."

Bu yanıt üzerine Bora sandığından da önemli bir problem olduğunu anladı. Sezen'in gözlerinde umutsuzluğu gördü. Yüreği onun bu üzüntüsüne dayanamadı, gözlerinde oluşan iki damla yaş yanağından aşağı kaydı.

"Yoksa Kaan abiyle aranızda bir sorun mu var?"

"Yok.. Kaan'la hiçbir zaman olumsuzluk yaşamadık."

"Eee... ne olduğunu anlat bakalım."

Bu kez Sezen'in gözyaşları sicim gibi akmaya başladı; ama tüm gücünü toplayarak konuştu:

"Kaan çok hasta..."

"Ne!.. Ne söylüyorsun sen, Kaan abi hasta mı?"

"Evet..."

"Kötü bir hastalık mı?"

"Evet Bora... Kaan kan kanseri."

"Aman Allah'ım!.. İki gün önce telefonla konuştuğumuz da Kaan abinin iyi olduğundan söz etmiştin."

"Üzerinde iki haftadır hafif bir halsizlik vardı. Havanın değişkenliğinden oluşan soğuk algınlığı sanmıştık. Ama halsizlik biraz daha artınca; bazı tahliller yapıldı ve kan kanseri teşhisi konuldu."

"Vah benim iyi yürekli abim!.. Kulaklarıma inanamıyorum."

"Annem biliyor mu?"

"Hayır. Biraz önce söylediğim gibi ilk sana açılıyorum. Zaten teşhis de dün öğleden sonra koyuldu."

"Anneme hemen söyleyelim. Belki Ege Üniversitesi'nin imkanlarıyla daha detaylı bir araştırma yapılmasını sağlar."

"Haklısın. Dünden beri kafam çalışmaz oldu. İyi ki geldin. Zaten tüm sıkıntılarım da bana hep sen yol gösterirsin."

O sırada salona Hülya ve Elif geldi. Bora'yla Sezen'in birbirine sarılmış durumda ağladıklarını görünce ikisi de dondu kaldı. Hülya merakla sordu:

"Çocuklar ne oldu?"

"Hasretin bitiş gözyaşları bunlar," dedi Elif.

"Yok yok! Başka bir şey var ortada. Çocuklar nedir sizi bu denli etkileyen olay?" diye Hülya tekrar sordu.

Sezen Bora'ya bakarak,

"Sen anlat. Ben konuşamayacağım," diyerek gözlerindeki yaşlarla salondan koşarak çıktı.

Hülya Bora'ya baktı, o başını öne eğmiş yerde sabit bir noktaya bakıyordu. Yüreğinin acıyla ezildiği açıktı. Salonda sessizlik vardı. Sessizlik uzun bir süre devam etti. Hülya çok kötü bir olay olduğunun farkındaydı; ancak olaydan neden kendisinin bilgisi olmadığını anlayamamıştı. Sabırsızlıkla Bora'ya bir kez daha sordu:

"Oğlum ne oldu anlatmayacak mısın?"

Bora her şeyi annesine anlattı. Hülya dinlerken, yüzü önce sarardı, sonra kara sarı bir renk aldı. İçinden, 'Benim talihsiz kızım, Kaan'ı da deli gibi seviyor,' diye geçirdi. Sonra, 'Hemen üniversitenin imkanlarından sonuna kadar yararlanmak için harekete geçeyim,' diye düşündü.

"Bora, senin Kaan'ı ne kadar yürekten sevdiğini biliyorum. Ben de Kaan'ı çok seviyorum; ama Sezen onsuz yaşayamaz. Kızımın kahrolduğunu görünce yüreğim burkuldu, bir an nefesim kesiliyor sandım."

"Anneciğim yerden göğe kadar haklısın. Sezen Kaan abiyi çok seviyor. Bildiğim kadarıyla da onsuz bir hayatı aklının ucundan bile geçirmiyor."

"Doğru söylüyorsun oğlum."

Birlikte Sezen'in odasına gittiler. Sezen iki gözü iki çeşme hıçkırarak ağlıyordu. Hülya kızının saçlarını okşadı sonra eğilip, başını öptü.

"Kızım kendini harap etme, üniversitenin imkanlarını sonuna kadar zorlayıp, Kaan'ın en kısa sürede iyileşmesi için elimden geleni yapacağım. Hemen şimdi üniversitedeki profesör arkadaşımla görüşüp muayene etmesini isteyeceğim," dedi.

"Anne bu iyi bir düşünce," diyen Bora, Sezen'e bakıp, "Kaan abi güçlü bir insandır; ona bir şey olmaz. Kısa sürede iyileşeceğine yürekten inanıyorum," diyerek, onu teselli etmeye çalıştı.

"Umarım söylediğin gibi olur. Ama tıbbiye son sınıf öğrencisi olarak bu hastalığın ne denli kötü olduğunu çok iyi biliyorum," diye mırıldandı Sezen.

"Kaan kendisine danışmadan yapacağımız görüşmeye ne der acaba?" diye, Hülya sordu.

"Bilmem ki," diye yanıt verdi Sezen.

"Onunla konuşursak; kabul etmeyeceğinden eminim," diye fikrini söyledi Bora. "Eğer onun fikrini almadan randevu alıp, emri vaki yaparsak iyi olur. Şayet ona danışmadık diye bir şey söylerse o zaman ben ısrar ettim diyerek, sorumluluğu üstlenirim."

Bayramın birinci günü olmasına karşın Hülya, üniversitedeki onkoloji bölümü başkanı Profesör Ali'yi arayıp ona durumu anlattı. Profesör, hastalığın başlangıç safhasında yakalanması durumunda tedavi olasılığının büyük olduğunu söyledi ve bayram olmasına karşın hastayla birlikte ertesi gün hastanenin acil servisine gelmelerini istedi.

Profesörün sözlerinden sonra moralleri biraz düzeldi. Bora ile Sezen Kaanlara hem durumu görüşmek hem de ziyaret etmek için gittiler.

❖

Kapıyı açan Sibel'in ağlamaktan kıpkırmızı kesilen gözlerinin altındaki mor halkalar ve şişlik, çektiği ıstırabın ne denli dayanılmaz olduğunu açıkça belli ediyordu. Onun perişan halini gören Bora'nın içi kötü oldu. O güzel Sibel gitmiş, yerine bambaşka birisi gelmişti sanki. Ağlamaklı bir yüzle ona bakan Bora "Vah Sibel'im vah!.. Ne hale gelmişsin," diye içinden geçirdi. Bora'yı karşısında gören Sibel boynuna sarıldı ve hıçkırarak ağlamaya başladı. Gözyaşları yanaklarından aşağı peş peşe yuvarlanıyordu. Yüzünü iki yanağından tutarak kaldıran Bora, onu şefkatle öptü. Sonra ona sımsıkı sarıldı.

Sezen de onların duygusallığından çok etkilendi, gözleri yaşardı. O da onlara sarıldı. Bir süre öylece kaldılar. Sonra Sezen, Sibel'in perişan durumundan Kaan'a bir şey olduğunu sandı; zaten yay gibi gergin olan sinirleri bir anda boşandı. Korkuyla içi titredi, dizlerinin bağı çözüldü ve olduğu yere yığıldı kaldı.

Bora Sezen'i hemen kucağına alarak, salondaki divanın üzerine yatırdı. Yanaklarını okşarken,

"Sezen'ciğim kendini toparla..." diyerek onu ayıltmaya çalıştı.

Sibel de içeriye koşarak, kolonya şişesini alıp getirdi. Sezen'e koklattı ve kolonyayla şakaklarını ovmaya başladı. Bora'ya baktı.

"Nedir bu başımıza gelen?" diye mırıldandı. "Sana da hoşgeldin bile diyemedim. İzmir'e ne zaman geldin?"

"Bu sabah geldim. Kaan abinin durumunu eve gelince öğrendim. Bir anda yıkıldım."

Bu arada Sezen kendisini bir parça toparladı. Sibel'e bakarak, insanın yüreğini parçalayan acıklı bir sesle sordu:

"Sibel!.. Kaan'ıma bir şey mi oldu?"

"Hayır. Durumunda bir değişiklik yok. Çok kötü değil; ama iyi de değil. Gece geç saatlere dek oturup, konulan teşhisi tartıştık. Ben uyandığımda abim derin bir uykudaydı, dinlensin diye uyandırmadım, hâlâ uyuyor."

"Uyuduğundan eminsin değil mi?" diye, Sezen sordu.

"Evet... Sık sık kontrol ediyorum," diyen Sibel Bora'ya baktı. "Seni görünce mutlu olacak, son günlerde sıkça seni çok özlediğini söylüyor."

"Ben de onu çok özledim ama haberler beni oldukça sarstı."

O sırada salonun kapısından Kaan içeriye girdi. Sezen Kaan'ı görünce yerinden fırlayıp kalktı, ona sarıldı. Duyguları oldukça yoğunlaşmıştı. Mutluydu; çünkü Kaan sağlıklı bir kimse gibi yanındaydı, ona sarılıyordu ve onun sıcaklığını hissediyordu. Üzüntülüydü; çünkü bir gün önceki kan tahlillerinin ve ardından konulan teşhisin ne anlama geldiğini iyi biliyordu. Kaan Sezen'i görünce sevindi. Sezen kendisine sarılınca da onun da duyguları yoğunlaştı. O da Sezen'e sarıldı. O sırada sağ taraftaki seperatörün arkasında oturan Bora'yı gördü. Yüzü güldü, ona sevgi dolu bir ses tonuyla seslendi:

"Kimi görüyorum burada, sen nereden çıktın? Uyanmadan önce rüyamda seni görüyordum. Demek ki buradaymışsın."

Bora oturduğu yerden kalkıp Kaan'ın yanına geldi. Ona sıkıca sarılıp mırıldandı:

"Sizleri çok özledim, bayramda birlikte olalım diye düşündüm."

"İyi de Ebru ne diyecek. Sanırım seni İstanbul'a bekliyordur."

"Ebru'yla İzmir'e gelişimi konuştuk, anlayışla karşıladı. O da uzun süredir sizleri görmediğimi biliyor."

Kaan'ın aklına birden hastalığı geldi. "Sezen bir şeyler söyledi mi acaba," diye aklından geçirdi. Sonra, "Benim için geldi sanırım," diye düşündü.

"Her ne ise iyi ki geldin. Seni çok göreceğim gelmişti," diye mırıldandı.

Kaan üzerinde yatak kıyafeti olduğunu söyleyerek, diğer odaya geçip orada sohbet etmeyi teklif etti. Sibel'le Sezen ortalığı toparlayalım diyerek salonda kaldılar. Kaan'la Bora diğer odaya geçtiler. Bora Konya'yı ve uçuşlarını anlattı. Kaan da Çiğli'den söz etti. Üç - beş gündür rahatsız olduğu için göreve gidemediğini söyledi. Bunu söylerken Bora'nın yüzüne dikkatle baktı. Bora onun kendisine neden o şekilde baktığını anlamıştı. Kaan'ın, rahatsızlığıyla ilgili konuyu açıp açmamakta tereddüt ettiğini anladı ve ona sordu:

"Kaan abi eve geldiğimde Sezen bir rahatsızlıktan söz etti, işin aslı nedir?"

"Bora kardeşim, ben de tam bu konudan söz edecektim. Sezen ne söyledi sana?"

"Senin kan değerlerindeki bazı olumsuzluklardan söz etti."

"Dün konulan teşhisten de bahsetti mi?"

"Evet abi," bu iki kelimeyi büyük bir üzüntüyle söylemişti Bora.

"O zaman her şeyi biliyorsun?"

Bora'nın gözleri nemlendi. Bir anda gözlerinin önüne çocukluk çağlarındaki birliktelikleri geldi. Ona sıkıca sarıldı. Kaan da aynı şekilde ona. Hiç konuşmadan bir süre öylece kaldılar. Beden dilleriyle birbirlerine üzüntülerini aktardılar. Sessizliği Bora bozdu:

"Kaan abi, kan tahlillerini nerede yaptırdın?"

"Önce askeri hastanede yaptırdım. Orada kan değerlerinde bazı olumsuzluklar olduğunu söylediler. Bunun üzerine İzmir'in en iyi özel laboratuarında bir kez daha yaptırdım. O son kan tahlilini askeri hastaneye götürdüm. Onlar lösemi teşhisini koydular ve Gülhane Askeri Tıp Fakültesi'ne sevk ettiler."

"Kaan abi, bir teşhisle hemen karamsarlığa kapılmayalım. Zaman kaybetmeden diğer hastanelerle de temas edelim."

"Haklısın. Bayramdan sonra hemen Gülhane Askeri Tıp Fakültesi'ne gideceğim."

"Çok iyi; ancak önce Ege Üniversitesi'ne gitsek."

"Bayramdan sonra zaman yitirmeden hemen Ankara'ya gitmek istiyorum."

"Tamam abi Ankara'ya git," dedi Bora. "Ama biz sana danışmadan bir iş yaptık."

"Hayırdır ne yaptınız?"

"Annem, içimiz rahat etsin diye, üniversitedeki profesör arkadaşıyla görüştü. Yarın seni acilde muayene edecek."

"Keşke bana da sorsaydınız."

"Annemle Sezen de öyle söylediler; ama ben profesörün şehir dışına çıkma olasılığına karşı zaman kaybetmeden arayalım diye ısrar ettim."

"Her neyse madem ki Hülya Hanım randevu almış. Mesele yok gideriz."

Konuşmaları kapı arkasından dinleyen Sibel'le Sezen, Kaan'ın muayeneye gitmeyi kabul etmesine çok sevindiler.

Eve döndüklerinde akşam olmuştu. Hülya merakla onları bekliyordu. Ona her şeyi anlattılar. Hülya duyduklarına sevindi. Sezen'le Bora üst kata çıktılar. Bütün gün duygularını büyük bir güç sarf ederek bastıran Sezen, daha fazla dayanamadı ve sessizce ağlamaya başladı. Bora, Sezen'in büyük bir üzüntüyle ağlamasına dayanamadı. Yüreği parçalandı, ona sarılıp kulağına fısıldadı:

"Sezen'ciğim ne olur kendini fazla üzme, sana da bir şey olursa ne yaparız biz?"

"Bora söylemesi kolay. Şu yüreğimin içini bir görsen. Ne yangınlar var orada!"

"Biliyorum da üzülmek problemleri ortadan kaldırmıyor ki. Üstelik başka sıkıntıları da beraberinde getiriyor."

"Haklısın. Güçlü olmak gerekli."

"Tabi ya..."

"İyi ki İzmir'desin Bora! Seninle birlikteyken kendimi daha güçlü hissediyorum."

"Ben de öyle... En sıkıntılı günlerimde bana güç veren hep sendin."

"Canım kardeşim benim. Seni çok seviyorum!"

"Ben de seni!.."

Bir paça da olsa sıkıntılı hava dağılınca, konuşma kendiliğinden diğer konulara doğru kaydı. Bora Konya'dan, Ebru'dan; Hakan'ın Funda ile hemen evlenebilmesi için Ebru'nun herkesi nasıl ikna ettiğinden söz etti. Sonra gülümseyerek Sezen'e sordu:

"Baban nasıl, ilişkileriniz nasıl gidiyor? Çok merak ediyorum Murat Bey'i."

"Babam çok iyi, ara sıra yemeğe çıkıyoruz. Haftada bir iki kez de eve geliyor, gece yarılarına kadar oturuyoruz."

"İlişkinizin bu denli sıkı fıkı oluşunu annem nasıl karşılıyor?"

"Gayet ılımlı. Hep beraber yemeğe bile çıkıyoruz. Ayrıca akşam ziyaretlerinden en fazla keyif alanın annem olduğunu söylersem yalan olmaz. Bazen ben ders çalışıyorum, onlar yalnız oturuyorlar. Annemin şikayet ettiğini hiç görmedim."

"Gece yatıya falan kalıyor mu?"

"Hayır. Şu ana kadar, babam böyle bir şeyi ima etmedi; annem de üstü kapalı bile olsa kalıp kalmaması için hiçbir şey söylemedi. Anladığım kadarıyla, ikisi de ilişkimizin bir nedenle bozulmasını istemiyorlar."

"Çok güzel... Fazlasıyla sevindim. Yeniden evlenseler nasıl olur acaba?"

"Aslında müthiş olur, babam çoktan istiyor ama annemin göstereceği tepkinin olumsuz olabileceğinden korktuğu için bu konuyu açmaya çekiniyor."

"Baban bu hususta ufacık da olsa bir teşebbüste bulunmadı mı?"

"Yanıldı da bir kez annemin ağzını aramaya kalktı. Aldığı yanıt çok netti. Dimyat'a pirince giderken evdeki bulgurdan olma sakın. O günden beri de bu konuda ağzını açıp bir kelime bile söylemedi."

"İnşallah annemin düşünceleri değişir de yine birlikte olurlar."

"Niye olurlar diyorsun da olursunuz demiyorsun?"

"Çünkü tekrar bir araya gelmezlerse; sen Kaan abiyle evlenince annem yalnız kalacak."

"Haklısın. Ama o zamana dek ben de onlarla birlikte olurum."

"Sen de haklısın..."

Kan tahlilleri ile teşhis raporlarını inceleyen Profesör Ali'nin, hastalığın başlangıç safhasında teşhis edilmesinin büyük bir şans olduğunu; iyi bir bakımla kısa sürede tedavi edilebileceğini söylemesi, hepsini çok sevindirdi. Gerekli ilaçları ve uygulanacak tedavi şeklini de en ince ayrıntısına dek anlatan Profesör, gülümseyerek Kaan'a baktı.

"Delikanlı seninle meslektaşız. Sen de bu hastalığın ne olduğunu iyi bilirsin. Ama şunu bil ki, tüm hastalıkların en etkili ilacı istirahat ve yüksek moraldir," dedi.

"Evet profesör. Ben henüz ihtisasımı yapmadım; ama bildiklerim ve yaptığım araştırmalarla, ben de sizin söylediğiniz sonuca ulaştım."

"Erken teşhis çok iyi oldu. Sıkı bir tedaviyle biz Kaan'ı kısa sürede iyi ederiz," diye konuşmaya Hülya da katıldı.

Sibel ağlamaktan ve üzüntüden rengi kaçmış yüzüyle ağabeyinin yanına gelip ona sarıldı, sağ eliyle sırtını sıvazladı ve gülümseyerek yanaklarından öptü.

"Haklısınız Hülya Teyze. Ben de abimin kısa sürede iyileşeceğine inanıyorum," dedi.

"İçinizde tıp öğrenimi yapmayan tek kişi benim; ama Kaan abinin ne denli güçlü olduğunu da en iyi ben biliyorum. Onun en kısa sürede iyileşip, kendisini bekleyen pilot adaylarına geri döneceğine yürekten inanıyorum," diyen Bora, Profesöre baktı. "Biliyor musunuz Profesör, aynı zamanda onun altın gibi de bir kalbi vardır. Her zaman herkesin yardımına koşar."

"Zaten herkes için üzülen kimseler daha fazla rahatsızlanıyorlar," diyen Sezen, elindeki mendille gözyaşlarını silerken, Kaan'a doğru sevgiyle baktı. "Kaan'ım, o temiz yüreğinle daha pek çok insana yardım edeceksin buna yürekten inanıyorum."

"Bak delikanlı bu kan tahlillerine ve fiziksel durumuna göre benim teşhisim bu; ancak sen yine de bayramdan sonra Gülhane Askeri Tıp Fakültesi'ne git orada da muayene ol," dedi Profesör Ali.

Bu teşhisten sonra bayramın diğer günleri daha güzel geçti. Bora bayramın son günü otobüsle Konya'ya hareket etti. Kaan ise bayram sonrası uçakla Ankara'ya, Gülhane Askeri Tıp Akademisi'ne gitti.

Konya'ya gelir gelmez İzmir'e eve telefon eden Bora, daha sonra Ebru'yu aradı. Ebru telefonda Bora'nın sesini duyunca bir anda sevinçten havalara uçtu.

"Bora'cığım şu anda seni düşünüyordum. Hatta telefon şimdi çalacak diye içimden geçirdiğim anda çaldı. Sesini duyduğumda ne kadar mutlu oldum bilsen... Nasılsın, iyi misin?"

"İyiyim hayatım. Şu an daha da iyi oldum. Biliyorsun senin sesini duymak beni de her zaman mutlu ediyor. Sen nasılsın?"

"Çok iyiyim. Hep seni düşünüyorum. Yolculuğun nasıl geçti, nereden telefon ediyorsun, Konya'ya vardın mı?"

"Evet, Konya'ya geldim; ama zor bir yolculuktu.

"Nasıl zor, yoksa kötü bir şey mi oldu?"

"Hayır hayır, kötü bir şey olmadı."

"Bora, ne olduysa anlatsana! Çatlatma beni."

"Bu sabah otobüs İzmir'den hareket ettiğinde hava pırıl pırıldı. Kula'ya yaklaşırken gökyüzünü yavaş yavaş bulutlar kapladı ve güneş kayboldu. Daha sonra havada kar tanelerinin uçuştuğunu gördük. Uşak'a doğru kar taneleri irileşip sıklaştı. Daha sonra da kar azdıkça azdı, göz gözü görmez oldu. Otobüsteki herkes sanki diken üstündeydi. Ama şoför yamanmış doğrusu. Biraz yavaş geldi; ama bizi sağ salim Konya'ya getirdi. Yol boyunca; belki on kadar irili ufaklı arabanın kayıp şarampole devrilmiş olduğunu gördüm."

"Sıkıntılı bir yolculuk yapmışsın. Hava burada da çok kötü. Sanırım kar otuz santimi buldu. İstanbul'un trafiği felç oldu."

"Tatlım, keşke şu anda birlikte olsaydık."

"Nerede, Konya'da mı?"

"Nerede olursa olsun, Konya, İstanbul, İzmir. Yeter ki sen ol yanımda."

"Bu kez ayrılığımız, bir yıl gibi geldi bana."

"Haklısın, bayram iznimi de İzmir'de geçirmek zorunda kaldım. Bu kez de gitmesem annem çok üzülecekti."

"Biliyorum, İzmir'e gitmekle iyi ettin. Hülya Teyze'nin sana ne denli düşkün olduğunu biliyorum. Onun üzülmesini ben de istemem. Onu o kadar fazla seviyorum ki... Ama seni de çok özlüyorum, birlikteliğimizin arası biraz uzayınca, dayanamıyorum!"

"Ben de! Ne yazık ki her istediğimde Konya'dan ayrılamıyorum."

"Bak ne diyeceğim: ben Konya'ya geleyim, ne dersin?"

"Bu kış kıyamette nasıl geleceksin?"

"Abimler Konya'ya dönerken onlarla birlikte gelirim. Abim bayramdan sonra on gün daha izinli."

"Biliyorum. Hakan babasının ona bir araba alacağından söz etmişti. Ne oldu, aldı mı?"

"Evet aldı. Abim arabanın alınışına çok sevindi. Sürekli onun içinde. Konya'ya da arabayla gelecekler."

"Hakan'la Funda ne diyecek senin gelişine."

"Onlar beni kırmazlar. Sen gel dersen, gerisini ben ayarlarım."

"Ne diyebilirim ki, körün istediği bir göz, iki olursa ne söz."

"Tamam o zaman, hafta sonu oradayım."

"Hafta sonunu iple çekeceğim."

"Aaah!.. Keşke şimdi Konya'da olsaydım."

"Ebru'cuğum o tatlı sesini dinlemeye doyamıyorum. Seni dinlerken, duygularım alabildiğine yoğunlaşıyor, her şeyin güzelliği bir kat daha artıyor."

"Canım benim!.. Benim de öyle."

Sonra Bora, Kaan'ın rahatsızlığını ve İzmir'de bayramda yaşadıklarını anlattı. Duyduklarına çok üzülen Ebru,

"Anladığım kadarıyla, İzmir'de sıkıntılı günler geçirmişsin."

"Sorma Ebru!.. Kaan abinin yaşamımda ne denli önemli olduğunu bilirsin."

"Bilmez miyim!.. Seni ne kadar çok sevdiğini İzmir'de anlamıştım."

Uzunca bir süre İzmir'den, İstanbul'dan ve bayramda yaşadıklarından söz ettiler.

Bora telefonu kapattıktan sonra misafirhanedeki odasına çıktı. Önce duş yaptı. Duştan sonra mini müzik setine, Carl Orff'un Carmina Burana'sını koyup, sesi sadece kendinin duyabileceği kadar açarak, yatağına uzandı. 'Ne müthiş bir gündü. Banaz'daki şarampole yuvarlanan otobüsü, hayatım boyunca unutamam herhalde. O insanların yürekler acısı durumu gözlerimin önünden hiç gitmiyor,' diye aklından geçirdi. Sonra Kaan'ı düşündü. Daha sonra da gözlerini kapatıp, Ebru'yu düşlemeye başladı. Ne kadar da çok özlemişti onu. Şu anda yanında olsaydı ne denli mutlu olurdu. Onun tatlı yüzü gözlerinin önüne geldi. 'Güzeller güzeli Ebrum, şu an sen de beni düşünüyor musun acaba?' dedi içinden.

HASTA ZİYARETİ

Bora hafta sonu izin alarak, Kaan'ı ziyaret etmek için Ankara'ya gitti. Ziyaret sırasında Kaan'a vermek üzere bir şeyler almak için Kızılay'da vitrinlere bakarken bir bayan hafifçe omzuna dokunarak,

"Aman ne güzel bir tesadüf. Kimi görüyorum burada," dedi.

Bora başını geriye çevirince, arkasında Ceyda'yı gördü.

"Aaa... Ceyda Hanım siz ne arıyorsunuz burada?"

Ceyda Bora'yı vitrine bakarken görünce gözlerine inanamamış, 'Ne şans Bora'yı gökte ararken yerde buldum,' diye aklından geçirmişti. 'Hayalimde kalan görüntüsünden daha yakışıklıymış meğer,' diye içinden geçirirken, 'Onu burada, avucumun ortasında bulduktan sonra ne yapıp edip kendime bağlamalıyım,' diye düşündü.

"Evet benim," dedi Ceyda. "Ben Ankara'da oturuyorum biliyorsun. Sen ne arıyorsun burada? Gel bir kafede oturalım."

"İsterdim ama sanırım imkansız. Gülhane Askeri Tıp Fakültesi'ne gidiyorum. Zamanım da çok kısıtlı."

"İyi işte, ben seni arabamla götürürüm. Ankara'nın Şubat soğuğu insanın iliklerine işler."

Ceyda'yla karşılaşmasına canı sıkılmıştı Bora'nın. Onun davranışlarından ve sözlerinden niyetinin ne olduğunu anlamıştı. 'Nereden çıktı bu yapışkan mahluk,' diye aklından geçirdi. 'Nasıl yapsam da elinden kurtulsam?' diye düşündü.

Kaan'ı ziyarete birlikte gitmeleri için Ceyda o kadar çok ısrar etti ki, Bora tüm direnmesine karşın, sonunda kabul etmek zorunda kaldı.

Kaan Bora'yı görünce gözlerinin içi güldü. Bir süre elini sıkı sıkı tuttu. Sonra gözleriyle Ceyda'yı işaret ederek sordu:

"Bora'cığım kim bu güzel bayan?"

"Kusura bakma abi, tanıştırmayı unuttum."

"Efendim geçmiş olsun," diyerek, Ceyda söze karıştı. "Ben Ceyda. Bora'yla Konya'dan tanışıyoruz. Bora sizi ziyaret edeceğini söyleyince ben de gelip size geçmiş olsun demek istedim."

Kaan Bora'ya anlamlı bir yüz ifadesiyle bakıp, sonra Ceyda'ya doğru dönerek,

"Bora telefonda geleceğini söylerken, sizden söz etmemişti," dedi. "Ama geldiğiniz iyi olmuş tanışmış olduk."

Ceyda'nın söylediklerinden son derece rahatsız olan Bora, nezaket kurallarını bir tarafa bırakıp, kızgın bir yüz ifadesiyle ona bakarak konuştu:

"Ceyda Hanım, bizi biraz yalnız bırakır mısınız?"

"Aaa tabi... Ben seni dışarıda beklerim."

"Benim ne kadar kalacağım belli olmaz. En iyisi siz gidin."

Bora'nın küçük düşürücü davranışına canı çok sıkılan Ceyda, durumunu belli etmemeye çalışarak, gülümseyen bir yüzle Bora'ya baktı.

"Bora'cığım seni getirdiğim gibi götürmem lazım. Sonra Candan çok kızar bana, seni aşağıda bekliyorum canım," diyerek, Bora'nın bir şey söylemesine fırsat vermeden, Kaan'a acil şifalar dileyip, odadan çıktı gitti.

Ceyda gidince Kaan, sağ elinin işaret parmağını Bora'nın yüzüne doğru ileri - geri sallayarak,

"Bora neler oluyor, nereden tanışıyorsun bu bayanla, niçin onu da buraya getirdin?" gibi peş peşe sorular sordu.

Bora, Ceyda ile Konya'da nasıl tanıştıklarını, hastaneye gelirken Kızılay'da tesadüfen karşılaşmalarını ve Ceyda'nın sakız gibi üzerine yapışmasını ve bu durumdan duyduğu rahatsızlığı olduğu gibi Kaan'a anlattı.

"Güzel bir bayan. Bu güzelliğinin de farkında; aynı zamanda iş hayatında da başarılı. Bu iki özelliği ona her şeyi tutup koparabileceğini zannettiriyor. Üstelik beni de toy bir delikanlı sanıyor," dedi Bora. "Ama yanıldığı bir nokta var; ben onun gibi kadınları çok iyi tanıyorum. Onlarla her türlü birlikteliği yaşadım. Dahası Ebru'mu çok hem de pek çok seviyorum."

"Bora!.. Bayanın davranışlarına bakılırsa; seni elde edebilmek için her şeyi göze almış gibi. İstemediğin halde seninle birlikte benim odama kadar gelebilmesi bunun açıkça gösteriyor."

"Öyle de... Yine de her şey benim kontrolümde oldu ve bundan sonra da öyle olacak."

"Umarım öyle olur; ama seni bir şekilde tuzağa düşürebilir. Tedbirli olsan iyi olur. Eğer Ebru, yeni bir düş kırıklığına uğrarsa sanırım kendisine kıyar..."

"Cengiz abi böyle bir şeye asla izin vermem."

"Yine de çok dikkatli ol. Bu tür insanların nerede, ne zaman, nereden ve nasıl vuracağı belli olmaz. Bayanları tanıyabilirsin; ama bu tür insanları pek tanıdığını sanmıyorum."

"Haklısın abi. Ahmet'in yaptığı gibi değil mi?"

"Evet... Bu tür insanlar, kendi çıkarları için diğerlerinin canının yanmasına; hatta onların kahrolmasına aldırmazlar."

"Doğru söylüyorsun abi. Gerekli önlemleri almam lazım."

Bora Kaan'ın yanında ziyaretçiler için belirlenmiş olan sürenin sonuna dek kaldı. Uzun uzun konuştular. Kaan hastalığının başlangıç safhasında teşhis edilip hemen tedaviye başlandığı için kısa sürede eski sağlığına kavuşabileceğini anlattı. Bunun için de anne ve babasına bile durumu bildirmediklerini de sözlerine ekledi.

TUZAK

Bora hastaneden çıktığında, Ceyda'nın kapının önünde beklediğini gördü. Geri dönmeyi aklından geçirdi; ancak Ceyda da onu görmüş ve ona doğru yürümeye başlamıştı bile. Ceyda'nın gülümseyerek yaklaşmasının aksine Bora, suratı asık, biraz da kızgın bir ifadeyle ona doğru yürümeye başladı. 'Kadındaki umursamazlığa bak. Kesin olarak gitmesini söylediğim halde burada beklemiş,' diye içinden geçirirken, karşısındakini küçük gören bir ifadeyle onun gözlerinin içine baktı. Ağzından dökülen kelimeler kamçı gibi Ceyda'nın suratına çarptı:

"Ceyda Hanım, beni beklememenizi söylerken, size anlatmak istediğim şeyi galiba tam anlatamamışım!"

Bora'nın yüzündeki hoş olmayan ifadeye karşın, Ceyda, yüzünde tatlı bir gülümsemeyle onu etkilemeye çalışarak,

"Aşkolsun Bora! Sen beni ne sanıyorsun?" dedi. "İçerisinde yurt dışından özel olarak getirttiğim yüz bakım kremleri olan bir kutuyu ablama göndermek istiyorum. Bu kutuyu Konya'ya götürüp götüremeyeceğini sormak için bekledim. Yanlış anlaşılacağını bilseydim beklemezdim."

Bu sözleri duyan Bora, 'Hay Allah, ben de ne düşünmüştüm,' diye içinden geçirirken, yüzü kızardı ve Ceyda'ya gülümseyerek, özür diler gibi baktı.

Bora'nın bakışlarından kızgınlığının geçtiğini ve kendisine karşı içinde olumlu düşüncelerin oluşmaya başladığını anlayan Ceyda, kendinden emin bir tavırla arabasını göstererek,

"Ablama göndereceğim paketi götürürüm dersen, birlikte işyerime kadar gidelim. Paket orada," dedi.

Ceyda'nın ofisi, Çankaya'da görkemli bir binanın üst iki katındaydı ve başkenti kuş bakışı görüyordu. Ofise geldiklerinde, Bora gözlerine inanamadı. İç dekorasyon sıcacıktı. İnsana huzur verecek tarzda yapılmıştı. Çalışanlardan azami verimin nasıl elde edileceğini bilen bir görüşün izleri vardı. Ceyda'nın odasıysa, ofisin özenle hazırlanmış en güzel bölümüydü. Bu güzelliği gören Bora, beğenisini istem dışı mırıldanarak ortaya koydu:

"Şahane! Rüya gibi!.."

Bora'nın yüz hatları dahil her tavrını dikkatle izleyen Ceyda, bu mırıldanmayı duydu ve 'Ne kadar olumlu bir karar verip Bora'yı buraya getirmişim. Bu geliş, beni hedefime yaklaştıracak önemli bir adım oldu,' diye aklından geçirdi. Sonra bu mırıldanmayı duymamış gibi davranarak,

"Nasıl buldun ofisimi?" diye sordu.

"Çok güzel. Belli ki, rahmetli eşiniz bu işleri çok iyi biliyormuş."

Bu söz karşısında, şuh bir kahkaha atan Ceyda, anlamlı bir bakışla Bora'yı süzdü; sağ kolunu omuz seviyesine kaldırıp odadaki her objeyi teker teker göstererek,

"Eşim vefat ettikten sonra ofiste gördüğün her şeyi kendi zevkime göre değiştirdim ve dekorasyonu da kendi görüşüme göre yeniden yaptım," dedi.

Tüm yeteneğini kullanarak Bora'yı etkilemeye çalışıyordu. Şimdiye dek hiç kimseye karşı böyle davranışlar sergilememişti. Aslında kendi davranışlarından kendisi de hoşnut değildi; ama düşüncelerine ve davranışlarına söz geçiremiyordu. 'Ne var bu çocukta da ona karşı hiçbir erkeğe olmadığı kadar zayıfım,' diye içinden geçirdi. Onu bir kez daha ihtirasla yukarıdan aşağı süzdü. 'Mutlaka benim olmalı, bunun için her şeyi yapacağım,' diye düşündü.

Ceyda'nın bakışlarından, kendisine karşı arzu içerisinde olduğunu anlayan Bora, 'Sanırım biraz sonra düşüncelerini uygulamaya çalışacak,' diye aklından geçirdi.

Bu sırada Ceyda, 'Zamanı geldi,' diye düşünüp, son kozunu oynamaya karar verdi. Bora'nın elini tutup onu dinlenme odasına götürmek istedi. Ama Bora, onun elini tutacağını anlayıp, iki elini de havaya doğru kaldırarak,

"Ceyda Hanım, sizi kutluyorum. Çok hoş bir ofis hazırlamışsınız. Uygun görürseniz ben gideyim artık," diyerek, içinde bulundukları atmosferden sıkıldığını anlatmak istedi.

Ceyda ise hemen pes etmek niyetinde değildi. Sesine etkileyici bir hava vererek,

"Sana göstermediğim bir oda daha var. Orayı da görmeni istiyorum. Zaten ablama göndereceğim paket de orada," diyerek, bu kez elini tutma girişiminde bulunmadan dinlenme odasına doğru yürüdü. Odanın kapısından girerken durdu dönüp arkasına baktı. Bora'nın olduğu yerde durduğunu görünce,

"Aşkolsun Bora!.. Neden gelmiyorsun?" diye sordu.

"Şey... daha fazla zaman yitirmesem iyi olacak. Birkaç yere daha uğramam lazım. Otobüsün kalkış saati de yaklaştı."

"Kaygılanma... Ben seni her yere yetiştiririm. Gerekirse Konya'ya bile götürürüm."

Bu sözler üzerine Bora, çok kötü bir söz söyleyecekti ki, Cengiz'le Candan geldi aklına. 'Kötü sözler söylersem, onlara anlatabilir. Onların üzülmesini istemem. Ne de olsa Candan'ın kardeşi,' diye düşündü. Sonra Ceyda'nın bulunduğu yere doğru yürüdü. O yürürken Ceyda da odaya girdi. Bora da onu takip etti. Burası bir tarafında büyük bir yatak öbür tarafında da oturma gurubu bulunan, zevkle döşenmiş bir odaydı.

Odadaki yatağı gören Bora'nın yüz hatları gerildi. Öfkeyle Ceyda'ya baktı. 'Niyeti belli ama yanlış kapı çalıyor,' diye içinden geçirdi. Sesini biraz yükselterek, kızgın bir ses tonuyla konuştu:

"Ceyda Hanım niyetinizin ne olduğu belli. Ancak benim sözlü birisi olduğumu ve sözlümü çok sevdiğimi de biliyorsunuz sanırım, lütfen ne verecekseniz verin de gideyim."

Bora'dan istediğini o anda alamayacağını anlayan Ceyda, 'Nasıl olsa seni yola getireceğim ama bugün ama yarın,' diye düşündü.

"Pekâlâ Bora... Beni yanlış anlıyorsun... İşte paket burada," diyerek, yatağın baş ucundaki komodinin üzerinde duran bir paketi alarak Bora'ya verdi.

Paketi alan Bora, bir kelime bile söylemeden hızla yürüyerek ofisten ayrıldı. Bora'nın arkasından baka kalan Ceyda, reddedilmenin buruk luğunu yüreğinde yoğun şekilde hissetti. 'Aptal!.. Neler kaybettiğinin farkında değilsin,' diye içinden geçirdi. 'Yemin ederim ki, bunun intikamını acı şekilde alacağım senden. Eninde sonunda benim olacaksın. Ama bu yalnız öç için olacak. Sonra seni silkeleyip atacağım,' diye mırıldandı.

Bora, Konya'ya gelince, üsse gitmeden önce paketi Candan'a vermek için onların evine gitti. Eve yaklaşırken hâlâ Ankara'da yaşadıklarının etkisindeydi. "Ne kadar yapışkan bir bayan. Sözlüyüm diyorum, hiç oralı olduğu yok. Bu pakette de yüz bakım kremleri olduğunu sanmıyorum. Beni ofisindeki yatak odasına götürebilmek için uydurduğu bir yalan olduğuna adım gibi eminim," diye kendi kendisine mırıldandı. 'Candan ablaya Ceyda'nın yaptıklarını anlatmam ileride karşılaşabileceğim olumsuz durumlar için sanırım iyi olur. Hem bu kutuda ne var onu da öğrenirim,' diye düşündü.

Candan kapıyı açıp karşısında Bora'yı görünce önce şaşırdı sonra yüzünde sevinçli bir görüntü oluştu. Mutluluğu ağzından dökülüveren kelimelerden de açıkça belli oluyordu:

"Aaa!.. Ne güzel bir sürpriz. Hoş geldin Bora."

"Hoş bulduk Candan Abla."

"İçeriye gelsene."

"Cengiz abi yok mu?"

"Üzgünüm ama yok. Pazar olmasına rağmen fabrikaya gitti. Yarın yurt dışından bir heyet gelecekmiş ona hazırlık yapıyorlar."

Bora Cengiz'in evde olmamasına sevindi. Çünkü anlatacaklarını duyarsa Cengiz'in çok üzüleceğini biliyordu. Onun olmaması Candan'la her şeyi ayrıntılı olarak rahatça konuşabilmesine olanak sağlayacaktı.

"Cengiz abinin evde olmaması çok iyi oldu. Seninle Ceyda Hanım hakkında konuşmak istiyorum. Konuşacaklarımı Cengiz abi duyarsa çok üzülür."

"Hayırdır Bora?"

"Candan abla, sizin evde Ceyda Hanım'la tanıştığımız günü hatırlarsan; o gün Ceyda Hanım, bana karşı sözlü olmamı hiçe sayarak beni rahatsız eden bir davranış içerisine girmişti. Ben o davranışları, alkolün etkisiyle olduğunu düşünüp üzerinde fazla durmamıştım," diyerek, söze başlayan Bora, Ankara'da olanları en küçük ayrıntısına dek anlattı. "Üzülerek söylüyorum ki, o davranışlar tamamen beni etkilemeye yönelikmiş. Bugünkü davranışlarından sonra da yanlış bir şey olmaması için ofisinden kaçarak kendimi kurtarabildim."

Bora'nın anlattıklarını zaman zaman kesip, "Allah Allah bu kız çıldırmış galiba," diyerek dinleyen Candan'ın bir süre sonra yüzü kıpkırmızı oldu, sonra da isyan edercesine bağırdı:

"Ahlaksız utanmaz! Bilmem ki ne desem... Ankara'da başka erkek bulamadı da sözlüsünü çok seven ve ona her şeyiyle bağlı olan, senin gibi bir kişiye kancayı taktı. Üstelik de senin, bizim çok sevdiğimiz bir aile dostumuz olduğunu bile bile."

"Candan abla, bu paketin içinde yüz bakım kremi olduğunu söyledi fakat inanmak oldukça zor."

"Ceyda bana yurt dışından bu tür kremler getirtir. Daha geçen hafta kargoyla bir kutu göndermişti," diyen Candan paketi açmaya başladı. "Bakalım içinde ne var şimdi göreceğiz."

Paket açılınca, içerisinde, çocukların oynaması için yapılmış, dört-beş tane plastik hamur olduğunu gördüler.

"Tahminimde yanılmamışım," diye, Bora mırıldandı.

"Her şey apaçık ortada," diye bağırdı Candan. "Bora'cığım ben onun adına senden özür diliyorum."

"Candan abla, senin üzülmeni istemiyorum. Seni sıkıntıya sokmak için de gelmedim size. Senden yardım istemek için geldim."

"Bu yaptıklarını pahalıya ödeteceğim ona. Şimdi sen buradayken telefon edip benzeteceğim o Ceyda'yı."

"Lütfen şimdi onunla telefon görüşmesi yapma. Bir - iki gün sonra ara onu," dedi Bora. "Ben onun cezalandırılmasını istemiyorum. Sadece elini yakamdan çeksin ve benden uzak dursun."

"Haklısın. Bu öfkeyle kavgadan başka bir şey yapılmaz. Kavga da onu daha çok azdırır."

"Candan abla hatırlarsan, Ebru ile birbirimizi çok sevmemize rağmen geçmişte yaşadığımız bazı olumsuzluklardan söz etmiştim size. O zaman Ebru çok üzülmüştü; neyse ki onlar geride kaldı artık. Ama Ebru'mun Ceyda yüzünden, gerçek olmayan bir olaydan dolayı, bir kez daha üzülmesini istemem."

"Tamam Bora endişelenme, yarın Ceyda'yla uzun uzun konuşurum."

"Ablacığım bu anlattıklarımı mecbur kalmadan Cengiz abiye söyleme. Duyduğu anda kahrolacağından eminim."

"Kaygılanma ona söz etmem."

"İzin verirsen ben gideyim artık. Yarım saat içinde görev yerinde olmam gerekli."

"Tamam Bora."

Bora ayrıldıktan on dakika sonra eve Cengiz geldi. Evlerine yaklaşırken kapıcıyla karşılaşmıştı. Selamlaşırlarken kapıcı, Bora'nın eve gelip gittiğinden ve çok sıkıntılı bir hali olduğundan söz etmişti.

Cengiz kapıyı çalmayarak, anahtarıyla açıp içeri girdi. Salondan Candan'ın sesi geliyordu. Kulak kabarttı. Candan yüksek sesle bir şeyler söylüyordu:

"Utanmaz!.. Yaptığı şeyler yüz kızartıcı... Cengiz'le çok yakın olmalarına karşın, böyle bir davranışta bulunması affedilmeyecek bir şey."

Bu kelimeleri duyan Cengiz beyninden vurulmuşa döndü. "Yanılmıyorsam, Bora ile aralarında çirkin olaylar olmuş," diye aklından geçirdi. Sonra, "Bora ile aralarında neler olabilir ki, bu denli kızmış olsun. Yoksa!.." diye düşündü. "Allah'ım inşallah aklıma gelen şeyler olmamıştır. Bora Candan'a karşı öyle bir davranışta bulunmaz."

Kafası karmakarışık salona girdi. Candan'ın suratı kıpkırmızıydı. "Açıkça belli, Bora Candan'a hoş olmayan bir davranışta bulunmuş," diye içinden geçirdi. "Acaba Bora evde olmadığımı nereden öğrendi de Candan'ı görmeye geldi? Yoksa aralarında bir ilişki mi var?"

Candan Cengiz'i salonun kapısında görünce, bir çığlık attı:

"Ayyy... Nereden çıktın sen. Fabrikada değil miydin?"

Yüzünden allak bullak olduğu açıkça anlaşılan Cengiz, garip bir ses tonuyla söylendi:

"Ne oldu güzelim!.. Burada olmam canını mı sıktı?"

Cengiz'e doğru yürüyen Ceyda, 'Sanırım yüksek sesle konuştuklarımı duydu. İnşallah Bora'nın eve geldiğini anlamamıştır,' diye düşündü. Yanına gelince ona sarıldı. Fakat Cengiz bu yakınlaşmaya cevap vermedi. Üstelik Candan'ın kollarını tutup yana doğru açtı ve onu kendisinden uzaklaştırdı. Cengiz'in haşin bir şekilde kollarını tutması canını acıtmıştı Candan'ın. Onun bu davranışına bir anlam veremeyen Candan, aynı zamanda bu harekete çok da içerlemişti. Acıyla bağırdı:

"Cengiz!.. Ne oluyor, nedir bu yaptığın?" Sonra, Ceyda'nın Bora'ya yaptıklarından dolayı iyice gerilmiş olan sinirleri birden boşaldı ve hırsını alamayarak, " Neden! Neden?!.." diye ağlamaya başladı.

"Asıl sen yanıt ver. Ben gelmeden önce neler oldu bu evde?"

"Hiçbir şey olmadı."

"Candan!.. Doğruyu söyle bana. Kim vardı evde?"

Cengiz'in, Bora'nın evde olduğunu bir şekilde öğrendiğini anlayan Candan, 'Artık olanları saklamanın anlamı yok, eğer saklarsam aklına başka şeyler gelecek,' diye düşündü. 'Hatta gelmiş bile.'

"Pekâlâ... Anlatacağım... Ama önce bana, birlikte karar vermeden hiçbir şey yapmayacağına söz ver," dedi.

"Candan!.. Deli etme beni. Söz möz vermiyorum. Hemen şimdi olanları anlatmazsan, çok kötü şeyler olabilir."

Cengiz'i hiç böyle görmemiş olan Candan ürperdi, hatta korktu. "Sanırım Bora'yı koruyayım derken tamiri imkânsız durumlara yol açacağım. Zaten Bora da 'Cengiz abiye mecbur olmadıkça söyleme' demişti," diye düşünüp olanları anlatmaya karar verdi. Sonra gözlerinden alev saçarak bakan Cengiz'in yüzüne dik dik bakarak,

"Bunu sen istedin günah benden gitti," deyip, Bora'nın anlattıklarını olduğu gibi ona aktardı.

Bora'yla eşinin arasında, sandığı gibi bir ilişkinin olmadığını anlayan Cengiz, duyduklarına çok sevindi. 'Ben de ne senaryolar kurdum kafamda. Az kaldı Candan'ı beni bir daha affetmeyeceği şekilde kıracaktım,' diye düşündü. Yüzünde tatlı bir gülümseme belirdi, eşine sarıldı, şefkatle öptü onu. Cengiz'in bu davranışıyla rahatlayan Candan, 'Sanırım Ceyda'ya kızmadı,' diye aklından geçirdi.

Cengiz'in gülümsemesi fazla sürmedi. Kısa süre sonra yüz hatları tekrar gerildi. Odanın öbür tarafına doğru yürümeye başladı, duvara gelince hızla geriye döndü ve bağırmaya başladı:

"Bu kepaze Ceyda ne yapmak istiyor?" Sonra Candan'a döndü. Çok sinirli olmasına karşın bu kez ses tonunu bir parça azalttı. "O gece; bizim evde Bora'ya karşı yaptıklarından sonra yanılmıyorsam sen, onunla yeterince konuştun değil mi?"

"Cengiz'ciğim ne söyleyeceğimi bilemiyorum. Bora'nın sözlü ve bizim de çok yakın dostumuz olduğunu birkaç kez anlattım. Arkasından da eğer yakasını bırakmazsan Cengiz abin çok kızar diye de söyledim."

Cengiz'in sinirleri bu sözler üzerine daha da gerildi. "Ah!.. Ne kadar aptallık etmişim; aslında Ceyda ile bizim evde karşılaştıkları gün, Bora misafirimiz var diye bize gelmek istememişti de ben ısrar etmiştim. Keşke gelmeseymiş... Nereden bilebilirdim ki işin bu boyutlara geleceğini. Olayların bu tatsız noktaya gelmesine ben neden oldum. Bu hoş olmayan durumu çözmekte de bana düşer," diye mırıldandı.

Cengiz'in suskunluktan sonra mırıldandığı cümleden Candan, onun bir şeyler yapmaya karar verdiğini anladı ve ona, Bora'nın kendisinden nasıl davranmasını istediğini bir kez daha hatırlattı. Bu hatırlatma üzerine Cengiz,

"Anladım Candan!.. Ancak Ceyda'nın yaptıkları, sınırı çoktan aştı. Onun daha başka kötülükler yapıp, daha başkalarının da canını yakmaması için sıcağı sıcağına kulağını çekmem gerekli," dedi.

"Üzeceği kadar kişiyi üzdü. Daha kimin canını yakacak ki?"

"Candan düşünsene Ceyda daha ileri giderse; Bora'nın sözlüsü, onun ailesi, Bora'nın ailesi, ne bileyim Bora'yı seven daha pek çok kişi..."

"Sanırım bir bakıma haklısın."

Cengiz zaman kaybetmeden, telefonla Ceyda'yı aradı. Ona her şeyden haberi olduğunu, yaptıklarını bir bir anlatarak hissettirmeye çalıştı. Sonra bunların hoş şeyler olmadığını, üstelik kendisini de küçük düşürdüğünü belirtti. Daha sonra da gönderdiği paketten çıkan plastik hamurları Bora'nın da gördüğünü söyledi. Sözünü, ses tonunu biraz yükseltip tehditkâr ifadeler kullanarak, şöyle sonlandırdı:

"Bak Ceyda!.. Eğer bu söylediklerimi dinlemeyip, Bora ile uğraşmayı sürdürürsen dünyayı sana dar ederim," konuşmasına biraz ara verip derin bir nefes aldı. "Eğer bu saçmalığı sürdürmeye kalkarsan, ablanı ve beni yok bil ve bir daha da bu eve adımını atma."

Cengiz'in sözünü hiç kesmeden dinleyen Ceyda, zaten Bora'nın yaptıklarından incinmiş olan gururunun iyice kırıldığını hissetti ve çileden çıktı. Cengiz son kelimeyi söylendikten sonra da bomba gibi patladı:

"Sen kim oluyorsun da bana ne yapacağımı söylemek cüretinde bulunuyorsun?"

Böyle bir karşılığı hiç beklemeyen Cengiz, neye uğradığını şaşırdı. Ceyda öyle şiddetli bağırıyordu ki, bağırmasını Candan bile duyuyordu. Ceyda sözlerini sürdürdü:

"Sana abi dedimse, sen kendini ne sandın. Ablamın hatırı olmasa sana abi der miyim; ben senin gibi onlarca kişi çalıştırıyorum emrimde."

Kısa sürede kendisini toparlayan Cengiz, önce Candan'a baktı, onun suratının da kıpkırmızı olduğunu ve gözlerinden iki damla yaş süzüldüğünü görünce; o da var gücüyle bağırmaya başladı:

"Seni erkek düşkünü adi o... Ankara'da gönül eğlendirecek kimse kalmadı mı artık? Birbirini deliler gibi seven iki kişinin arasına girmeye çalışıyorsun. Şunu unutma ki Bora'nın karakteri seninki gibi çürük değildir. Ne yaparsan yap, sana sümüğünü bile atmaz o." dedikten sonra telefonu küt diye Candan'ın suratına kapattı.

Cengiz'in söylediklerinden donup kalan Candan, bir süre anlamsız bakışlarla onu süzdü. Sonra başını onun göğsüne dayayarak hıçkırarak ağlamaya başladı. Bir taraftan da mırıldanıyordu:

"Nedir bu başımıza gelen?.. Sen de çok ağır sözler söyledin. Ceyda'yı iyi tanırım, çok inatçıdır. İşini gücünü bırakıp Bora'yı elde etmeye çalışacaktır. Bunu artık gurur meselesi yaptığını sanıyorum. Bundan sonra öleceğini bilse bu yoldan dönmeyecektir."

Sinirinden tir tir titreyen Cengiz, karşılarında aşılması güç bir engel olduğunu anladı. "Keşke Bora'nın Candan'a söylediği gibi konuşmayı ertesi gün yapsaydım," diye içinden geçirdi. Duygularına kapılıp hemen telefona sarıldığı için de bin pişman oldu; ama iş işten geçmişti artık. "Bundan sonra her şey Ceyda'nın insafına kaldı," diye düşündü. Sonra Candan'a sarıldı. Onun saçlarını okşadı ve kulağına üzgün bir ses tonuyla fısıldadı:

"Canım benim!.. Biraz önce kardeşine söylediğim sözlerden dolayı bana kırıldığını biliyorum. Kusuruma bakma. Ama bana sarf ettiği alçaltıcı kelimeleri duyunca kendimi kaybettim."

"Evet üzüldüm; ama sen haklıydın. Ceyda sana karşı telefonda sarf ettiği kelimeleri o denli yüksek sesle söylüyordu ki hepsini ben de duydum ve böyle bir kardeşim olduğu için de utandım."

❖

Cengiz'le yaptığı telefon görüşmesinden sonra egosu alabildiğine kabaran Ceyda'nın yüzü, korkunç bir hal aldı. Üst üste aşağılanmanın etkisiyle artık doğru dürüst düşünemez olmuştu. Karanlık düşünceler, aklından birbiri peşi sıra geçmeye başladı. 'Bora ile ilişki kurma isteğim, artık kadın - erkek duygusallığını aştı. Şimdi hem Bora hem de eniştem tarafından aşağılanmam sonucu kırılan gururumun intikamı ön plana geçti,' diye aklından geçirdi. 'Önce o Bora denilen delikanlıya öyle bir oyun oynayacağım ki Ceyda'yı aşağılayarak reddetmenin sonuçlarını acı şekilde görecek. Sonra da sıra kendisini bir şey sanan Cengiz Bey'e gelecek.'

Üst üste uğradığı küçük düşürücü davranışlarla, Ceyda'nın sinirleri iyice gerilmişti ve bir türlü yatışmıyordu. Masasının üzerinde ne varsa teker teker alıp yere attı. Ama sinirleri daha da gerildi. Hemen telefonla Ahmet'i aradı. Ona ulaşması biraz zor oldu. Hal hatır bile sormadan direkt konuya girdi:

"Ahmet abi! Ankara'ya geldiğinde seninle, Ebru'yla Bora'ya karşı müşterek tavır takınma konusunda anlaşmış ve bir plan yapmıştık. Aradan epey zaman geçtiği halde sen üzerine düşeni henüz yapmadın. Bu iş çok uzadı."

Ceyda'nın ses tonundan çok kızgın olduğunu anlayan Ahmet, 'Sanırım bazı şeylere canı çok sıkılmış, sakinleşmesi için önce onu öveyim, sonra değişik konulardan söz edeyim, daha sonra da konuyla ilgili konuşuruz,' diye düşündü.

"Ceyda'cığım sizin şirket, İstanbul'da gün geçtikçe daha çok tanınmaya başladı. Tabii ki senin gayretli çalışman sonucu bu noktalara geldiniz," dedi.

Dedi ama dediğine de pişman oldu. Ceyda nezaketi bir tarafa bırakarak,

"Ahmet abi, ben ne diyorum, sen ne diyorsun. Benim canımı sıkma… Hemen planın sonucunu alacak girişimlerde bulun," diye bağırdı.

"Ama Ceyda'cığım!"

Daha sözünü bitirmeden Ceyda yüksek bir ses tonuyla yeniden konuşmaya başladı:

"Aması maması yok Ahmet Bey! Kirli çamaşırlarının ortaya çıkmasını istemiyorsan ne diyorsam onu yap," diye tehdit edip telefonu kapattı.

Neye uğradığını şaşıran Ahmet, bu haksız davranışı içine sindiremedi. Oldukça canı sıkılmıştı. "Nereden çıktı bu durum? Elinden geleni ardına koymasın; eğer benimle uğraşırsa, ben de onun pisliklerini basın yoluyla herkese açıklarım," diye mırıldandı. Sonra da Ceyda'yla ters düşmenin kendisine yarar sağlamayacağını, aksine zararı olacağını düşündü ve 'Keşke bir yolunu bulsam da hem incinen gururumu hem de Ceyda ile aramı düzeltebilsem,' diye içinden geçirdi.

Telefonu Ahmet'in yüzüne kapatan Ceyda, bir süre sonra biraz sakinleşti ve Ahmet'e karşı sarf ettiği kelimelerden pişmanlık duydu. "Ne yaptım ben!" diye mırıldandı. 'Ahmet abinin yardımı olmazsa istediğimi elde etmem çok zor. Hemen özür dileyip, onun gönlünü almam gerek."

Zaman yitirmeden Ahmet'e telefon edip ondan özür diledi ve olanları ona anlattı. Aralarındaki gerginliğin ortadan kalkması için çözüm tarzı arayan Ahmet de bu sözlere çok sevindi ve ona en kısa sürede planlarının gerçekleşmesi için elinden geleni yapacağını söyledi.

Aslında Ahmet plandan kendi üzerine düşenleri gerçekleştirmek için elinden gelen her şeyi yapmaktaydı. Mete Bey'le tekrar eski günlerdeki gibi dost olmuş, evlerine teklifsiz gidip gelmeye başlamıştı. Ama Ebru ile yalnız kalıp konuşma fırsatını bir türlü bulamamıştı. Çünkü her seferinde Ebru, Ahmet'in bulunduğu ortamdan bir sebeple uzaklaşıyor, daha doğrusu kaçıyordu.

Ancak Ceyda ile yaptığı telefon görüşmesinden sonra bir yolunu bulup mutlaka onunla konuşması gerektiğini anladı ve aklına çılgınca bir fikir geldi. Ertesi gün Mete Bey iş için evden ayrılınca Nesrin Hanım'a telefon etti. Aralarında kalmak şartıyla çok önemli ve çok özel bir konuyu görüşmek istediğini söyleyerek, bir saat sonra Mete Beylerin evinden oldukça uzak bir yerde buluşmalarını istedi.

Telefonu Mete Beylerin evine çok yakın bir yerden eden Ahmet, Nesrin Hanım evden ayrılınca zaman yitirmeden eve gelip kapıyı çaldı. Kapıyı açan Ebru karşısında Ahmet'i görünce çok şaşırdı. Ahmet Ebru'nun bir şey söylemesine fırsat vermeden içeriye girdi.

"Ebru'cuğum Nesrin Hanım evde değil mi?"

"Hayır bir şey söylemeden çıktı gitti."

"Acaba ne zaman gelir?"

"Bilmiyorum. Belki hemen gelir, belki de iki üç saat sonra."

"On - on beş dakika bekleyeyim; gelmezse giderim."

"O zaman salona buyurun."

Salona giderken Ahmet,

"Belki de iyi oldu, Nesrin Hanım'ın evde olmaması," dedi.

Bu söze bir anlam veremeyen Ebru, biraz korktu. 'Bana kötü bir şey mi yapmayı düşünüyor acaba?' diye aklından geçirdi ve kuşkulandı. Ebru'nun yüz ifadesinden endişelendiğini anlayan Ahmet ona gülerek baktı.

"Seninle uzun süredir bir konuyu konuşmak istiyorum ama fırsat bulamadım," dedi.

"Ahmet abi, aramızda yanlış olarak başlayan bağı, bir daha sözünü etmemek üzere bitirdiğimizi sanıyorum."

"Konu seninle benim aramdaki bir mesele değil. Bora'yla ilgili bir husus."

Bora'nın ismini duyan Ebru önce kulak kesildi. Sonra Ahmet'in kendisiyle konuşmayı uzatmak için sözü Bora'ya getirdiğini düşündü. Ama yüzünün ifadesi de bir anda değişti. Ebru'nun yüzündeki farklılığı gören Ahmet, bombayı patlatma zamanının geldiğini düşündü. Yüzüne üzüntülü bir ifade verip, başını yan tarafa döndürdü ve şöyle söyledi:

"Hani benim hukuk danışmanlığını yaptığım Ceyda var ya. Sen de onunla birkaç kez görüşmüştün."

"Hatırladım. Çok güzel ve çekici bir bayandı."

"Evet çok güzeldir ve erkekleri etkilemesini de iyi bilir."

Ahmet'in sözü uzatıp konuşmaya sohbete döndürerek, kendisini etkilemeye çalıştığını sanan Ebru'nun biraz canı sıkıldı. Yüksek bir sesle Ahmet'e söylendi:

"Lütfen sözü fazla uzatma ve konuya gir Ahmet abi, benim yapmam gereken bir işim var."

"Tamam zaten çok kalacak değilim. Sözümü bitireyim hemen gideceğim," dedi Ahmet. "Geçenlerde bir iş için Ankara'ya gittiğimde, Ceyda bana Bora'yla ilgili hayret verici bir olay anlattı."

Ceyda ile Bora'nın isimlerinin birlikte söylenmesi, Ebru'nun kıskançlık duygularını kabartmış ve sinirlerini germişti. Bu kez Ahmet'e, haydi ne duyduysan çabuk söyle beni meraktan çatlatma der gibi bakıp, sesini yükselterek, kızgın bir ifadeyle,

"Ahmet abi!.. Ağzında sözcükleri geveleyip durma da ne diyeceksen de!.." dedi.

"Söylemeye dilim varmıyor; ama ısrarın üzerine söyleyeyim," derken Ebru'nun yüzüne dikkatle bakarak, "Ceyda ile Bora arasında duygusal bir yaklaşım oluşmuş, belki de ilişki desek daha doğru olur," diye biraz da alay eder gibi mırıldandı.

Birden şaşkına dönen Ebru, Ahmet'in göğsüne yumrukları ile vurarak,

"Yalancı!.. Bora böyle bir şey yapmaz!.." diye bağırmaya başladı.

"İstersen Ceyda'nın telefon numarasını vereyim, onunla konuş," diyerek, cebinden çıkardığı bir kâğıt parçasını masanın üzerine bıraktı ve kaçarcasına evden çıktı.

Ahmet evden ayrılınca koşarak arabasını park ettiği yere gitti. Nesrin Hanım'ı bekletmemek için zaman zaman trafik kurallarına da aldırmayarak hızla randevu verdiği pastaneye doğru arabayı sürdü. Tam zamanında da randevusuna yetişti. Nesrin Hanım oradaydı ve Ahmet'i bekliyordu. Ahmet centilmence bir tavırla onun elini öptü.

"Sanırım sizi bekletmedim," dedi.

"Hayır, hayır ben biraz erken geldim."

"Sizinle konuştuktan sonra burasının sizin evden oldukça uzak olduğu aklıma geldi ve sizi yormamak için evinizde konuşabiliriz diye oraya gittim; ancak ben eve ulaştığım da siz çıkmışsınız. Beş - on dakika Ebru'yla oturdum. Aslında sizinle konuşmak istediğim konu Ebru'yu yakından ilgilendirdiği için hazır oradayken, ona da size anlatacağım hususdan söz ettim."

"Neymiş konuşacağımız şey?" diyen Nesrin Hanım, merakla Ahmet'e baktı.

Ahmet Ebru'yla konuştuklarını olduğu gibi anlattı. Kulaklarına inanamayan Nesrin Hanım işittiklerini şüpheyle karşıladı ve bunlardan Mete Bey'e bir kelime bile söylememesi için Ahmet'e rica etti. "Ebru perişan durumdadır şimdi," diye içinden geçirdi. "Hemen eve gidip, ona güç vermem lazım," diye düşünüp, pastaneden ayrıldı. O denli kötü olmuştu ki Ahmet'in eve götürme teklifini bile duymadan bir taksiye atlayıp eve geldi.

Ebru tahmin ettiği gibi çok kötü durumdaydı. Annesini görünce boynuna sarılıp hıçkırıklarla ağlamaya başladı. Kızının perişan halini gören Nesrin Hanım ne yapacağını bilemedi. O da ona sarılarak onunla birlikte gözyaşı dökmeye başladı. Sonra iki eliyle, Ebru'nun yanaklarından aşağı akan gözyaşlarını sildi.

"Kızım!.. Ne olur kendini bu denli perişan etme," dedi. "Hem Ahmet'in söylediklerinin doğru olduğunu nereden biliyorsun?"

Nesrin Hanım'ın söylediği son kelimelerden sonra başını annesinin göğsünden çeken Ebru, hayretle ona baktı:

"Sen Ahmet'in buraya geldiğini nereden biliyorsun?"

"Kızım bu işte anlamadığım bir şeyler var," deyip, Ahmet'in telefon etmesini ve ondan sonra olanları Ebru'ya anlattı. "Ahmet'in davranışında bazı tutarsızlıklar var. Sanırım eve gelip seninle rahatça konuşabilsin diye beni evden özellikle uzaklaştırdı. Anlattığı olayın da bana göre olasılığı çok az."

Annesinin anlattıklarıyla, Ahmet'in eve gelmesinin, bir planın parçaları olabileceğini düşünen Ebru, "Bora, Ahmet'in ne kadar kötü bir insan olduğunu söylemişti bana; tüm bunları aramızı açmak için yapmış olabilir," diye aklından geçirdi. "Ancak Ceyda Hanım da çok çekici bir bayan, Bora'nın aklını çelmiş de olabilir," diye düşünmekten de kendisini alamadı.

Ebru kısa sürede yaşadığı olumsuzluklardan yorulmuştu. Ama durup bekleme zamanı olmadığını düşünüp, Ceyda'ya telefon etmeye karar verdi.

"Anne, Ahmet abinin vermiş olduğu numaraya telefon edip, Ceyda Hanım'ın ağzını arayacağım. Konuşmasından böyle bir şeyin olup olmadığını anlarım."

"Kızım sen bilirsin. Ama bu işte bir komplo olduğunu sanıyorum."

Ebru zaman yitirmeden Ahmet'in bıraktığı telefon numarasını çevirdi. Telefona çıkan sekretere kendisini tanıttı ve Ceyda Hanım'la konuşmak istediğini söyledi.

Sekreter Ebru isimli bir bayanın aradığını bildirince Ceyda, 'Sanırım Ahmet abi planımızı uygulamaya başladı," diye düşündü. "Ancak bu kadar kısa sürede bu noktaya gelebileceğimizi hiç sanmamıştım," diye de aklından geçirdi.

"Buyurun ben Ceyda."

"Ceyda Hanım, ben Ebru beni hatırladınız mı?"

Birden hatırlayamamış gibi bir tavır içine giren Ceyda,

"Hanımefendi sesiniz çok güzel, sanırım kendiniz de öylesinizdir. Bana biraz ipucu verir misiniz?" diye konuşmayı sürdürdü.

"Hani Doçent Ahmet Bey'le birlikte, babam Mete Bey'in Hukuk Bürosu'na gelmiştiniz, ben de oradaydım, tanışmıştık; daha sonra da bir - iki kez görüştük."

"Tabi ya... Bağışla güzelim, şu sıralar işlerim o denli yoğun ki, birden çıkartamadım," diyerek, takındığı tavrı sürdürdü Ceyda. "Güzelim nasılsın, iyi misin, nereden telefon ediyorsun?" şeklinde bazı sorular sorarak da hatırlamak için zaman kazanıyormuş gibi davranışını devam ettirdi.

"Ceyda Hanım sizi İstanbul'dan arıyorum. Telefon defterimi karıştırırken isminiz gözüme takıldı. Tanışmamızda da ondan sonraki görüşmelerimizde de güzelliğinizden çok etkilenmiştim. Onun için sesinizi bir duyayım istedim."

Ebru'nun 'güzelliğinizden çok etkilendim' demesiyle Ceyda, aradığı fırsatı yakalamıştı. Fırsatı kaçırmadı ve hemen Bora'yı ima ederek, bir parça da havalı bir ses tonuyla şunları söyledi:

"Ebru'cuğum iltifatına çok teşekkür ediyorum. Son günlerde aynı sözleri bana söyleyenlerin sayısında bir artış oldu. Kısa süre önce Konya'da yeni tanıştığım havacı bir subay da böyle bir iltifatta bulunmuştu bana. Demek ki bay - bayan ilk tanışmada insanları güzelliğimle etkiliyorum. Ne kadar hoş, insanın yaşı biraz ilerleyince bu tür komplimanlar hoşuna gidiyor doğrusu."

Konuşma bu noktaya gelince Ebru, Ahmet'in doğru söylediğine inanmaya başladı. "Demek ki Bora'yla Ceyda Konya'da tanışmışlar, aralarında da bir yakınlaşma olmuş," diye düşündü. Üzüntüden boğazı kurudu, sesi kısıldı, ağzından yalnız fısıltı halinde ne olduğu belli olmayan birkaç kelime çıktı. Ceyda hedefine ulaştığını anladı. Konuşmayı daha fazla uzatmanın anlamsız olduğunu düşünerek,

"Ebru'cuğum şu anda katılmam gereken çok önemli bir toplantı var. Eğer mazur görürsen telefonu kapatacağım. Ancak aramana çok sevindim. Ben seni sonra ararım. Ara sıra görüşelim, sevinirim," deyip telefonu kapattı.

Telefon kapanır kapanmaz, Ebru'nun yüzündeki tüm kan çekildi ve yüzü kara sarı bir renk aldı. Bütün gayretine karşın daha fazla ayakta duramadı ve telefon sehpasının yanındaki divana yığıldı kaldı.

Kızı divanın üzerinde düşüp bayılınca, Nesrin Hanım önce ne yapacağını şaşırdı; fakat kısa sürede kendini toparladı. Ebru'ya kolonya koklattı. Bir taraftan da şakaklarını kolonyayla ovdu.

Bir süre sonra Ebru gözlerini açtı. Ancak bakışları sabit bir noktaya dikilip kalmıştı. Kızının gözlerini açması Nesrin Hanım'ı sevindirdi; ama dalgın olarak yatıp, hiçbir şey söylememesi de son derece huzursuz etti. Ebru'nun saçlarını okşadı, yalancı bir gülümseyişle onun gözlerinin içine bakarak,

"Kızım kendini bu denli koyuverme. Bora'yla da konuşuruz. Onu da dinledikten sonra böyle bir şeyin olup olmadığına karar veririz," dedi.

Yüreği eziliyormuş gibi olan Ebru, annesinin yüzüne bakarken, 'Ben zayıf yaradılışlı bir insan değilim; ancak Bora işin içine girince, nedense en zayıf yaradılışlı bir kişiden daha zayıf oluyorum,' diye düşündü. 'Onu çok seviyorum fakat benim aşkıma karşılık, Ahmet abinin anlattığı gibi bir ilişki içine girdiyse ya da girerse, bu kez kesinlikle ona karşı zayıf olmayacağım. Daha önce yaptığım gibi yüreğime taş basıp, yaşamımı onsuz sürdüreceğim,' diye karar verdi. Karar vermenin etkisiyle kendisini toparladı. Ama yüreği hâlâ acıyordu.

"Anneciğim sen üzüntülerini belli etmezsin; ama senin de çok üzüldüğünü biliyorum," diyen Ebru, iki elini kaldırıp, "Allah'ım bu iş açıklığa kavuşuncaya kadar bana dayanma gücü ver," diye dua etti. Sonra annesine dönerek, "Anneciğim, böyle bir şey yaptıysa, bir daha Bora'nın yüzüne bakmayacağım," diye sözlerini sürdürdü.

"Ebru'cuğum bugün duyduklarımızdan ve yaşadıklarımızdan emin oluncaya dek babana bir şey söylemeyelim. Rahatsız olan kalbi dayanamayabilir."

"Doğru söylüyorsun anneciğim. Zaten Ahmet'le sözü bozmamda da oldukça rahatsız olmuştu."

KÖTÜ UÇUŞ

Ebru zaman geçirmeden Bora'yı telefonla aradı ve ona o gün yaşadıklarını olduğu gibi anlattı. Ebru'nun sözü bitince, Bora nasıl bir komplo içine çekilmekte olduklarını anladı.

"Ebru'cuğum tam uçuşa çıkmak üzereyim; şu an bulunduğum yer, bu tür konuşmalar için uygun değil. Uçuştan iner inmez seni arayayım, uzun uzun konuşuruz, olur mu?" dedi.

Bu sözler üzerine Ebru, Bora'nın konu üzerinde konuşmak istemediğini, daha doğrusu zaman kazanarak, durumu değerlendirip bazı önlemleri aldıktan sonra konuşacağını düşündü. Bu düşüncenin sonucu, 'Bora ile Ceyda arasında bir ilişki olduğu açık' diye aklından geçirdi. Bu düşünce yüreğini hançer yarası gibi acıttı. Sesini yükselterek sordu:

"Ceyda'yı tanıyor musun?"

Bu soru karşısında Bora ne yanıt vereceğini bilemedi. "Tanıyorum desem bir anda Ebru ile aramdaki her şey bitecek," diye düşündü. Çaresizlik içindeydi. Çok uzun gibi gelen beş - altı saniyelik bir sessizlik oldu.

"Bora yeniden soruyorum. Ceyda'yı tanıyor musun?" bu kez heceleri üzerine basa basa ve tane tane söyledi. "Beni duyuyor musun?"

"Şimdi duydum. Bir ara sesini duyamadım," diyerek zaman kazanmaya çalışan Bora, bir taraftan da ne yapacağını düşünüyordu. 'Şu an bu soruyu cevaplarsam, altından kalkamayacağım bir durumla karşı karşıya kalabilirim, en iyisi telefon kesiliyormuş gibi yapayım ve telefonu kapatayım,' diye karar verdi.

Ebru, kızgın bir ses tonuyla, sanki ahize suçluymuş gibi var gücüyle onu sıkarak bağırdı:

"Bana cevap ver Bora... Ceevaap..."

"Alo, alo! Ebru sesini duyamıyorum. Alo, alooo!.." diyen Bora, telefonu kapattı.

Uçuş için pilotları, uçak park sahasına götürecek olan aracın içinde onu bekleyen arkadaşlarının yanına koşarak gitti. Düşünceleri allak bullak olmuştu. Araç park sahasına geldiğinde o nerede olduklarının farkında bile değildi; böyle karma karışık bir kafa ile uçmak, bir pilot için intihar etmek gibi bir şeydi. Allah'tan göreve, öğretmeniyle birlikte aynı uçakta çıkıyordu.

Öğretmeni, Bora'nın yüz hatlarındaki değişiklikten, garip bir şeylerin olduğunu hissetti ve ona sordu:

"Bora birden değiştin. Ne oldu?"

"Önemli bir şey değil efendim. İyiyim."

"İyiyim diyorsun; ama öyle görünmüyorsun. Telefon konuşmasında kötü bir haber mi aldın?"

"Çok kötü bir haber değil efendim."

"Demek ki, senin düşüncelerini olumsuz etkileyen bir durum var. Uçuş dört uçak olarak planlanmış olmasa, uçuşu iptal ederdim. Ama kol bütünlüğünü bozmamak için bunu yapmayacağım."

"Sağ olun efendim!.."

Bora aklındaki düşüncelerden sıyrılıp, kendisini bir türlü uçuşa veremedi o gün. Belki de uçuculuk hayatının en kötü uçuşunu yaptı. Öğretmeniyse onun çok önemli bir problemle karşı karşıya olduğunu anladığı için uçuş sırasında, uçuşla ilgili olumsuzlukların üzerinde fazlaca durmadı. Ancak görev bitiminden sonra Bora'yı bir köşeye çekerek,

"Bak Bora, bugünkü uçuşun hiç iyi değildi. Sanki bu uçaklarla ilk kez uçuşa çıkıyor gibiydin," deyip, sözüne devam edecekti ki Bora sıkıntılı bir ses tonuyla onun sözünü kesti:

"Efendim çok iyimser bir yorum yaptınız. Aslında felaket bir uçuş yaptım."

"Senin fazla üzülmeni istemediğim için öyle söyledim. Ancak şu anda, benimle konuşurken bile kafan başka bir konuyla meşgul."

"Haklısınız efendim..."

"Eğer telefon görüşmesinde neler konuştuğunuzu bana anlatırsan, sanırım sana yardım edebilirim. Anladığım kadarıyla özel bir konu konuştunuz; ama şunu iyi bil ki sıkıntını benimle paylaşırsan, bu ikimiz arasında kalacak."

Uçuş Öğretmeni'nin bu sözleri Bora'yı biraz rahatlattı. Çünkü birisiyle konuşmaya ve içinde bulunduğu sorunu anlatmaya çok ihtiyacı vardı. Hiç tereddüt etmeden; ona önce Ceyda ile aralarında olanları, ilk tanışmalarından başlayarak en ince ayrıntısına dek anlattı. Sonra da uçuşa çıkarken Ebru'yla telefonda yaptıkları konuşmadan söz etti.

Bora'yı dinledikten sonra onun ne denli çetin bir problemle karşı karşıya olduğunu anlayan öğretmeni, 'Bu problemi kökünden çözmezse; bundan sonra Bora'nın uçuşundan hayır gelmez,' diye düşünüp, ona sordu:

"Ne yapmayı düşünüyorsun?"

"Uçuşa giderken Ebru'yla yaptığımız telefon görüşmesinde, ona Ceyda diye birisini tanımadığımı söyleyecektim ama son anda vazgeçtim. Şu anda da ne yapacağımı bilmiyorum."

"İlk olarak şunu söyleyeyim, Ceyda'yı tanıyıp tanımadığını söylememekle çok iyi etmişsin. Çünkü öncelikli hedefin, sözlünün güvenini yitirmemek olmalı."

"Evet ben de öyle düşünüyorum. Onun için Ceyda adında bir bayanı tanımadığımı söyleyeyim diyorum. Ama doğru olmayan bir şeyi söylemeyi de içime sindiremiyorum."

"Bana sorarsan, o içine sindirememen önemli bir husus. Hem bir süre sonra doğruyu söylemediğin nasıl olsa ortaya çıkar. O zaman, düzeltilmesi imkansız bir durumla karşı karşıya kalırsın."

"Sanırım haklısınız. Tanıdığımı söyleyip olayları da olduğu gibi anlatmam en doğrusu olacak."

"Bence de öyle. Belki ilk söylediğinde, sözlünün üzerinde oldukça olumsuz bir etki oluşur. Hatta sana hoş olmayan kelimeler bile söyler; ama bir süre sonra her şey tüm çıplaklığıyla ortaya çıkınca sen kazanırsın."

"Haklısınız efendim. Öyle yapacağım."

BUNALIMLAR

Telefonu sinirli bir şekilde kapatan Ebru, iki gözünden aşağıya süzülen yaşlarla annesine bakarken,

"Biliyordum ben, o kadınla ilişkisi var," diye mırıldandı.

"Kızım anladığım kadarıyla, Bora o bayanı tanımadığını söyledi değil mi?"

"Hayır anne, telefon arıza yaptı. Konuşamadık. Ben onu duyuyordum fakat o beni duymadığını söyledi ve telefon kapandı."

"Ne var bunda? Telefon arıza yapmış. Biraz sonra o seni arar sanırım."

"Uçuş için filodan ayrılmak üzere olduğunu söyledi. Uçuştan sonra arayacakmış."

"İyi ya arayacakmış işte. Çocuğun üzerine fazla gitme. Uçuşta yanlış bir şeyler yapar da sonucu iyi olmayan olaylarla karşılaşır. Allah korusun..."

Annesinin bu sözleri üzerine içine bir kurt düşen Ebru, 'Tam uçuşa giderken bağırmasaydım keşke... Bakalım uçuşa çıktığı doğru mu, yoksa beni mi kandırdı?' diye düşündü ve Bora'nın filosuna telefon edip, işin doğrusunu öğrenmeye karar verdi.

Filodan Bora'nın uçuşta olduğunu ve bir saat sonra filoya geri geleceğini bildirdiler. Bu yanıt içine biraz su serpti; fakat içindeki kurt sürekli beynini kemirmeye devam ediyordu. "Acaba filodan bana cevap veren kişiyi kandırdı da kendisinin uçuşta olduğunu mu söyletti Bora?" diye, mırıldandı. Mırıldanmasını duyan annesi,

"Ah kızım, kendini bu denli üzme! Benim de yüreğim daraldı. Nasıl olsa uçuştan inince seni arayacak çocuk," diyerek, Ebru'nun davranışlarından çok üzüldüğünü anlatmaya çalıştı.

"Haklısın anne! Ama gel gör ki, yüreğime söz geçiremiyorum."

"Yavrum içindeki şüpheyle bir ömür geçiremezsin. Bora hakkında söylenen her sözü, onunla konuşmadan ciddiye alırsan; yaşam hem sana hem de Bora'ya zehir olur."

Annesiyle uzun uzun tartışan Ebru'nun sinirleri her geçen dakika gerildikçe gerildi. Kıskançlıksa tüm benliğini alev gibi sardı. Artık annesine karşı sarf ettiği sözlerin farkında bile değildi. Sanki bütün hıncını ondan almak istiyordu. Neredeyse annesini kırmak üzereydi. Kelimeler o kadar ağırlaşmıştı ki Ebru kontrolünü kaybetmek üzereydi. Tam bu sırada telefon çaldı. Ebru yaydan fırlamış ok gibi hızla telefonun yanına koştu ve telefonu açtı. Karşısındakinin Bora olduğunu anlayan Ebru, nasılsın bile demeden, paldır küldür konuşmaya başladı:

"Bora! Şimdi beni duyuyor musun?"

"Evet iyi duyuyorum."

"Güzel... O zaman cevap ver bakalım, Ceyda adında birisini tanıyor musun?"

Ebru'nun ses tonundan kırgın, kızgın ve çok üzgün olduğunu anlayan Bora, 'İşlerin iyice sarpa sarmaması için tanımadığımı söylesem, sanırım daha iyi olacak,' diye içinden geçirdi. Tam tanımıyorum diyecekti ki, aklına 'yalancının mumu yatsıya kadar yanar' ata sözü geldi. Sonra da uçuş öğretmeninin söylediklerini yeniden hatırladı. İstemeyerek de olsa,

"Evet tanıyorum," dedi.

Beş - on saniye kadar bir sessizlik oldu. Bu süre içinde; 'Biliyordum, hem de çok iyi biliyordum. İşte kendisi de itiraf etti. Demek ki Ahmet abinin söyledikleri doğruymuş,' diye düşündü Ebru. Bora ise, 'İnşallah, yanlış yorumlara girmez,' diye içinden geçirirken, Ebru aniden yüksek bir ses tonuyla hakaret etmeye başladı:

"Sen ne kadar kepaze bir insansın. Hiç mi utanman yok senin? Bana güven demiştin, neyine güveneyim?.." cümlesini tamamlayamadan hıçkırarak ağlamaya başladı ve telefonu hırsla kapattı.

Bora neye uğradığını şaşırdı. Bir süre, telefon ahizesi elinde, öylece kalakaldı. Sonra kendisini biraz toparladı. 'Bu problemi nasıl çözeceğim?' diye düşünmeye başladı. Aklına hiçbir çözüm tarzı gelmiyordu. Ağlamaklı oldu. 'Acaba Ebru'ya Ceyda'dan kim bahsetti?' diye içinden geçirdi. Ama yanıt bulamadı. Ahizeyi yerine koydu ve olduğu yere oturdu.

O sırada uçuş öğretmeni Yüzbaşı Ali yanına geldi. Aslında Yüzbaşı, uçuştan indikten sonra yaptıkları konuşmanın ardından sürekli Bora'yı izlemekteydi. Bora'nın davranışlarından, hoş olmayan bir durumun ortaya çıktığını anlamış ve yanına gelmişti.

"Hayrola Bora, nedir bu halin, neden yere oturdun?"

Öğretmeninin yüzüne anlamsız bir şekilde bakan Bora, ağlamamak için kendisini zor tutuyordu. Güç alabilmek için iki eliyle onun sağ elini tutarken ağlamaklı bir sesle mırıldandı:

"Ben mahvoldum!.. Ben bittim!.."

"Bora kendini toparla! Ne oldu anlat bana."

O sırada Bora'nın durumunu gören teğmenlerden bir kısmı da onların bulundukları yere geldiler ve kaygıyla onlara bakmaya başladılar. Olayın iyice dallanıp budaklanmasını önlemek için Yüzbaşı Ali, Bora'yı oturduğu yerden kaldırıp, filonun dışına götürdü. Havanın soğuk olmasına rağmen çardağa gidip banklardan birsine oturdular.

"Şimdi anlat bakalım," dedi Yüzbaşı.

Kendisini biraz toparlayan Bora, onun gözlerinin içine bakarak ağlar gibi konuştu:

"Ceyda'yı tanıdığımı söyledim. Bu sözü duyunca, deliye döndü ve bana bağırmaya başladı. Oldukça ağır sözler söyleyerek telefonu suratıma kapattı."

"Tamam... Moralin bozulmasın. İlk tepki normal. Ama adım gibi biliyorum ki sonunda her şey ortaya çıkacak ve senin böyle bir şey yapmadığını Ebru da anlayacak. Hatta sana karşı böyle düşündüğü için çok üzülecek. Yeter ki sen normal düşünmeye başla ve bundan sonraki adımlarını daha bilinçli at."

"Tamam efendim. Ama kafamın içinde beynim yok sanki."

"Haydi gel biraz yürüyelim, açılırsın."

Birlikte yarım saate yakın yürüdüler. Bu süre içinde Bora, Ceyda ile ilgili her şeyi tekrar Yüzbaşı Ali'ye anlattı. O da ona,

"Hakan'la konuş, o Ebru'yla konuşsun ve gerçeği anlatsın," dedi.

"Ebru Hakan'a inanmaz; çünkü İstanbul'dayken Hakan'la benim, birlikte neler yaptığımızı çok iyi biliyor."

"O zaman Ebru'nun annesiyle konuş. Annesi durumu biliyordur. Çünkü bayanlar, anneleriyle dargın olmadıkları sürece, sıkıntılarını önce onlarla paylaşırlar," dedi. "Benim eşim hep öyle yapar da."

Bu söz üzerine Bora'nın kafasında birden bir şimşek çaktı ve düşünceleri berraklaşmaya başladı. "Tabi ya, Nesrin Teyze," diye aklından geçirdi. "Hiç aklıma gelmedi. Ebru ile iki arkadaş gibidirler. Beni de çok sever."

"Evet!.. İşte yapmam gereken bu," diye, mırıldandı Bora. "Ebru'nun annesiyle konuşup her şeyi ona anlatayım, o da kızına anlatır."

Sürekli bakışları Bora'nın yüzünde olan Yüzbaşı, onun bu mırıldanışını duydu ve duyduklarına memnun oldu. Yüzünde beliren bir gülümsemeyle konuşmaya başladı:

"Gördün mü, sakin kafayla düşününce çözüm bulunabiliyor."

"Doğru... Yüzbaşım izin verirseniz, misafirhaneye gidip oradaki telefonla konuşayım. Orası sakindir, daha rahat konuşabilirim."

"İyi düşündün. Hadi fırla... Ebru'nun birtakım kurgularla olayları daha fazla saptırmasına meydan vermeden hemen bu işi bitir."

Bora'nın suratına telefonu kapatan Ebru, yanağından peş peşe aşağı yuvarlanan gözyaşlarını elinin tersiyle silmeye çalışarak, annesine döndü, bir süre ona bakıp, öylece durdu. Sonra yüz hatları sertleşmeye başladı. Gözyaşlarının yanağından aşağıya süzülüşü kesildi. Yüksek sesle konuşmaya başladı:

"Ben sana söylemedim mi?" Sustu, derin bir nefes aldı. Sonra kelimeler ağzından yeniden dökülmeye başladı: "Ceyda'yı tanıyor işte. Kim bilir ne haltlar karıştırdı."

Kızının büyük acı çektiğini gören Nesrin Hanım'ın içi bir hoş oldu. Ne yapacağını bilemedi. Ebru'nun yanına gelip, sevgiyle ona sarıldı. Saçlarını okşadı. Onun da gözleri yaşarmıştı. 'Ne olacak bu işin sonu?' diye içinden geçirdi. Kızının kulağına şefkatle fısıldadı:

"Yavrum benim! Kendini bu denli harap etme. Bak annen de çok üzülüyor."

"Anneciğim yüreğime söz geçiremiyorum, kanamaya başladı artık. Hem de oluk oluk."

"Kızım sana anlatılanları, abartılı olarak algılıyorsun. Bakalım söylenenler doğru mu?"

"İşte kendisi de itiraf etti."

"Neyi itiraf etti, aralarında bir ilişkinin var olduğunu mu?"

"Yok öyle bir şey söylemedi ama onu tanıyormuş."

"Canım yavrum, birbirini tanıyan her erkekle kadının arasında ilişki var denilebilir mi?"

"Doğal olarak söylenemez. Ahmet abiyle Ceyda Hanım'ın söyledikleri ortada. İkisinin de anlattıklarından bu anlam çıkıyor."

"Ben bunca yılın tecrübesiyle derim ki, Bora'dan böyle bir şey işitmeden sakın söylenenlere inanıp da yanlış şeyler yapma."

Nesrin Hanım ne söylediyse kızının düşüncelerini değiştiremedi. Yavaş yavaş da içini bir korku kaplamaya başladı. Çok sevdiği Ebru'sunun rahatsızlanmasından korkuyordu. Ebru ise bağırıp çağırmayı bırakmış, suskunluğa bürünmüştü. Bir süre sonra da odasına girip, kapıyı kapattı ve yatağın üzerine sırt üstü yatarak düşüncelere daldı.

Nesrin Hanım, kızı odanın kapısına doğru yürürken, içi burkularak seyretti onu. 'Ne olacak bu işin sonu bilemiyorum,' diye aklından geçirdi. 'İçimde, birileri bu çocuklara komplo kuruyor gibi bir his var. Ebru da Bora'yla doğru dürüst konuşmuyor ki. Çocuğun konuşmasına fırsat bile vermeden bağırıp çağırıyor ve telefonu suratına kapatıyor.' Kafasının içerisinden bu düşünceler geçerken, telefon çaldı. İçinde bulunduğu ruh hali öyle kötüydü ki, telefonu açmak istemedi. Ama telefon ısrarla çalmasını sürdürünce, canı bir parça sıkılmış olarak telefonu açtı. Telefon eden Bora'ydı. Onun sesini duyunca heyecanlandı. Ne söyleyeceğini bilemedi.

"Biraz bekle çocuğum Ebru'yu çağırayım," dedi.

Bora telefonu Ebru'nun açmadığına çok sevinmişti. 'Çok iyi oldu telefonu Nesrin Teyze'nin açması,' diye düşündü ve sesi titreyerek konuşmasını sürdürdü:

"Nesrin Teyze, ben sizinle konuşmak için arıyorum. İyi ki telefonu siz açtınız. Ebru yanınızda mı?"

"Hayır, odasında."

"Çok güzel, lütfen anlatacaklarımı sözümü kesmeden dinleyin," diye rica etti. "Önce tüm şerefim ve namusum üzerine yemin ederim ki, Ebru'ya kimin ne anlattığını bilmiyorum ama tüm söylenenler yalan ve büyük bir iftira," diyerek, Ceyda ile Cengizlerin evinde yaşadıklarını olduğu gibi anlattı.

Onu, hiç sözünü kesmeden dinleyen Nesrin Hanım'ın, dinledikçe içindeki sıkıntı yavaşça dağılmaya başladı. Bora'nın anlattıkları bitince,

"Biliyordum senin böyle bir şey yapmayacağını. Hep kızıma da söyledim. Ama beni dinlemedi," deyip, sevinçli bir ses tonuyla konuşmasını sürdürdü. "Şimdi gidip ona her şeyi anlatacağım."

"Nesrin Teyze, Ebru'yla konuştuktan sonra beni ararsınız değil mi?"

"Tabii ararım. Sen de canını fazla sıkma. Sizin mesleğiniz, çok aşırı duygusallığı kaldıramayacak kadar hassas bir meslek."

Nesrin Hanım telefonu kapatıp, uçarcasına Ebru'nun odasına gitti. Odanın kapısını bile çalmadan içeriye girdi ve yüzünde sevindiğini anlatan bir gülücükle Ebru'nun yattığı yatağın kenarına oturdu. Annesinin bu haline bir anlam veremeyen Ebru, onun yüzüne anlamsız anlamsız bakıp, söylendi:

"Anne ne olur beni yalnız bırak..."

"Yavrum sana çok önemli bir haber getirdim."

"Şu anda hiçbir şey dinlemek istemiyorum. Ne olur bana anlayış göster."

"Tamam kızım, zaten iki kelime söyleyip, gidecektim," diyen Nesrin Hanım, oturduğu yerden kalktı ve kapıya doğru yürümeye başladı. Yürürken de konuşmasını sürdürdü: "Biraz önce Bora aradı ve onunla uzunca bir konuşma yaptık. Bilesin!.."

Ebru 'Bora'yla konuştuk' kelimelerini duyunca yattığı yerden ok gibi fırlayıp kalktı, annesinin önüne geçti.

"Ne dedin sen, Bora telefon mu etti?"

"Evet kızım, onu anlatmaya gelmiştim ama sen istemiyorsan anlatmam."

Telefon görüşmelerinde Ebru, her ne kadar Bora'ya bağırıp çağırsa da bu davranışı, ona karşı olan sevgisinin büyüklüğünden kaynaklanmaktaydı. Onu çok kıskanıyordu. Onun Hava Harp Okulu'nda okurken ne kadar şıp sevdi olduğunu ve pek çok bayanla gününü gün ettiğini iyi biliyordu. Bunun için de 'gün gelir yine o eski günlerindeki gibi bir davranış içerisine girebilir' düşüncesini bir türlü kafasından silip atamıyordu. Bu nedenle kadın - erkek ilişkisiyle ilgili Bora hakkında olumsuz söylenen her şeye doğrumu değil mi diye incelemeden hemen inanıyordu.

"Niye telefon etmiş, anne?"

"Neden olacak, Ceyda'yla ilgili bazı söyleyecekleri varmış onları anlattı."

"Kim bilir ne yalanlar uydurmuştur."

"Kızım neden bu çocuğun söylediklerine inanmıyorsun da başkalarına inanıyorsun."

"Tamam anne, yine nasihat etmeye başlama. Hadi anlat ne söylediyse."

Nesrin Hanım, Bora'nın Ceyda ile ilgili açıklamalarını olduğu gibi anlattı. Ebru duyduklarına çok sevindi. Ancak doğruluğuna tam olarak inanamadı.

"Anneciğim, güzel söylüyorsun ama ben tam emin olmak için Ceyda Hanım'la bir telefon görüşmesi daha yapacağım. Ondan sonra işin doğrusu ortaya çıkacak."

"Ebru canım kızım, bu denli şüpheci olma. Eğer bu çocuğun söylediklerine inanmaz da her seferinde başkalarının ağzının içine bakarsan birlikteliğinizi yürütemezsiniz. Bunu iyi bil."

"Anladım ama yine de Ceyda Hanım'la konuşacağım."

"Sen bilirsin yavrum."

Ebru hiç zaman kaybetmeden Ceyda'yı aradı. Bu kez ilk olarak Bora ile sözlü olduklarını söyledi. Ceyda sanki bilmiyormuş gibi,

"Aaa... doğru mu bu söylediğiniz?" diye sordu.

"Evet doğru."

"Ama daha önce konuştuğumuz da sözlü olduğunuzdan bahsetmemiştiniz," diye, şaşırmış gibi yaptı.

"O zaman öyle gerekiyordu."

Ceyda için için gülerek, 'zokayı yuttu şapşal' diye içinden geçirdi. Sonra da sinirlenmiş gibi bir ses tonuyla konuştu:

"Size hiç yakıştıramadım. Demek ki ilk konuşmamızda bilgi almak için beni kandırdınız. Kusura bakmayın ama sizin gibi gerçekleri gizleyerek ağızdan laf almaya çalışan biriyle daha fazla konuşamam. İyi gün..." sözünü bitirmeden Ebru hemen konuşmaya başladı:

"Ceyda Hanım lütfen... Daha önce yaptığımız görüşmede, size kendimi tanıtmadığım için özür dilerim. Bana beş dakikanızı ayırırsanız sevinirim."

"Affedersiniz, kapatmak zorundayım."

"Lütfen, lütfen..."

Ceyda, kıs kıs gülerken, bir taraftan da, 'zavallı gerçekten kapatacağımı sandı,' diye içinden geçirdi. Sonra da, 'çok toymuş doğrusu. Bakalım ne söyleyecek,' diye düşündü.

"Pekala sizi dinliyorum. Buyurun konuşun."

"Sizinle görüştükten sonra Bora'yı aradım sizden söz ettim..." diye başlayıp, Bora'nın annesine söylediklerini anlattı.

Ceyda, Bora'nın Ankara'dayken ofisine geldiğinden bahsetmediğini anlayınca, 'şimdi patlatacağım bombayla feleğini şaşıracaksın; aptal aşık,' diye aklından geçirdi. Sonra da kelimelerin üstüne basaraktan alaycı bir şekilde konuşmaya başladı:

"Ebru Hanım kusura bakmayın ama size acıyorum."

"Niçin acıyormuşsunuz? Anlattıklarımdan utanmadınız mı?"

"Neden utanacakmışım? O Bora denilen delikanlı sizi bir güzel kandırmış. Ayol kendisi benimle ilişki kurmak istedi de, ben yüz vermedim."

"İnanmıyorum size. Bir bayan yalan söyleyerek bu denli küçülebilir mi?"

"Bana bakın Ebru Hanım, terbiyenizi takının ve beni zıvanadan çıkarmayın!.." diyen Ceyda, Ebru'nun sinirlenmesine memnun olmuştu. 'Biraz daha kızdırayım ve bombayı patlatayım,' diye düşündü.

"Aaa, siz ne kadar utanmaz bir insansınız öyle. Hem suçlusunuz hem de güçlü!.."

"Bak kızım," aşağılayıcı bir tarzda söyledi Ceyda, "sana olup bitenleri tam olarak anlatmamış sözlün."

"Pekala, neymiş o anlatmadıkları?"

"Daha fazla üzülmemen için anlatmayacaktım, ama beni zorladın; şimdi sıkı dur!"

"Yani, Bora'nın bana anlattıkları doğru değil mi?" diye soran Ebru'nun içine bir kurt düştü. 'Ya Ceyda Hanım'ın anlattıkları doğruysa,' diye aklından geçirdi. Bunu düşünmesi bile tüylerinin diken diken olmasına yetmişti.

"Evet hepsi yalan. Üstelik Ankara'ya beni görmeye geldiğinden ve hafta sonunu birlikte geçirdiğimizden nedense hiç söz etmemiş Bora Bey."

"Nee... Ne diyorsun sen!.. Ankara'ya geldi de hafta sonunu birlikte mi geçirdiniz?"

"Maalesef güzelim. Yatak odamı beğenip beğenmediğini Bora'ya bir sor bakalım; ne cevap verecek."

"Kesinlikle inanmıyorum bu söylediklerinize. Hepsi düzmece."

"Sinirlenme şekerim. Bora'nın yaptıkları pisliklerden yanan canının acısını benden çıkarma."

"Eğer doğru söylüyorsanız, bunu bana ispat edin."

"Hay hay... Bora'yla birlikte Gülhane'de hasta olarak yatan Kaan Bey'i ziyaret ettik o gün. İsterseniz o beyi arayıp, sorun."

"Yalan söylüyorsun yalan..."

"Kusura bakma, seninle daha fazla konuşmak için zamanım yok," deyip telefonu Ebru'nun suratına kapattı Ceyda.

Telefon kapanınca bir süre anlamsız olarak telefona bakan Ebru, hatları iyice gerilmiş olan yüzünü annesine doğru yavaşça çevirdi ve mırıldandı:

"Bana bunu da mı yapacaktın Bora?"

"Kızım ne oldu, o bayan neler söyledi sana da sen..."

Annesi sözünü tamamlayamadan gözleri kararan Ebru, kendinden geçip, divanın üstüne yığıldı kaldı.

Ebru'nun bayılması üzerine sinirleri iyice gerilmiş olan Nesrin Hanım, hıçkırarak ağlamaya başladı. Bir taraftan da koşarak mutfağa gitti, buzdolabından bir sürahi soğuk su alıp, hızla geriye döndü ve suyun bir kısmını Ebru'nun suratına serpti. Geri kalan kısmınıysa başından aşağıya döktü. Yaptıklarını bilinçli olarak yapmıyordu. Ama soğuk suyun etkisiyle Ebru, odadaki tüm havayı ciğerlerine çekmek ister gibi derin bir nefes aldı. Gözlerini açtı. Başucunda annesinin ağladığını görünce çok üzüldü, kalktı ona sarıldı. Yanaklarından öptü. Onun kulağına fısıldadı:

"Annem benim, problemlerimle seni de üzüyorum. Bağışla beni..."

"O ne biçim söz öyle bebeğim. Ben sana yardım edemediğim için üzülüyorum."

Nesrin Hanım sözlerini bitirdiğinde; Ebru, annesinin yüzüne bakarak dalıp gitmişti. Bir süre sonra kendisini toparladı ve yüzünde sevgi dolu bir gülümsemeyle annesinin ellerini tutarak,

"Anne biliyor musun, senin bana bebeğim demen beni hep mutlu etti. Çocukluğumda annem bana bebeğim dese diye dört gözle beklerdim. Çünkü sen bana bebeğim dediğin zaman tüm dertlerimi unutur, hayata daha iyimser bir gözle bakardım. O günlerden bugüne duygularım hiç değişmedi," dedi.

"Ebru'cuğum, bunu bana hiç söylemedin. Bilseydim daha sık söylerdim."

"Her söylemek isteyişimde sır bozulur diye korktum ve söyleyemedim."

"Eee... Şimdi ne oldu?"

"Biraz önce Ceyda Hanım'la telefonda görüşürken yüreğim çok acıdı. Ne yapacağımı bilemez oldum. Sonra acı gittikçe fazlalaştı. O denli fazlalaştı ki, telefonu suratıma kapattığında acıdan midem bulanıyor, gözlerim kararıyordu. Öleceğim sandım. Gözlerimi açtığımda da seni ağlarken gördüm. O zaman Bora'ya öyle kızdım ki; içimden, 'neden bu çocuk, hem beni hem de annemi üzüyor, bu iş bitti artık,' dedim. Ama sen bana bebeğim deyince; bana bebeğim dediğin anlar, bir bir gözümün önünden geçti ve aklım başıma geldi."

"Nasıl?"

"Anneciğim Bora böyle bir ilişkiye girmiş de olabilir, girmemiş de olabilir."

"Tabi ya kızım. Çok şükür, bunu düşünebilecek kadar duygusallıktan kendini sıyırabilmişsin."

"Evet anne. Eğer böyle bir şey yaptıysa; durum biraz öyle gibi, kim ne derse desin her şeyi bitiririm. Eğer yapmadıysa ondan özür diler, kendimi affettirmeye çalışırım."

"İyi de kızım, her şeyi bitirme noktasına gelirsen, Bora'ya karşı duyduğun sevgi yani büyük aşkın ne olacak?"

"Daha önce yaptığım gibi aşkımı yüreğime gömerim ve bir daha değil evlenmek, evlenme sözünü ağzıma bile almam."

"Olur mu öyle şey, o yürek ne olur sonra?"

"Ne olursa olsun... Kararım bu. Şu anda öyle mi olacak böyle mi olacak belirsizliğinin getirdiği yük üzerimden kalkmış durumda. Bu da beni rahatlattı."

"Sen bilirsin yavrum... Peki ne yapacaksın şimdi?"

"Bora'ya telefon edeceğim ve Ceyda'nın anlattıklarının doğru olup olmadığını soracağım."

"Kızım! Bu bayan sana neler anlattı ki, kendini kaybedip bayıldın?"

Ebru Ceyda'yla telefonda konuştuklarını olduğu gibi anlattı. Nesrin Hanım'ın hayretten gözleri fal taşı gibi açıldı. İşittiklerine inanamadı. Senelerin tecrübesiyle,

"Kızım bu işte bir bit yeniği var gibi geliyor bana. Bora'nın, bu denli kimseyi umursamaz bir davranışta bulunması çok garip."

"Doğru çok garip ama olabilir de. Ona sorup doğruyu öğreneceğim."

"Kızım, nasıl olacak bu sorgulama? Telefonda konuşurken, çocuğa bir kelime bile söyletmiyorsun. Sadece bağırıp çağırıyorsun. Yine de çocuk, seni incitmemek için sana karşı kötü bir tek kelime bile sarf etmiyor."

"Bu kez öyle olmayacak. Ona olayları olduğu gibi anlatma fırsatı vereceğim."

"Bak ne söyleyeceğim Ebru, neden önce Kaan'ı arayıp sormuyorsun? Bora hastaneye ziyaret için geldiğinde Ceyda onunla birlikte miydi, değil miydi diye."

"Haklısın anne. Önce Kaan abiyle görüşsem daha iyi olacak. Sanırım doğrusu da bu."

Gülhane Askeri Tıp Akademisi'nde yatan Kaan'ın oda numarasını bilmeyen Ebru, ona telefonla ulaşabilmek için yarım saate yakın uğraştı. Sonunda onun yattığı odaya ulaşabildi. Ama telefonu açan kişi Kaan'ın biraz önce ayrıldığını söyledi. Ebru ne diyeceğini şaşırdı.

"Onunla konuşmam çok önemli. Acaba bir yolu yok mu ona ulaşmanın?" diye sordu.

"Koridora çıkıp bir bakayım; ama bir işe yarayacağını sanmıyorum, ayrılalı on beş dakika..." sözünü tamamlayamadı; çünkü o anda Kaan odaya girdi. "Aaa!.. Hanımefendi Kaan Üsteğmen geri geldi; çok şanslısınız. Bekleyin, telefonu ona vereyim."

"Alo, buyurun hanımefendi, Ben Kaan."

"Kaan abi ben Ebru."

"Ebru'cuğum merhaba! Nasılsın?"

"Pek iyi değilim..."

"Hayırdır, bir sıkıntın mı var?"

"Evet var! Ama önce sana geçmiş olsun demek istiyorum. Hastaneden çıkış yaptığına göre haberlerin iyi olduğunu sanıyorum."

"Evet, haberler iyi. Hastalık başlangıç safhasının ilk aşamasında teşhis edilip, hemen tedaviye başlandığı için tedavide önemli gelişmeler kaydedildi. Bu nedenle doktorlar, hastanede kalmamı gerekli görmediler. İlaç ve şua tedavisine İzmir'de devam edeceğim. "

"Bu habere çok sevindim. Gelmiş geçmiş olsun."

"Teşekkür ederim... Şimdi söyle bakalım benimle konuşacağın konu nedir?"

"Kaan abi," diye söze başlayan Ebru, Bora'yla ilgili hususa nasıl gireceğini bilemedi ve lafı gevelemeye başladı: "Yattığın odanın telefon numarasını bulabilmem epey zaman aldı. Tam numarayı bulup çevirdim; telefonu açan kişi, sizin hastaneden çıkış yaptığınızı söyledi. Bunu duyunca, ne yapacağımı şaşırdım; çünkü sizinle mutlaka konuşmam gerekliydi."

"Hastaneden çıkış yapalı on beş dakika olmuştu; yolda giderken cüzdanımı odada unuttuğumu fark ettim onu almak için geri geldim," dedi Kaan. "Sesinden üzüntülü olduğunu anlıyorum. İstersen konuyu dağıtmayalım. Söyle bakalım seni bu denli üzen şey nedir?"

"Kaan abi, nasıl söyleyeceğimi bilemiyorum," dedi. Sonra tüm cesaretini toplayarak sözüne devam etti: "Bora'yla ilgili bir problem var."

Kaan hemen sorunun ne olduğunu anladı. İçinden, 'Demek ki birisi Ceyda ile Kaan'ı Ankara'da birlikte gördü ve Ebru'ya bunu yetiştirdi,' diye düşündü. Kaan Ebru'nun Bora'yı ne denli sevdiğini ve onun başarısı için nasıl yüreğine taş basıp aşkını unutmaya çalıştığını iyi biliyordu. 'Eğer konu sandığım gibiyse kızcağız perişan bir vaziyettedir,' diye içinden geçirdi ve ses tonunu karşısındakini rahatlatacak şekilde ayarlayıp konuştu:

"Benim güzel kardeşim, kendini sıkma, senin ne kadar güçlü bir kişi olduğunu biliyorum. Anlat bakalım mesele nedir..."

"Kaan abi bu hafta sonu Bora hastaneye seni ziyarete geldi mi?"

"Evet geldi. Bora kara gün dostu bir insandır. Ta Konya'dan kalkıp buraya beni görmeye gelmiş."

"Yanında birisi var mıydı?"

Kaan ne söyleyeceğini şaşırdı. 'Nereden biliyor acaba Ceyda'nın da Bora'yla birlikte olduğunu?' diye düşündü. 'Nasıl söylerim şimdi ben bunu. En iyisi Ceyda'dan söz etmeden bir arkadaşı diyeyim.'

"Evet vardı. Konya'da tanıştığı bir arkadaşı. Hastaneye gelirken Kızılay'da karşılaşmışlar ve onun arabasıyla gelmişler Gülhane'ye."

"Yanındaki kişi bayan mıydı?"

"Tam hatırlamıyorum ama sanırım bayandı."

"Bu bayanın ismi Ceyda mıydı?"

Kaan terlemeye başlamıştı. 'Kesin olarak Ceyda'nın da Bora'yla birlikte geldiğini biliyor' diye düşündü. "Ah Bora sana söyledim bu bayanla neden geldin diye. Haydi bakalım şimdi ayıkla pirincin taşını."

"Evet!"

"Teşekkür ederim Kaan abi... Seni de işinden alıkoydum. Bağışla beni," deyip, Ebru telefonu kapattı.

Ebru telefonu küt diye kapatınca; Kaan dondu kalakaldı. "Sanırım çok kötü olaylar olacak," diye aklından geçirdi. Ne yapması gerektiğini düşündü. Aklına Bora'yı arayıp, durumu anlatmak geldi ve zaman geçirmeden Bora'yı arayarak her şeyi anlattı.

Kaan'ın anlattıklarını işittikçe tüyleri diken diken olan Bora, 'Keşke Nesrin Hanım'la konuşurken, Ankara'da başıma gelenlerden de söz etseydim,' diye düşündü. Sonra Kaan'a sordu:

"Kaan abi, benim sana, Ceyda'yla ilgili anlattıklarımı söyledin mi Ebru'ya?"

"Üzgünüm; ama söylememe fırsat vermeden telefonu kapattı."

"Tamam abi, bu denli sıkışık bir durumunda beni arayıp, olanları aktardığın için çok teşekkür ederim."

"Ya! Bora olanlara çok üzüldüm. Seni kardeşim gibi severim biliyorsun. Eğer yapabileceğim bir şey olursa 'alo' dediğin anda nereye istersen gelir Ebru'yla konuşurum."

"Sağ ol abi. Biliyorum..."

Ebru, Kaan'la konuştuktan sonra kahroldu, yüreği burkuldu, içi acıdı. Ancak bu acıyı içinde tuttu. Yüz hatlarında en ufak bir değişiklik olmadı. Annesi merakla ona bakıyordu, bir şey söylesin diye. Ebru annesine döndü ve kesin kararını vermiş kişilerin tavrıyla konuştu:

"Anneciğim, ne yazık ki Bora'yla birlikteliğimiz buraya kadarmış."

"Kızım sen ne söylediğinin farkında mısın?"

"Evet anne farkındayım," dedi Ebru. "Bora hafta sonu Ankara'ya gitmiş ve Ceyda Hanım'la birlikte Kaan abiyi ziyaret etmişler."

"Aaa!.. İnanmıyorum."

"Üzgünüm ama Ceyda'nın anlattıkları doğruymuş demek."

Ebru'nun anlattıklarına duyunca, önce çok üzülen Nesrin Hanım, sonra bunun olamayacağını düşündü. 'Tanıdığım kadarıyla Bora, Ankara'da yaşayan bir bayanla ilişki kurduysa bu bayanı yanına alıp da Kaan'ın yanına gitmez.' Bu düşüncesinin kesinlikle doğru olduğuna aklı yattı ve kızının elini tutarak,

"Bak kızım benim burnuma pis kokular geliyor," dedi. "Ceyda denilen bu bayanın bir dolap çevirdiğini sanıyorum. Tanıdığım kadarıyla Bora, aptal bir insan değil; seni çok iyi tanıyan ve aranızdaki sevginin ne denli güçlü olduğunu bilen Kaan'ın yanına, ilişki kurduğu bir bayanı alıp da neden gitsin ki? Böyle bir davranışın, senin tarafından duyulacağını düşünmez mi?"

"Anne sen ne düşünürsen düşün, her şey açık. Yoruma gerek yok."

"Yavrucuğum! Biraz evvel de söylediğim gibi bunun içinde başka bir iş var."

"Neyse anne ben odama çıkıyorum. Bir süre beni kimse rahatsız etmesin. Yalnız kalıp dinleneceğim."

Ebru odasına çıkınca Nesrin Hanım neyin doğru neyin yanlış olduğunu öğrenebilmek için Bora'yı telefonla aradı.

Bora telefonda Nesrin Hanım'ın sesini duyunca, 'Tamam, şimdi Ebru'yla aramızdaki sözü sona erdirdiklerini söyleyecek. Ama ben çok zorlu bir uğraş verip, Ebru ile söz kesilmesini sağladım. Şimdi suçsuz olduğum halde bir çırpıda bu sözün bozulmasına asla izin vermeyeceğim,' diye düşündü.

"Nesrin Teyze merhaba, nasılsın?"

"Nasıl olayım çocuğum. Bir sıkıntının içindeyiz ki, nasıl sonlanacak bilemiyorum."

"Teyzeciğim canınızı sıkmayın, göreceksiniz her şey düzelecek. Önce size şunu söyleyeyim, ben size söylenen şeylerin hiçbirisini yapmadım. Bir komplo karşısındayız."

"İyi de oğlum, daha önceki konuşmamızda, geçtiğimiz hafta sonu Ankara'da olanlardan neden söz etmedin?"

"Benim düşüncesizliğim. Konuşurken hep Konya'dan söz edildiği için aklıma Ankara'da yaşadığım tatsız olaydan söz etmek gelmedi."

"Nasıl tatsız olay? Sen hafta sonunu, Ankara'da, Ceyda Hanım'la birlikte geçirmedin mi?"

"Olur mu öyle şey. Ben o kadar şerefsiz bir insan mıyım? Ankara'ya Pazar günü sabah gittim, akşam üzeri Konya'ya geri döndüm. Hem ben Ankara'ya sadece Kaan abiyi ziyarete gittim."

"Ama Bora! Ebru Ceyda Hanım'la iki kez görüştü; o bayan..." diye başlayıp, Ceyda'nın Ebru'ya söylediklerini eksiksiz anlattı.

Nesrin Hanım sözünü bitirdiğinde; Bora hayretler içindeydi. 'Pes vallahi, bir komplo olduğunu anlamıştım. Ama bu derece haince planlanmış olabileceği hiç aklıma gelmemişti,' diye düşündü.

"Nesrin Teyze, anlayamadığım bir şey var, neden Ebru durup dururken Ceyda'yı telefonla aramış?"

"Durup dururken aramadı oğlum. Aslında senin kafanda böyle bir sorunun olması normal. Çünkü söylentileri ilk duyduğumuz andaki psikolojik durumumuz, bazı şeyleri anlatmayı bize unutturdu. Şimdi olayları başlangıcından itibaren sana tekrar anlatayım," diyen Nesri Hanım, Ahmet'in kendisine telefon edişinden başlayarak yaşananları anlattı.

"Hayret!.. Film gibi bunlar. Bu Ahmet ne kadar kötü bir insanmış. Anladığım kadarıyla Ceyda'yla birlikte planlamışlar her şeyi."

"Sanırım haklısın Bora."

"Nesrin Teyze şimdi ben de sana, bana çamur attıkları olayların, gerçekte ne şekilde yaşandığını anlatacağım," diyerek, Konya'dakileri bir kez daha anlattıktan sonra Ankara'da yaşadıklarını da anlattı. Sonra da, "Vay be beni Ankara'da nasıl tuzağa düşürmüşler," diye hayıflandı.

Nesrin Hanım duyduklarından çok mutlu oldu. Çünkü kızı her ne kadar Bora ile aralarındaki tüm bağları koparmak istiyorsa da, onun içinin nasıl kan ağladığını çok iyi biliyordu. Bora'dan duyduklarıysa Bora'nın suçsuz olduğunu açıkça ortaya koyuyordu.

"Bora çocuğum, ben şimdi Ebru'ya her şeyi anlatacağım, sanırım o da senin masum olduğunu anlayacak."

"Sizden bir şey rica ediyorum, Ebru'yu beni bir kez sözümü kesmeden dinlemesi için ikna eder misiniz?"

"Ederim oğlum, hiç şüphen olmasın."

Nesrin Hanım, Bora ile konuştuklarını Ebru'ya anlattı. Ancak Ebru'nun tepkisi hiç de umduğu gibi olmadı. Çünkü o, annesinin anlattıklarına inanmamıştı. Ortada yalan söyleyen birisinin olduğuna inanmıştı ama yalan söyleyen kişi, "Ahmet de olabilir, Ceyda da olabilir, Bora da olabilir," diye düşünüyordu. 'Bora onların yalan söylediğini ispatlayana dek onun suçsuzluğuna inanmam,' diye de bir saplantı içindeydi.

"Anne, Bora'nın anlattıkları doğru olabilir. Ama Ahmet abinin ve Ceyda Hanım'ın söyledikleri de doğru olabilir."

"Kızım sen Bora'ya inanmıyor musun?"

"Tam olarak inanıyorum diyemem. Ne zaman Ahmet abinin ve Ceyda Hanım'ın anlattıklarının yalan olduğunu ispatlar, o zaman inanırım."

"Yavrum, sana yanlış düşünüyorsun demiyorum. Ancak Bora sana telefon edip bir şeyler anlatmak istediğin de onu hiç konuşturmuyorsun; üstelik çocuğa bağırıp çağırıp telefonu suratına kapatıyorsun. Yaşadıklarının doğru taraflarını sana anlatamazsa nasıl olacak da olayların gerçek yüzünü sana gösterebilecek?"

"Anneciğim, Bora ile ilgili suçlamaları duyduğumda o denli üzülmüştüm ki tamamen mantık dışı davranışlarda bulundum. Hele Ceyda Hanım, hafta sonunu Ankara'da birlikte geçirdiklerini söyleyip; arkasından da beni küçük düşürücü kelimeler sarf edince kendimi kaybettim. Ne yaptığımı hatırlamıyorum bile."

"Yani Bora'ya kendisini savunma fırsatı verecek misin?"

"Tabi ki vereceğim anne. Ben tüm yüreğimle Bora'nın doğruyu söylemiş olmasını diliyorum. Çünkü onu senin düşünebildiğinin çok ötesinde bir aşkla seviyorum. Ancak böyle bir şey yapmışsa bunu da affetmem."

"Kızım, ben Bora'nın söylediklerinin hepsine en ufak bir şüphe duymadan inanıyorum. Yalnız şunu da söyleyeyim ki, sen sen ol büyük konuşma."

"Büyük konuşmuyorum ama kararımı da verdim."

"Ne yapmamızı öneriyorsun?"

"Güzel annem sen kendini daha fazla üzme. Bora'yı ben arayacağım ve onunla mantıklı olarak konuşacağım."

Ebru, karar verdikten sonra biraz rahatlamıştı; soğukkanlılıkla Bora'yı aradı. Bora Nesrin Hanım'ın telefon etmesini beklerken Ebru'nun sesini duyunca birden çok heyecanlandı. 'Sanırım yine bana hakaret edip; bir daha annemi arayarak bizi rahatsız etme, seninle olan ilişkim sona erdi diyerek, telefonu yüzüme kapatacak,' diye düşündü.

Ama Ebru'nun sinirli olmadığını anlayınca rahatladı, gerginliği biraz olsun ortadan kalktı. Ancak Ebru'nun, sakin olmasına karşın soğuk davranması Bora'yı endişelendirdi. Ama, 'anneme Ceyda ile aranda geçen olayları, kendine göre anlatmışsın; eğer bunların doğruluğunu ispat edebilirsen ne âlâ, edemezsen aramızdaki her şey biter,' demesi, onu ürküttü. Çünkü Ebru'nun artık kendisine inanmadığını anlamıştı. Çekinerek, konuşmaya başladı:

"İstersen Ankara'da yaşananlarla ilgili olarak Kaan abiye sorabilirsin."

"Kaan abiyle konuştuğumu söylemiştim."

"Evet söylemiştin; ama Ceyda, Kaan abinin hastanede yattığı odadan gittikten sonra benim Kaan abiye Ceyda hakkında neler anlattığımı dinlemeden telefonu kapatmışsın."

"Sen bunları nereden biliyorsun?"

"Annen, Kaan abiyle konuştuklarınızı anlatırken ondan öğrendim."

"Öyle de olsa, Kaan abiyle niye konuşayım ki, ben ondan öğrenmek istediğimi öğrendim."

"İyi de Kaan abiden o gün orada, benim Ceyda hakkında neler söylediklerimi öğrenirsen. Ceyda ile Ahmet'in bize nasıl bir komplo kurduklarını anlarsın."

"Kaan abinin doğruyu söyleyeceğini nerede bileyim?"

"Kaan abinin söylediklerine ya da söyleyeceklerine güvenin olmadığını mı dile getiriyorsun?"

"Evet..."

"Ama o çok dürüst ve sözüne güvenilir bir insandır."

"Kimin ne zaman doğruyu saptıracağı hiç belli olmaz. Hem sen hastaneden sonra Ceyda Hanım'ın ofisine gitmişsin. Hatta yatak odasına bile girmişsin."

"Ebru'cuğum, o odanın ne odası olduğunu bilmeden girdiğimi ve o odada olanları en küçük ayrıntısına dek annene anlatmıştım."

"Bora, bana bunları kanıtla."

"Tamam kanıtlayacağım. Ama şunu iyi bil ki, ben yanlış bir şey yapmadım. Yaptığım tek şey aşkımızı yüceltmek oldu."

"Bu sözü nasıl söyleyebiliyorsun? Sen değil aşkımızı yüceltmek, onu ayakta tutmak için ne yaptın?"

"Ebru!.. Haksızlık etme. Nasıl böyle konuşabiliyorsun?"

"Niçin konuşmayayım? Ben İzmir'de aşkımız için savaşırken, sen ne yaptın? Bana Kaan abiyi gönderip, beni İstanbul'a gitmeye zorladın."

"Hayatım o günler çok geride kaldı."

"O günler geride kaldı da ne oldu? Ortaya Ceyda diye bir bayan çıktı. Neler anlattı neler. Ateş olmayan yerden duman çıkmaz diye atalarımız boşuna söylememişler."

"Öyle olsun Ebru, sana anlatılanların düzmece olduğunu ispat edince, bakalım bu sözlerin altından nasıl kalkacaksın."

O gece Bora'nın gözüne uyku girmedi. Ebru'nun söylediği, "Aşkımızı ayakta tutmak için ne yaptın?" sözü hep kulaklarında yankılandı. Sabaha doğru, kırılmışlık ve incinmişlik duygularından biraz olsun sıyrılabildi ve 'Öncelikle bana kurulan komplonun nedenlerini ve kimlerin bu işi yaptığını, Ebru'ya kanıtlamalıyım. Sonra da diğer hususları ele alırım,' diye düşündü.

Suçlamaların komplo olduğunu ispat edebilmek için, "Kaan abiyi alıp İstanbul'a gitsem ve Ebru'yla görüşsek," diye aklından geçirdi. 'Ama Kaan abi, ağzıyla kuş tutsa Ebru'yu ikna edemez; çünkü ona inanmıyor.' Sonra aklına Hakan geldi. 'Ancak olanların komplo olduğuna önce Hakan'ı inandırmam gerekir. Çünkü ona da Ceyda'dan hiç söz etmedim,' diye düşündü. Aklına başka da bir yol gelmedi ve ertesi gün ilk iş olarak Hakan'la konuşmaya karar verdi.

Ertesi sabah filoya geldiğinde, yüzünde büyük bir yorgunluğun izi vardı. Omuzları çökmüş, o sırım gibi vücut gitmiş yerine kamburu çıkmış bir vücut gelmişti..

Uçuş programını inceledi, kendisine uçuş yoktu o gün. Ancak uçuş olmasa da sabahları yapılan toplu brifinge girmesi gerekiyordu. 'Brifinge girersem, Hakan'la görüşme fırsatı bulamam,' diye düşündü ve brifinge girmeden Hakan'ların filosuna gitti. Hakan tam brifinge girmek üzereydi. Ona çok önemli bir konuyu konuşmak için geldiğini söyledi. Hakan gülümseyerek bakıp,

"Ne o senin de benim gibi acilen evlenmen mi gerekiyor?" diye esprili bir tarzda sordu.

Hakan'ın üstü kapalı, 'kız kardeşime bir şey mi yaptın,' gibi konuşması, canını sıktı. Yüzünün rengi bir parça daha koyulaştı.

"Hakan şakanın sırası değil. Konuşmak istediğim hayati bir konu," diye, kızgın bir ses tonuyla Hakan'a sitem etti.

"Tamam, hemen kızma, sadece şaka yaptım," dedi Hakan. "Brifinge girmem gerekli, sen biraz burada bekle."

"Tamam…"

Yarım saat sonra Hakan gazinoya geri geldi. Yüzünde meraklı bir görüntü vardı.

"Bora'cığım, ne anlatacağını merak ettim," dedi. "İnan bana, brifingde hep seni düşündüm. Çünkü çok önemli bir durum olmasa bu saatte buraya gelmezdin."

"Haklısın biraz önce de söylediğim gibi hayati bir konu."

"Eee, seni dinliyorum."

"Burada konuşmayalım, daha sakin bir yere gidelim."

Hakan, Bora'yı filodaki boş odalardan birisine götürdü. Odaya giderken, 'Son zamanlarda Bora'yı hiç böyle sinirli ve çökmüş görmemiştim. Acaba Sezen'e ya da Hülya Teyze'ye bir şey mi oldu?' diye aklından geçirdi.

Kısa bir sessizlikten sonra Hakan 'ne anlatacaksan anlat' der gibi Bora'ya baktı. Bora, biraz zorlansa da tüm olanları başlangıcından sonuna kadar Hakan'a anlattı. Anlatılanları dinlerken Hakan'ın suratı renkten renge girdi. Bora, yalvaran bir ifadeyle Hakan'a bakarak,

"Hakan'cığım bana yardım et de Ebru'yu ikna edelim," dedi.

Hakan'ın önce yüzü ciddileşti. Sonra yüz hatları gerildi. Kızgın ve gayet resmi bir ses tonuyla konuşmaya başladı:

"Ceyda'dan bana hiç söz etmemiştin. İsmini ilk kez duyuyorum."

"Bahsetmeye değer birisi olarak görmediğim için sana bir şey söylemedim."

"Bak Bora!.. Senin ne kadar zampara birisi olduğunu iyi bilirim. Herkes sana 'Kazanova' derdi; ama bayanlarla olan ilişkinin yarısından çoğunu bilmezlerdi."

"Ama onların hepsi Ebru ile söz kesildikten sonra geride kaldı."

"Onlar geride kaldı ancak yenilerinin olmadığını kim garanti eder?"

"Bana inanmıyor musun?"

"İnanıyorum desem doğru olmaz. Bir kere bayanlara karşı zaafın var. Kardeşimle söz kesildikten sonra böyle bir ilişkiye girdiysen tabii ki bunu bana anlatmamışsındır."

"Hakan nasıl böyle konuşabiliyorsun?"

"Neden konuşmayayım ki bu ikinci kez oluyor kardeşimi üzdüğün. Zavallıcık şimdi ne haldedir..."

"Sana gelip yardım istemekle hata etmişim."

"Evet hata ettin. Üstelik gönül oyunlarına beni de alet etmek istiyorsun."

Bora Hakan'ın kılıç gibi keskin sözlerine daha fazla dayanamayarak, hızla odadan çıktı ve kendi filosuna doğru yürümeye başladı. Bir taraftan da kendi kendine mırıldanıyordu: "Can arkadaşım dediğim kişiye bak; bana yardım etmeyi istemese bile insan bir parça teselli eder."

İkinci darbeyi de Hakan'dan yemenin üzüntüsü içinde yürürken, gözü meydanın güneyindeki çimento fabrikasının bacasına takıldı. Bacadan çıkan duman bacayı terk eder etmez, doksan derecelik bir açı yaparak çıktığı yerden hızla uzaklaşıyordu.

Bunun anlamı, orada çok şiddetli bir rüzgarın olduğuydu. "Hayret burada rüzgar sakin, oradaysa şiddetli. Ne kadar garip. Cengiz abilerin evlerinin orası felakettir şimdi," diye aklından geçirdi.

O anda kafasında bir şimşek çaktı. Heyecandan kalbi hızla atmaya başladı. 'Tabi ya!.. Cengiz abiler, onlar her şeyin doğrusunu biliyorlar. Ebru'yu onlarla konuşturayım,' diye düşündü. "Ama Candan Ceyda'nın ablası. Konuşmayı kabul eder mi bilmiyorum. Yoksa onlar da Hakan gibi beni terslerler mi acaba? Ne olursa olsun Ebru'yu onlarla konuşturmalıyım; çünkü başka şansım yok," diye mırıldandı.

Filoya geldiğinde uçuş öğretmeninin kapıda olduğunu gördü. Yüzbaşı Ali Bora'yı görünce, onun yanına geldi.

"Bora neredesin?" diye sordu. "Brifingde seni göremedim, merak ettim."

"Sormayın yüzbaşım," deyip, olanları ona anlattı.

Yüzbaşı dinledikçe hayretler içinde kaldı. "Hayret ne kadar kıskanç bir bayanmış bu Ebru," diye içinden geçirdi. "Ya o Hakan'a ne demeli, olacak şey mi yaptığı! Böyle arkadaşlık olmaz olsun," diye düşündü. Sonra eliyle Bora'nın omzuna dostça vurarak,

"Üzülme Bora! Ben her zaman senin yanındayım. İstersen Cengiz Beylere birlikte gidelim," diyerek, onu desteklemeye çalıştı.

"Yüzbaşım siz zahmet etmeyin, ben gidip konuşurum. Yalnız, biraz izine ihtiyacım olacak. Çünkü Cengiz abilerle görüştükten sonra, eğer onlar olumlu bir yaklaşım gösterirlerse, İstanbul'a gidip, Ebru ile yüz yüze konuşmayı düşünüyorum."

"Doğru düşünüyorsun. Sen bugün izinlisin. Şimdi git, Cengiz Bey'le konuş. Görüşmeniz olumlu geçerse; ben Filo Komutanı ile görüşür sana iki gün daha izin alırım."

Kapıyı açan Candan, karşısında Bora'yı görünce biraz şaşırdı. "Sanırım, Ceyda'dan kaynaklanan bir problem var yine," diye aklından geçirdi. Ona sevecenlikle bakarak,

"Bora'cığım hoş geldin," dedi.

"Teşekkür ederim Candan abla. Cengiz abi evde mi?"

"Hayır evde değil, iş yerinde. İçeri gelsene. Pek iyi görünmüyorsun rahatsız mısın, hem senin bu saatte görevde olman gerekmiyor mu?"

"Haklısın Candan abla. Bugün için izin aldım. Başımda bir problem var. Bu problemin çözümü sana ve Cengiz abiye bağlı."

"Umarım büyük bir problem değildir."

"Maalesef çok büyük bir problem. Nasıl çözeceğim bilemiyorum. Bunu düşünmekten dün gece hiç uyuyamadım."

"Çok üzüldüm. Yoksa başındaki sıkıntı Ceyda ile ilgili mi?"

"Evet onunla ilgili ama başkaları da var işin içinde. Cengiz abiye telefon etsek, eve gelir mi acaba? İkinizle birlikte konuyu görüşmem gerekli."

"Tabi şimdi telefon eder söylerim. Toplantı gibi önemli bir işi yoksa mutlaka gelir."

Candan hemen Cengiz'e telefon ederek, durumu anlattı. Cengiz önemli bir işi olduğunu; ancak o işi yardımcısına bırakıp on dakika sonra evde olacağını söyledi.

Cengiz'in eve gelişini beklerken Candan, Pazar günü Bora evden ayrıldıktan sonra olanları anlattı. Bora duyduklarına inanamadı. İstem dışı mırıldanmaya başladı:

"Ne denli kötü bir insanmış bu Ceyda, şeytana bile pabucunu ters giydirir bu kadın. Bir şerefsiz kişi de Ahmet. Birlik olup benim başıma ne çoraplar ördüler."

Candan'la Bora göz göze geldiler. Mırıldandığının farkına varan Bora, sarf ettiği kelimelerden utandı. Candan'a 'böyle düşündüğüm için beni affet' der gibi baktı. Onun bu durumunu gören Candan,

"Bora'cığım Ceyda benim kardeşim ama söylediklerinden çok daha kötü sözleri hak ediyor. Sarf ettiğin kelimeler için üzülme."

"Candan abla ne kadar iyi bir insansın. İki kardeşin bu denli farklı karakterde olması hayret verici bir şey."

"Buna çok üzülüyorum ama bu gerçek."

O sırada Cengiz eve geldi. Bora'nın bitkin halini görünce çok üzüldü. Onun moralini bir parça düzeltebilmek için gülümseyerek yanına gelip, ona sarıldı ve yanaklarından öptü.

"Aslanım benim, ne iyi ettin de geldin. Seni görünce hep keyfim yerine geliyor," dedi.

209

"Sağol Cengiz abi."

"Eee! Candan'cığım nedir mesele?"

"Ne olacak sevgili kardeşim Ceyda'nın marifetleri."

"Yine mi o! Bu kez ne haltlar karıştırdı?"

"Ne haltlar karıştırdığını Bora anlatsın öğrenelim."

Cengiz Bora'ya döndü. Onun da üzüldüğü yüzünden belli oluyordu. Anlat bakalım Bora der gibi baktı.

Bora Ceyda ile tanıştıkları andan itibaren olanların hepsini kendi yorumlarını da katarak anlattı. Cengiz'le Candan çok sinirlendiler. Candan Bora'ya baktı. Gözlerinde oluşan iki damla gözyaşı yanaklarından aşağı süzülürken, ona sarıldı ve kulağına fısıldadı:

"Güzel kardeşim benim, ne denli acı çektiğini biliyorum. Ceyda kardeşim ancak böyle kardeş olmaz olsun."

Bu kelimeleri fısıldarken Candan Cengiz'e bakmıştı. Cengiz de ona bakarak, üzgün bir şekilde konuştu:

"Candan, güzelim benim! Sen de kendini fazla üzme. Elbirliğiyle Bora'nın başındaki bu kara bulutları dağıtacağız. Bundan ikiniz de emin olun."

Cengiz bu sözleriyle, Bora'ya yardım etmek için her şeyi yapabileceğini açıkça anlatmıştı.

Candan'ın ve Cengiz'in olaya böyle yaklaşması Bora'yı çok etkilemiş ve yanaklarından aşağı gözyaşları inmeye başlamıştı. Bora gözyaşlarını durdurmaya çalıştı; ama onlara söz geçiremedi. Duyguları o denli yoğunlaştı ki, Cengiz'in olumlu sözleri karşısında ağzını açıp bir kelime bile söyleyemeden öylece kalakalmıştı.

Bir süre sonra kendisini toparlayan Bora, elleriyle yüzündeki son gözyaşı damlalarını da silerek, yüzünü onlara çevirdi ve boğuk bir sesle,

"Bana oynanan oyunu en ince ayrıntısına dek öğrendiniz. Artık hazırladıkları komplo hedefine ulaşmak üzere. Çünkü Ebru ile aramızdaki bağ kopma noktasına geldi. Bu noktaya gelen ilişkimizi, tekrar eski haline getirebilmek için Ebru'ya, Ceyda ve Ahmet'in anlattıklarının doğru olmadığını ve ikisinin birlikte bu komployu hazırladıklarını ispat etmem gerekli. Bunun için de sizin yardımınıza ihtiyacım var. Buraya bana yardım edip etmeyeceğinizi öğrenmeye geldim," dedi.

Bora'nın sözü biter bitmez Cengiz hemen bir şey söylemek için hamle yaptı. Fakat tam ağzını açmışken vazgeçti ve eliyle Candan'ı göstererek,

"Candan ne derse ben de öyle düşünüyorum."

Cengiz'in böyle davranması Bora'yı endişelendirdi. "Sanırım bunlar da yardım etmeyecekler. Ne kadar kızıp söylenseler, Ceyda Candan'ın kız kardeşi, bense sonradan tanıdıkları bir kişiyim," diye düşündü. Ancak Candan Cengiz'e bakıp,

"Cengiz, sözü bana bıraktığın için teşekkür ederim," dedi. "Ceyda tüm kötü davranışlarına karşın benim kardeşim. Kardeşler birbirlerini koruyup kollarlar. Ancak ben bunun aksini yapacağım. Bora'ya her türlü yardımı yapmaya hazırım."

"Canım Candan'ım, güzel eşim benim. Ben senin bu yanıtı vereceğinden adım gibi emindim. Azıcık bir kuşkum olsaydı, senden önce ben olumlu cevabı verirdim," diyen Cengiz, Bora'ya bakarak, "ne zaman ve nerede istersen yaşadığımız olayları anlatmaya hazırız."

Bora'nın duyguları bir kez daha yoğunlaştı; gözleri kıpkırmızı olup nemlendi. İkisine birden sarılarak, titreyen sesiyle,

"Sağolun beni büyük bir sıkıntıdan kurtardınız. Ömrüm boyunca bu yaptığınızı unutmayacağım," dedi.

Biraz daha sohbet ettiler. Bu arada Candan çay ikram etti. Ancak Bora'nın aklı bir an önce filoya gidip, izin alarak İstanbul'a gitmekteydi.

✿

Bora, Ebruların evine yaklaşırken oldukça heyecanlıydı ve yüreği hızlı hızlı çarpıyordu. 'Ya yüzüme kapıyı kapatıp, benimle konuşmak istemezlerse,' diye düşünmekten kendini alamıyordu. Bir süre sonra bu haline canı sıkıldı. "Kendine gel Bora," diye mırıldandı. Sonra da derin bir nefes alıp, 'Nesrin Teyze kapıyı yüzüme kapatmaz,' diye düşündü. Bu sırada eve gelmişti; tam kapıyı çalacağı sırada kapı açıldı ve Nesrin Hanım üzerinde pardösüsü kapıda göründü. Bora'yı görünce,

"Aaa! Bora'cığım hoş geldin," deyip ona sarıldı ve yanaklarından öptü. "Gel içeriye, ne iyi ettin de geldin."

"Nesrin Teyze sanırım bir yere gidiyordunuz. Ben biraz sonra geleyim."

"Olur mu öyle şey, köşedeki manava gidiyordum. Telefon ederim istediklerimi getirirler."

Nesrin Hanım Bora'yı salona aldı. Bora, 'İyi ki kapıda Nesrin Teyzeyle karşılaştım. Kapıyı çalsaydım ve Ebru açsaydı kim bilir neler olurdu neler...' diye düşündü.

Hal hatır sorulduktan sonra Bora, kısaca Cengiz'den ve Candan'dan söz ederek, gelişen durumları anlattı. Nesrin Hanım duyduklarına çok sevindi.

"Çok iyi, çok iyi! Ebru odasında; istersen yanına git," diyerek Bora'ya gülümsedi.

"Yok gitmeyeyim; burada bekleyeyim ben. Zahmet olmazsa siz gidin ve benim geldiğimi bildirin. Ayrıca size anlattıklarımı ona söylerseniz sevinirim."

"Tamam evladım," deyip, Nesrin Hanım salondan çıktı.

Ebru Bora'nın geldiğini duyunca çok şaşırdı. Hele annesi, Bora'nın söylediklerini anlattığı zaman şaşkınlığı bir kat daha arttı. 'Demek ki beyimiz, beni telefonda kandıramadı, kalktı buraya geldi,' diye düşündü. Sonra elbisesini değiştirip, kendisine çeki düzen verdi ve salona geldi.

Ebru salonun kapısında görününce, Bora'nın morali bozuldu. Çünkü Ebru, Bora'ya yabancıymış gibi bakıyordu. Aslında Ebru, yüreğindeki yangını açığa vurmamak için yüzünde maske varmış gibi duygusuz bakışlarla süzüyordu Bora'ya. Gerçekte içinden ona koşup sarılmak geliyordu ama o duygularına gem vurmasını çok iyi becermişti.

"Hoş geldin Bora," deyip elini sıktı ve karşısına oturdu.

"Hoş bulduk Ebru, nasılsın?"

"Nasıl olabilirim ki?"

"Hem kendine hem bana haksızlık ediyorsun."

"Öyle düşünüyorsan yanılıyorsun. Bir bayan bana, seninle Ankara'daki ofisinde bulunan yatak odasında şöyle şöyle yaptık dedi. Benim yerimde sen olsaydın nasıl düşünürdün?"

"Benim söylediklerime hiç mi inanmıyorsun?"

"Senin Hava Harp Okulu'ndayken, bayanlarla kurduğun ilişkilerin hepsini biliyorum. Üstelik İzmir'e geldiğimde bana yaşattığın acıların, yüreğimde açtığı yaralar hâlâ kanıyor."

Nesrin Hanım, kızının olumsuz davranışlara gireceğini anlayınca, ona kaş göz işaretleri yaparak; sakin olmasını anlatmaya çalıştı. Annesinin bu hareketlerine kızan Ebru,

"Anne! Ne anlatmaya çalışıyorsun?" diye biraz yüksekçe bir ses tonuyla söylendi.

"Ne yapmaya çalışacağım kızım! Çocuk ta Konya'dan kalkmış gelmiş, sana olayların iç yüzünü anlatacak, sen konuyu geçmiş olaylarla saptırmaya çalışıyorsun."

"Hem o tarihlerde seninle aramızda kardeşlikten öteye bir durum yoktu ki," diyerek, Bora konuşmaya katıldı.

Nesrin Hanım, 'Ben bunları yalnız bırakayım, birbirleriyle daha rahat konuşsunlar,' diye düşündü ve Ebru'ya bakıp,

"Haydi kızım, Bora'yla birlikte odana gidin; orada daha rahat konuşursunuz," diye mırıldandı ve sinirli bir tavırla salondan çıktı.

Ebru annesinin çok kızdığını anladı. Onu daha fazla sinirlendirmemek için Bora'ya,

"İstersen benim odama gidelim orada konuşalım," dedi.

Birlikte Ebru'nun odasına gittiler. Odaya girdiklerinde; Bora, duvarda kendisinin kocaman bir resminin asılı olduğunu ve rujlu bir dudakla öpüldüğünü gördü. Duvardaki resimden ve üzerideki dudak izinden çok etkilendi. Ebru'ya sevgiyle baktı. O anda Ebru da resmin üzerindeki dudak izini gördü ve Bora'ya,

"Eskiden kalmış bir iz," dedi.

Sonra gitti resmin üzerindeki dudak izini sildi. Oysa Bora'nın resmini yarım saat önce özlemle öpmüştü.

Ebru'nun dudak izini silmesi Bora'ya çok dokundu. Kalbinin kırılmışlığını belli eden üzgün bir sesle sordu:

"Bu denli mi benden koptun? Artık beni sevmiyor musun?"

Bakışlarını yere indiren Ebru, hiçbir şey söylemedi; ancak gözleri nemlenip kızardı. Göz pınarlarında iki damla yaş oluştu. Bu kez duygularını gizlemeyi becerememişti. Yüzünün ifadesinden, Bora'yı hâlâ çok sevdiği açıkça belli oluyordu. Bora bunu hissedince çok rahatladı. "Gerçeği öğrendiği zaman her şey eskisi gibi olacak, bundan eminim," diye düşündü. Sonra konuşmaya devam etti:

"Ebru! Canım, aşkım benim. Bana olan güvenin birisi olumsuz bir şey söylediğinde, doğruluğundan emin olmadan hemen sarsılırsa, yaşam ikimize de cehennem olur. Şimdi olduğu gibi."

"Bak Bora! Konya'da olanları anlattığın zaman sana inanmıştım. O konuşmamızda bana Ankara'da olanlardan söz etseydin, inanırdım. Ama sen Ankara'da olanları gizledin. O bayan da hafta sonunu Ankara'da birlikte geçirdiğinizi söyleyip, ayrıntısıyla anlatınca; ona inandım ve sana olan güvenim sarsıldı."

"Ebru'cuğum o bayan, benimle arkadaşlık etmek istedi. Ona sözlü olduğumu, sözlümü çok sevdiğimi anlatmama rağmen peşimi bırakmadı. O Ahmet denilen adi yaratık da ya kuyruk acısından ya da aramızı bozup seninle tekrar birlikte olma hevesinden, Ceyda ile işbirliği içerisine girmiş."

"Kimin doğru söylediğini bilmiyorum. Ancak sen masumluğunu kanıtlayana dek düşüncelerimde değişiklik olacağını sanmıyorum."

"Tamam zaten onun için buraya geldim. İstersen hemen Cengiz abilere telefon edelim, onlarla konuş, her şeyi sana anlatsınlar."

Ebru alaycı bir gülümsemeyle Bora'ya bakarak,

"Beni Cengiz Bey ya da Candan Hanım diye, başka birileriyle konuşturmayacağını nereden bileyim." dedi.

"Aşkolsun, beni bu tür yollara başvuracak kadar karaktersiz bir insan mı sanıyorsun?"

"Tam olarak öyle sanmıyorum; ama küçük de olsa bir olasılık var."

"Beni çok rencide ediyorsun; ama olsun. O zaman ben onları İstanbul'a getireyim; onlarla burada konuş."

"Bora beni hiç görmediğim kişilerle telefonda veya burada konuşturarak ikna etmeye çalışıyorsun. Ha onlarla telefonda konuşmuşum ha burada ne fark eder ki."

"Ebru! Seni suçsuzluğuma inandırabilmek için hangi yolu denesem, kabul etmiyorsun ve beni hep sahtekarlıkla suçluyorsun. Sanırım aramızdaki sözü bozmak gibi bir niyetin var."

Bora'nın sarf ettiği son kelimeler, Ebru'yu suratına tokat atılmış gibi etkiledi. "Hayır doğru değil, sözü bozmayı aklımın köşesinden bile geçirmem," diye içinden konuştu. Sonra Bora'ya bakarak,

"Ben aşkımızı sağlam temeller üzerine oturtmak istiyorum. Anlamıyor musun?" diye, isyan edercesine konuştu.

"Ben de aşkımızı komplaculardan korumaya çalışıyorum. Hani bana telefonda 'Aşkımız için ne yaptın?' demiştin. İşte neler yaptığım ortada. Aşkımızı koruyabilmek için neredeyse üç gündür uyumadan mücadele ediyorum."

"Benim ne yaptığımı sanıyorsun, yan gelip yatıyorum diye mi düşünüyorsun?"

Bora'nın yavaş yavaş canı sıkılmaya başlamıştı. Ebru'nun ikna olmaya niyeti olmadığını düşünmeye başladı. 'Her olasılığı denedikten sonra yine de beni komplo kurmakla suçlarsa ipleri kopartır giderim,' diye düşündü. Aklına birlikte Konya'ya Cengizlerin evlerine gidip, onlarla orada konuşmayı teklif etmek geldi. 'Buna da inanmam derse; o zaman benimle kesin olarak ilişkisini sona erdirmek istiyordur,' diye içinden geçirdi. Bu düşüncenin ruhunda oluşturduğu acıyla yüzü karardı, yüz hatları gerildi ve korkunç bir görüntü ortaya çıktı. Ebru, Bora'nın yüzündeki olumsuz değişikliği görünce ürperdi. 'Bana bir kötülük yapacak galiba,' diye aklından geçirdi. Bora'ysa sesini yükseltip, içinde biraz da tehdit olan bir tonla konuşmaya başladı:

"Ebru, şu ana kadar ilişkimizin yıpranmaması için her davranışını hoş görüyle karşıladım. Bize kurulan komplodan, aşkımızı yarasız beresiz kurtarabilmek için elimden ne gelirse yaptım. Geceleri uyuyamadım; meslek hayatımın en kötü uçuşlarını sergiledim; bu yüzden uçuşumu bile durdular. Artık yapacak bir şeyim kalmadı. Sana son bir teklifte bulunacağım, buna da sudan bir bahane bulup, yine beni aşağılamaya kalkarsan; bundan sonra karşında, senin bana davrandığın gibi davranan bir insan bulacaksın."

Bu sözler, Ebru'nun içini acıttı. 'Sanırım şüphenin dozunu biraz fazla kaçırdım. Anlattıkları doğru olabilir. Ona karşı bir parça daha anlayışlı davranayım," diye düşündü ve daha yumuşak bir tarzda konuşmaya başladı:

"Ben hiçbir zaman seni kötü niyetli bir kişi olarak görmedim ve düşünmedim. Ancak biraz önce de söylediğim gibi Ceyda Hanım, seninle Ankara'da bir hafta sonu yani iki gece geçirdiğini söyledi. Sen olsan somut kanıtlar istemez misin?"

"Tamam Ebru, biraz önce söylediğim gibi sana son önerimi de yapacağım, buna da hayır dersen; seni masum olduğuma inandıracak başka hiçbir şey yapmayacağım ve yollarımız ayrılacak."

"Pekâlâ, seni dinliyorum."

"Yarın sabah ilk uçakla Konya'ya gidelim. Seni Ceyda'nın ablası ve eniştesiyle tanıştırayım. Onlarla konuş. Öğleden sonraki uçakla da seni İstanbul'a geri göndereyim."

"Onlarla nerede konuşacağız?"

"Cengiz abilerin evinde. Onlar çimento fabrikasının lojmanlarında oturuyorlar. Lojman girişinde, onların Cengiz abiyle Candan abla olup olmadığını da kontrol edersin."

"Onların orada oturduklarından söz etmiştin bana, kontrol etmeye gerek yok."

"Hani seni başka birilerinin evine götürüp, onlar diye kandırabilirim ya..."

"Konya'ya gitme önerin mantıklı."

"Çok şükür..." diye mırıldandı Bora.

Birlikte salona geldiler. Nesrin Hanım yüzlerinden bazı hususlarda anlaşmaya vardıklarını anladı ve çok mutlu oldu. Ona yaptıkları planı anlattılar ve düşüncesini sordular. Hiç duraksamadan olur cevabı verdi Nesrin Hanım. Sonra Bora, Mete Bey'in eve ne zaman geleceğini sordu. Ebru babasının İzmir'de olduğunu ve üç gün sonra geleceğini söyledi.

"Keşke onu da görseydim, çok özledim Mete Bey'i," diye, Bora üzüntüsünü belirtti.

"Bora'cığım bu arada Mete'nin İzmir'de oluşu çok isabetli oldu. Olanlardan ona hiç söz etmedik. Bildiğin gibi kalp yetmezliği var. Artık eskisi kadar güçlü değil, her olumsuzluktan fazlaca etkileniyor," dedi Nesrin Hanım.

"Buraya geldiğimden Hakan'ın da haberi yok."

"Neden abime söylemedin, o senin en iyi arkadaşın değil mi?"

"Öyleydi. Artık değil. Çünkü bana kurulan komployu ona anlattığım zaman bana inanmadı ve benim böyle bir şey yapabileceğimi söyledi."

"Ne dediğinin farkında mısın Bora?" diye, Nesrin Hanım hayretle sordu.

"Evet. Onun takındığı tavır beni çok üzdü. Maalesef bunca senelik dost bildiğim Hakan böyle yaptı.

"İnanmak istemiyorum. Nasıl olur da canciğer bir dost böyle davranır."

"Ben de anlayamadım; ama oldu işte. Demek ki güvenilir bir dost değilmiş. Gerçek dostluklar kara günlerde belli olur, diye boşuna söylenmemiş... Artık bana müsaade edin, uçak biletlerini almaya gideyim. Uçağın kalkış saati, sanıyorum sabah saat on civarında."

"Tamam çocuğum yemek için seni bekleyeceğiz."

Bora kapıdan çıkarken, Nesrin Hanım'a bakarak,

"Ben yemeğe gelmeyeyim. Yarın sabah saat sekiz buçukta Ebru'yu almaya gelirim," dedi.

Bunun üzerine Nesrin Hanım, şaşırmış bir şekilde Bora'ya bakarak,

"Ne demek o! Burada kalmayacak mısın?" diye sordu.

"Nesrin Teyze, bu şartlar altında uygun olmaz sanırım."

"Hangi şartlar altında oğlum? Ben senin tüm söylediklerine yürekten inanıyorum."

"İyi de Ebru inanmıyor ki."

"Bora!.. İnanmadığımı söylemiyorum. Sadece her şeyin açıklık kazanmasını istiyorum," diyerek, Ebru itiraz etti.

"Yine de başka bir yerde kalmamın daha doğru olacağını sanıyorum."

"Oğlum beni üzmek istiyorsan; bildiğin gibi yap," diye, Nesrin Hanım alındığını ima etti.

"Nesrin Teyze senin üzülmene yüreğim asla razı olmaz. Bilet işini hallettikten sonra geri gelirim."

GÜZELLİKLER

Candan, kapıyı açıp da karşısında Bora ile Ebru'yu görünce çok mutlu oldu. Hemen onları içeriye alıp, Cengiz'e seslendi:

"Cengiiiz! Bora'yla Ebru geldi."

"Geliyorum hayatım."

Candan Bora'ya sonra da Ebru'ya sarılıp onları öptü. Elleriyle Ebru'nun omuzlarından tutup, ona gülümseyerek baktı.

"Bora'nın söylediği gibi çok güzel bir bayansın," dedi.

Candan bunları söylerken, Cengiz yanlarına geldi. Onları görünce gözlerinin içi güldü, sarılıp öptü ikisini de. Sonra hep birlikte salona geçtiler. Cengiz Bora'ya bakarak,

"Akşam Konya'ya geleceğinizi söylediğinde inan Candan'la birlikte çok sevindik. Başınızdaki kara bulutların; ancak burada dağılabileceğini konuştuk," diyerek, olayların iç yüzünü anlatmaya hazır olduklarını üstü kapalı belirtti.

"Evet, Cengiz'in söylediği gibi akşam hep sizden bahsettik," diyen Candan Ebru'ya baktı, "Her ne kadar seni tanımıyorsak da biz ailece Bora'yı çok seviyoruz. Çünkü çok anlayışlı ve iyi yürekli bir insan, sonra seni her şeyden fazla seviyor ve sana son derece sıkı bir bağla bağlı."

"Candan abla senin iyi görüşlerin," diyerek, Bora söze karıştı.

"Olur mu Bora'cığım! O kardeşim olacak şeytan ruhlu Ceyda'nın yaptıkları karşısında çizgini hiç bozmadan; sözlü olduğunu, sözlünü çok sevdiğini söyleyerek ona insanlık dersi verdin. Ama o bunu anlamadı," diyen, Candan Bora'ya sürülmek istenen çamurla ilgili konuşmanın kapısını açtı.

Candan'ın, son söylediklerini işitince Bora biraz şaşırdı. Candan'a doğru bakarak, hayretle konuştu:

"Candan abla! Sen bunları nereden biliyorsun. O gün, ben bunları söylerken, Sen ve Cengiz abi salonda yoktunuz."

"Daha önce sana söylemedim ama şimdi söyleyeyim, sen Ceyda'nın çirkin teklifine karşı demin söylediklerimi, onun yüzüne tokat gibi vururken ben tam salona girmek üzereydim ve hepsini duydum."

"Aşkolsun Candan! Bunları bana bile anlatmadın," diye sitem etti Cengiz.

"O gün, iki kişinin konuştuklarını dinlediğim için utanmıştım ve sana söyleyememiştim. Ama iyi ki dinlemişim. Bugün bu bilgi bazı gerçeklerin anlaşılmasına ışık tutacak."

Sonra Candan ve Cengiz, Konya'da yaşananlarla, Bora'nın Ankara'dan geldikten sonra anlattıklarını ve bunun üzerine Cengiz'in hemen Ceyda'yı telefonla arayarak yaptığı konuşmayı ve özellikle de Ceyda'nın söylediklerini üzerine basarak anlattılar.

Anlatılanları dinledikçe, Bora'ya karşı yaptığı davranışlardan pişmanlık duyan Ebru, 'Kendimi nasıl affettireceğim?' diye düşünürken, Ahmet ve Ceyda'ya karşı içinde oluşan kin de büyüdükçe büyüdü.

O sırada kapı çaldı Cengiz kapıya bakmaya gitti. Gelenler Çimento Fabrikası'nın lokalinde çalışan garsonlardı. Cengiz'in öğle yemeği için ısmarladıklarını getirmişlerdi. Kapıdaki konuşmalardan, yemeklerin geldiğini anlayan Candan da yemeklerle ilgilenmek için Cengiz'in yanına gitti.

Yalnız kaldıklarında Ebru Bora'ya üzüntüyle sevginin karışımı bir duyguyla baktı. Gözleri kıpkırmızı olmuş ve nemlenmişti. Bora'nın ellerini tuttu; pişmanlık dolu boğuk bir sesle fısıldadı:

"Bora'cığım sana karşı, çok büyük bir haksızlık yapmışım... Bilmiyorum beni bağışlayabilecek misin?"

Bu soruya, Ebru'nun yüzünü iki eliyle tutup, yanaklarından sevgiyle öperek yanıt verdi Bora. Bora'nın bu davranışından, duyguları alabildiğine yoğunlaşan Ebru, yanaklarından süzülen gözyaşları ile başını onun omzuna dayayarak, ağlamaya başladı. Günlerden beri ikisinin de iyice gerilen sinirleri, gerçek ortaya çıkınca gevşemişti. Bora Ebru'nun saçlarını okşayıp ona sarıldı. Sonra onun saçlarını öptü. Bir süre öylece kaldılar.

Candan yemek masasını hazırlarken Cengiz salona geri geldi. Salona girerken, içerdeki manzara onu oldukça etkiledi. Kapıda bir süre durup, onları seyretti. "Çok iyi oldu çok... O pis Ceyda'nın akıl almaz planları da böylece suya düştü," diye aklından geçirdi. Sonra kendisini henüz fark etmemiş olan gençleri orada bırakıp, yeniden mutfağa geri gitti. Gördüklerini Candan'a anlattı. O da duygulanarak, Cengiz'e sarıldı ve kulağına fısıldadı:

"İki kişinin ruhlarındaki çalkantının ortadan kalkıp, yerini mutluluğun doldurmasını sağladık. Ne kadar güzel değil mi?"

"Evet hayatım. Seni de çok takdir ediyorum. Ceyda'yı kız kardeşin olmasına rağmen bir kalemde silip bu gençlere destek verdin. Kolay bir tercih değil bu!"

"Mutlu bir yuva kurmanın eşiğinde ve birbirini çok seven iki kişinin aşkını hiçe sayan, böyle duygusuz, bir kişiye karşı içinde birazcık insanlık olan herkes aynı şeyi yapardı."

"Ben herkesin aynı davranışta bulunacağını sanmıyorum," dedi Cengiz. "Hayatım istersen gençleri yemeğe çağıralım, ne dersin?"

"Bırakalım biraz daha yalnız kalsınlar, onların konuşacak bir sürü konuları vardır şimdi."

"Haklısın..."

Ebru, başını Bora'nın omzundan kaldırdı. Çantasından çıkardığı mendille yüzünden akan yaşları sildi. Sonra Bora'ya sevgiyle bakarak,

"Eğer sen bu uğraşı vermeseydin, ne olurdu durumumuz..."

"Ben seni kolay bulmadım; ne dikenli yollardan geçtik de ancak aramızda söz kesebildik. Yüzde yüz komplo olduğunu bile bile meydanı o alçaklara bırakır mıydım hiç?"

"O insanlar yalanlar düzerek seni pes ettirmeye çalışırken bir de ben üzdüm seni."

"Ebru'cuğum senin davranışlarına üzüldüm," diyen Bora, "ancak bunca sene can dost olarak bildiğim Hakan'ın bana inanmayıp, böyle bir şeyler yapabileceğimi ima eden sözler sarf etmesi, yüreğimi hançer gibi parçaladı," diyerek, sözlerini sürdürdü.

"Ne söylesen haklısın ancak o şeytan ruhlu kadının bana söylediği onca pis sözün, beni nasıl yaraladığına inanırsan sana karşı ağzımdan çıkan o sözleri hoş görebilirsin," diyen Ebru nemli gözlerle, 'ne olur beni bağışla' der gibi Bora'ya baktı.

Bora avuçlarıyla Ebru'nun yanaklarından tutup onu kendisine doğru çekti. Sevgiyle öperken, kulağına fısıldadı:

"Aşkım! Ben çok üzüldüğümü anlatmaya çalıştım. Seni hoş görmediğimi söylemedim."

Bu yanıt üzerine Ebru, kendisini tutamadı ve mutluluktan hıçkırarak ağlamaya başladı. Bora'nın boynuna sarıldı. Gözyaşları onun tenini ıslattı. Gözyaşlarının sıcaklığı Bora'ya büyük bir haz verdi. Çünkü bu sıcaklık büyük bir sevgiyi anlatıyordu.

"Bora'cığım! Ben seni hep çok sevdim ve seveceğim. Son günlerde bunu sana söyleyememenin acısını çektim hep," dedi Ebru.

"Ben de..."

"Sana tüm benliğimle söz veriyorum: bundan sonra yalnız senin sözlerine inanacağım ve seni hiç kıskanmayacağım."

"Canım benim seni çok seviyorum ve hep seveceğim. Ama Hakan'ı affedebilir miyim bilmiyorum."

Bu sırada Cengiz'le Candan salona gelip, yemeğin hazır olduğunu söylediler ve hep birlikte yemek odasına geçtiler. Yemek oldukça neşeli geçti. Herkes mutluydu ve elde edilen sonuçtan çok memnundu.

Yemekten sonra Bora ile Ebru her şey için çok teşekkür edip, doğruca hava alanına gittiler. Hava alanına giderken ikisi de o denli mutluydular ki ikisinin de fiziksel - ruhsal tüm yorgunlukları bir anda uçup gitmişti sanki. Bir ara Bora, 'İnşallah bir daha böyle sıkıntılar yaşamayız,' diye aklından geçirdi. Yolcuların uçağa binmeleri anons edinceye kadar geçen süreyi birbirlerinin ellerini sıkı sıkı tutup, gelecekleri için plan yaparak geçirdiler. Vedalaşmaları ise oldukça duygusal oldu.

Uçak kalkıp gözden kaybolana kadar Bora, sanki Ebru görüyormuş gibi el salladı.

Bora, Ebru'yu uğurladıktan sonra telefonla Nesrin Hanım'ı aradı. Ona olanları anlattı. Ebru ile ilişkilerinin, o çirkin iftiradan önceki gibi güzel bir şekle girdiğini; hatta daha iyi olduğunu, birbirlerine karşı duydukları güvenin de arttığını söyledi.

Nesrin Hanım duyduklarına o kadar çok sevindi ki Bora, onun ses tonundan gözlerinin yaşardığını anladı.

"Nesrin Teyze, sen bana inanmasaydın ve sağduyulu davranmasaydın, bizim ilişkimiz kesinlikle sona erecekti," diyerek, ona olan minnettarlığını belirtti.

"Öyle söyleme oğlum, sen aşkınız için savaşmasaydın; asıl o zaman her şey biterdi," diyerek, Nesrin Hanım da Bora'nın gururunu okşadı. "Bora'cığım unutma ki, Ebru seni çok seviyor;

çocukluğundan beri çok sevdiği kişileri aşırı derecede kıskanır. Bu olayda da öyle oldu. Şunu da bil ki olayı ilk duyduğu andan itibaren gerçek olmaması için çok dua etti."

"Nesrin Teyze, bunları biliyorum ama bir kez de senin ağzından işitmek, benim için çok iyi oldu. Eğer onun bana karşı olan duygularının böyle olduğunu bilmeseydim, ben bu uğraşı verir miydim?"

"Oğlum beni çok mutlu ettin. Kızımın senin gibi birisiyle evlenecek olması da mutluluğumu bir kat daha artırıyor."

"Ebru eve gelir gelmez, beni arayıp gelişini bildirirsiniz sanırım."

"Tabii ki. Hiç şüphen olmasın."

Ebru uçaktan iner inmez Bora'yı aradı, İstanbul'a geldiğini bildirdi ve yolculuğun nasıl geçtiğini anlattı. Sonra da sevgi dolu bir ses tonuyla konuşmasını şöyle sonlandırdı:

"Beni bağışladığın için çok teşekkür ediyorum. Şunu iyi bil ki sensiz yaşama asla dayanamazdım."

Ebru'nun son söyledikleri, Bora'yı çok hoşnut etti.

"Evet aşkımız için uğraş verdim ve her zaman da vereceğim; ama bu son sözleri senin ağzından işitmek her şeye bedel," diye mırıldandı.

Ebru İstanbul'a büyük bir mutlulukla dönmüştü. Eve geldiğinde sanki kanatlanmış uçuyor gibiydi. Her şey gözüne daha güzel görünüyor, işittiği her kelime kulağında daha hoş bir seda bırakıyordu.

Üç gündür doğru dürüst uyuyamayan Bora, telefon görüşmesinin ardından, üzerideki giysilerle yatağının üzerine uzandı ve uğradığı iftirayı düşünmeye başladı. Ama çok kısa süre sonra yorgunluktan gözleri kapandı ve derin bir uykuya daldı.. Uyandığında ertesi gün ikindi zamanı olmuştu. Yatağın üzerine oturdu. Anlamsızca çevresine baktı. Bir süre sonra kendisini toparladı. Saate baktı, üçe geliyordu. Birden telaşlandı. 'Ne kadar uyudum, bugün günlerden ne acaba?" diye düşünüp saatine tekrar baktı. "Oh!.. Çok şükür bugün iznin ikinci günü,' diye mırıldandı. 'Neyse bir gün daha izinliyim,' diye aklından geçirdi ve rahatladı. Karnının iyice acıktığını hissetti. Kafeteryada güzel bir yemek yiyip geri geldi ve tekrar yattı.

Ertesi sabah erkenden kalktı, spor kıyafetlerini giydi; hava oldukça soğuk olmasına rağmen dışarı çıkıp biraz yürüdü, biraz da koştu. Yollar hariç her taraf karla kaplıydı; ama Bora kendisini zinde hissediyordu ve çok mutluydu. Güzel bir kahvaltı yapıp filoya gitti.

Filoya gelince her zamanki alışkanlığıyla uçuş programına bakmak için programların asıldığı ilan tahtasının önüne gitti. Programa bakarken biraz üzüldü; çünkü uçuş planlamasında ismini göremedi. O sırada omzuna birisi dokundu, geriye döndü baktı. Yüzbaşı Ali'ydi arkasındaki. Onu görünce hemen toparlandı.

"Günaydın Yüzbaşım," derken, çakı gibi bir selam verdi.

"Günaydın Bora, bugün neşen yerinde."

"Evet Komutanım... Sayenizde tüm problemler çözüldü. Kendimi çok mutlu hissediyorum. Ancak yeni bir problem var."

"Teğmenim sen de amma problemli bir insanmışsın. Yoksa iznini uzatmak mı istiyorsun?"

"Hayır Yüzbaşım öyle bir isteğim yok."

"Eee!.. söyle bakalım, neymiş bu problem?"

"Uçuş Programı'na baksanıza, bana uçuş yazılmamış."

Bu söz üzerine Ali Yüzbaşı kahkahayla güldü. Bora'nın sol omzuna sağ elini koyup,

"Alem adamsın, bugün de izinli olduğunu unuttun sanırım," dedi.

"Unutmadım da işlerimi bitirdim geldim. Programda değişiklik yapılamaz mı?"

"İzinli olan pilota uçuş yazılır mı?" diye, Ali Yüzbaşı biraz alay eder gibi konuştu. "İnşallah yarın uçarız."

"Peki efendim nasıl uygun görürseniz."

"Canını sıkma. Gel sakin bir yere gidelim de bana problemleri nasıl çözdüğünü anlat."

Filo binasının önündeki asfalt yola çıktılar; aşağı yukarı turlarken, Bora bir taraftan da olanları anlattı.

Ali Yüzbaşı duyduklarından mutlu oldu. Çünkü Bora gibi yetenekli bir pilotun bir nedenle eğitimi bitiremeyip uçuştan çıkarılmasının, Hava Kuvvetleri için büyük bir kayıp olacağını düşünüyordu. Bir ara durdu. Sevgiyle karışık sıcacık bir takdir duygusuyla Bora'ya baktı.

"Bora, sen hem çok yetenekli bir pilotsun hem de kararlı ve tuttuğunu koparan bir insansın," dedi.

"Sağ olun efendim, sizin iyi görüşleriniz."

"Gökyüzüne bak. Mavi rengin güzelliğini görüyor musun?"

"Yüzbaşım görmek ne kelime; ben o renkle özdeşleşmiş bir insanım."

"Renklerin anlamlarını biliyor musun?"

"Tam değil ama biraz..."

"Pekâlâ, şimdi bana bildiğin kadarıyla mavi renk için bir şeyler söyle."

"Mavi renk gökyüzünün ve sınırsızlığın simgesidir."

"Doğru söylüyorsun. Ben de şunları ilave edeyim: bu rengi seven insanlar, düzenli, disiplinli, çok çalışkan; sözlerine bağlı, duygusal, sadık; ince, nazik; yaratıcı ve güçlü bir iradeye sahip kişilerdir. Aynı zamanda da bu niteliklerin oluşturduğu duyguları yoğun olarak yaşarlar.

"Efendim, her renk hakkında bu denli derin bilgi sahibi misiniz?"

"Hepsi hakkında bu kadar değil. Ben de mavi rengi çok sevdiğim için bunu daha derinlemesine inceledim," diye yanıtladı Yüzbaşı Ali. "Kendimde de biraz önce özet olarak belirttiğim niteliklerin bir kısmı var ama hepsi yok. Ben bugüne dek maviyi seven pek çok kişiyi, kendilerine hissettirmeden inceledim. Bu niteliklerin hepsini üzerinde toplamış yalnız bir kişi tanıdım."

"Kimmiş o şanslı kişi, ben tanıyor muyum onu?

"Tanıyorsun. Hem de çok iyi."

"Şimdi merak ettim doğrusu!.. Kim olduğunu öğrenebilir miyim?"

"Tabii öğrenebilirsin. O kişi sensin."

Çok sevdiği ve çok takdir ettiği uçuş öğretmeninden böyle övgü dolu sözler işitmek, Bora'yı oldukça duygulandırdı. Yüzbaşı Ali bunu fark etti; ama görmezlikten geldi.

"Sağolun efendim! Bu sözlerinizle beni çok mutlu ettiniz."

"İşte görüşlerimde yanılmadığımın ispatı; şu anda da o mavi duyguların etkisindesin."

Konuşmaları bu şekilde sürüp giderken, Ali Yüzbaşı saatine bakıp, mırıldandı:

"Ooo brifing saati gelmiş, biraz daha konuşmaya dalsaydım, brifinge geç kalacaktım," deyip, hızla filoya doğru yürümeye başladı.

Bora da onu takip etti ve birlikte filoya geldiler. Ali Yüzbaşı tam brifing salonuna girerken Bora'yı fark etti.

"Sen nereye?"

"Brifinge."

"Neden brifinge katılıyorsun ki, bugün izinli değil misin?"

"Evet izinliyim ama izinli olanlar brifinge girmez diye bir kural olduğunu sanmıyorum."

"Tamam, tamam... Haydi çabuk salona girelim. Bak Filo Komutanı geliyor."

Brifingden sonra Yüzbaşı Ali, Bora ile kısa bir görüşme daha yaptı. Ona, ertesi gün gece uçuşuna başlayacağını, kendisini hazırlamasını söyledi. Bora bu habere çok sevindi çünkü gece uçuşuna on beş gün sonra başlayacağını sanıyordu. Ertesi gün gece uçuşuna başlamasının anlamı, Şubat ayının ortasında eğitimini bitireceğiydi. Kalbi hızla atmaya başladı. Senelerdir ta çocukluğundan beri ulaşmaya çalıştığı hedefine, on - on beş gün gibi kısa bir süre kalmıştı. "On - on beş gün sonra 'savaş pilotu' olacağım. İnanamıyorum..." diye aklından geçirdi.

Hemen Ebru'yu telefonla arayarak, bu sevindirici haberi onunla paylaştı. Ebru da çok sevindi buna. Takip eden günlerdeki görüşmelerinde de bir gün daha eksildi diye günleri saymaya başladılar. Çünkü Bora Konya'daki eğitimi bitirir bitirmez en kısa sürede nişanlanıp, evlenmeye karar vermişlerdi.

Her şey o denli güzel gidiyordu ki sıkıntılı günlerin açtığı yaralar da yavaş yavaş kapanıyordu.

Ebru'nun Konya'dan İstanbul'a gelişi neredeyse bir hafta olmuştu. Bu süre içinde karamsarlıkları gitmiş yerlerine iyimserlikler gelmişti.

Nesrin Hanım kızının kendini toparlayıp, eski günlerdeki gibi neşe içinde olmasından son derece memnundu. Ebru da mutluydu ama içinde Bora'ya karşı gittikçe büyüyen bir özlem vardı. Bu özlemin giderilebilmesi için ya Bora İstanbul'a gelecek ya da Ebru Konya'ya gidecekti.

Bora'nın İstanbul'a gelmesinin olanaksız olduğunu bildiği için Ebru, "ben Konya'ya gitsem," diye, düşünüyordu; ama kışın en etkili olduğu Şubat ayında, yalnız başına Konya'ya gitmesi de zordu. Hem Konya'ya gitmesini ne annesinin ne de babasının hoş karşılamayacağını da adı gibi biliyordu. Ama gönlü de hep Bora'yla birlikte olmak istiyordu.

Akşamüzeri evlerinin kapısı çaldı. Kapıyı Ebru açtı. Karşısındakileri görünce şaşırıp kaldı. Gelenler Funda ile abisiydi. Onların gelişine çok sevindi. İkisini de sarılıp öptü.

"Abi, Funda hoş geldiniz! Ne kadar güzel bir sürpriz!" deyip, annesine seslendi: "Anneciğim koş gel, bak abimler geldi."

Nesrin Hanım heyecanla kapıya geldi. O da sarılıp öptü onları. Şaşkınlıkları geçince antreden salona geçtiler, biraz sonrada Mete Bey de bürosundan geldi. Evde Hakan'la Funda'yı görünce çok sevindi. Biraz sohbet ettikten sonra,

"Hakan oğlum, Bora nasıl iyi mi?" diye sordu. "Epey bir zaman oldu göremedik onu. Özledim keratayı."

"Babacığım son günlerde Bora'nın uçuşları oldukça yoğun. Pek görüşemedik bu aralar."

"Gelirken filosuna uğrayıp, İstanbul'a gidiyoruz bir isteğin var mı diye sormadın mı?"

"Buraya gelişimiz aniden ortaya çıktı. Onun için apar topar geldik."

"Öyle olsun bakalım!.."

"Babacığım abimler gelmeden kısa süre önce ben telefonla görüştüm, çok iyi olduğunu söyledi. Gece uçuşları çok zevkli geçiyormuş. Annemle sana saygılarını iletmemi istedi," diyerek, Ebru ortalığı yatıştırmaya çalıştı.

Ebru'nun söylediklerini şaşkınlıkla dinleyen Hakan, 'hayret Bora benimle konuştuğunda, Ebru ile aralarında iplerin kopmak üzere olduğunu söylemişti. Ama görüyorum ki araları çok iyi,' diye düşündü. Babasının bir ara salondan çıkmasından istifade ederek Ebru'ya sordu:

"Geçenlerde Bora, aranızda büyük sorunlar olduğundan söz etmişti bana; ama görüyorum ki yine canciğer kuzu sarması gibisiniz. Neler oldu anlatır mısın?"

"Anlatacak bir şey yok. Bora'yı ve beni çekemeyenler, aramız bozulsun diye ona iftira atmışlar, sonunda her şey ortaya çıktı. Tabii o sıkıntılı günlerin bir kısmında ben de birtakım haksız davranışlarda bulundum. Ama canım anneciğim, Bora'yı çok iyi tanıdığı için iftiraya inanmadı ve bize yaptığı yardımlarla olumsuzlukları aştık. Yani biz acı çekerken yaralarımıza ilaç oldu."

Ebru'nun sözleri üzerine, 'Bora'ya çok ayıp ettim. Bunca yıllık arkadaşıma inanmamakla onu kırdım ve kendimden uzaklaştırdım. Şimdi ne kadar pişmanım,' diye düşündü Hakan. "Ama ne yapıp yapıp onun gönlünü almalıyım. Mesela Konya'ya giderken, Ebru'yu da götürürsem, belki hatamı bir parça da olsa tamir edebilirim."

Epeyce sohbetten sonra Nesrin Hanım Hakan'a bakarak merakla sordu:

"Oğlum geldiğinize çok sevindim. Dünyalar benim oldu sanki. Ama bu kış kıyamette sizi İstanbul'a getiren sebep nedir acaba?"

"Sorma anne biz de iyi bir zaman olmadığını biliyoruz; ama firmalardan biri, geçen seneden ellerinde kalan arabaları büyük bir indirimle satışa çıkardı. Biliyorsunuz uzun zamandan beri araba almak istiyorum. Karşıma kaçırılmayacak böyle bir fırsat çıkınca dayanamadım ve bir araba da ben aldım."

"İyi yapmışsın oğlum, neden arabayı almaya siz geldiniz, firmaya getirtseydin ya," dedi Mete Bey.

"Babacığım arabayı aldım deyince, tüm işlemlerini bitirdim anlamında söylemedim. Arabanın rengini beğenip ayırttım. Yarın akşama kadar peşin ödemeyi yapıp, taksit senetlerini imzalamam gerekli."

"Eee arabayı burada mı bırakacaksınız?" diye sordu Ebru.

"Yok canım! Bırakır mıyım hiç alıp götüreceğim."

"Aman oğlum her yer karla kaplı ve kar ara ara yağıyor. Arabayla nasıl gideceksiniz?" diyerek, Nesrin Hanım huzursuzluğunu dile getirdi.

"Anneciğim, hafta sonuna kadar izinliyim. Bu kötü hava, birkaç gün sonra yerini güneşli ve daha iyi bir havaya bırakıp doğuya kayacak. Biz de o güzel havadan yararlanıp, arabamızla Konya'ya gideceğiz."

"İnşallah sıkıntısız Konya'ya varırsınız oğlum. Şimdiden içim daralmaya başladı," dedi Nesrin Hanım.

Ebru'nun kafasında bir şimşek çaktı. "Ben de onlarla birlik gidebilirim," diye düşündü. Annesine dönerek,

"Anne ne var sıkılacak? Bak hava da açacakmış. Güle oynaya giderler," dedi.

Hakan, Ebru'nun kendisine destek vermesine sevindi ve hem bu desteği yitirmemek hem de Bora'yla arasındaki burukluğu düzeltebilmek için fırsatı değerlendirmek istedi ve Ebru'ya dönerek,

"Ebru sen de bizimle gelmez misin? diye sordu. "Bir hafta kadar kalırsın. Belki Bora'nın eğitimi biter, birlikte dönersiniz İstanbul'a."

"Neden olmasın? Tabii gelirim."

Hakan'la Funda'nın arabayla gidişlerine bile sıcak bakmayan annelerinin, Ebru'nun da onlarla birlikte gitmesi söz konusu olunca, içi iyice daraldı ve böyle bir gidişe olmaz dedi. Çocuklar babalarına öyle bir baktılar ki Mete Bey araya girmek zorunda kaldı. Onu kıramayan Nesrin Hanım da, çocukların Konya'ya gidecekleri gün havanın açık olması ve yollarda kar olmaması şartıyla üçünün birlikte gitmesine razı oldu.

Anne ve babasının, kendisinin de Hakanlarla Konya'ya gitmesine izin vermesi Ebru'yu çok sevindirdi. Hiç zaman kaybetmeden Bora'yı arayarak müjdeyi verdi.

BEŞİNCİ BÖLÜM

GECE UÇUŞLARI

EĞİTİMDE SON UÇUŞLAR

Pazar olmasına karşın Bora üste kalmış ve Ebruların Konya'ya gelişini beklemişti. Sonunda Ebru Abileriyle birlikte Konya'ya geldi. Hava meteorolojik tahminlerde söylendiği gibi açık geçmiş, yollardaki tüm karlar bir gün önce eridiği için oldukça rahat bir yolculuk yapmışlardı. Arabanın yeni oluşu da seyahatlerini renklendirmişti. Ebru Konya'ya gelir gelmez, hemen Bora'yı aradı. Bora onun sesini duyunca çok sevindi. Sıkıntılı bekleyiş bitmiş, sabırsızlıkla beklediği Ebru'su sonunda Konya'ya gelmişti. O anda Ebru'yu sanki yanındaymış gibi hissetti Bora.

"Bora'cığım hemen buraya gel seni çok özledim," diyerek, Ebru Bora'yı Hakanların evine çağırdı.

Bora biraz tereddüt etti. Çünkü filodaki konuşmalarında Hakan'ın takındığı dostluğa sığmayacak tavırdan sonra bir daha onunla görüşmemeye karar vermişti.

"Şey... seninle başka bir yerde görüşsek olmaz mı?"

"Hayatım neden olmasın ama..." Ebru sözünü bitiremeden, Hakan ahizeyi elinden aldı.

"Bora'cığım Funda da ben de eve bekliyoruz seni," dedi. "Her zaman senin söylediğin sözü, şimdi ben sana söylüyorum: 'güçlü dostluklar, kolay kolay yok olmaz'. Haydi bize gel de Ebru'yu üzme!"

Hakan'ın özür diler gibi söylediği kelimeler üzerine Bora onların evine gitmeye karar verdi ve Hakan'a,

"Ebru'ya bir şey söylemek istiyorum. Ahizeyi ona verir misin?" dedi.

"Bora'cığım, benim Ebru."

"Ebru'cuğum şimdi sana bir soru soracağım; cevabın, evet ya da hayır olsun. Tamam mı?"

"Tamam."

"Hakan, senin benimle birlikte Konya'ya geldiğini biliyor mu?"

"Hayır."

"Anladım, çok iyi. O zaman senin hatırın için geleceğim. Senin için her şeyi yaparım."

"Çabuk gel. Seni çok özledim!"

Bora Hakanların evine geldiğinde, başta Ebru olmak üzere tüm evdekiler onu sevgiyle karşıladı. Ebru'nun içi içine sığmıyordu, gözü hep Bora'nın üzerindeydi. Bir an önce onunla baş başa kalıp, hasret gidermek istiyordu. Ama onunla birlikte salondan çıkıp başka bir odaya geçmenin de hoş karşılanmayacağını biliyordu. Aklından, 'şu formalite görüşmeleri bir bitse de herkes kendi işine baksa,' diye geçirdi.

Hakan'sa sürekli Bora'nın gönlünü almaya çalışıyor, Bora'ysa bir türlü eski yakınlığı göstermiyordu.

Ebru abisiyle Bora arasındaki konuşmanın uzayacağını anlayınca, 'Şu abim de kendisinden başka kimseyi düşünmüyor,' diye içinden geçirdi. Sonra Funda'ya bir göz - kaş işareti yaparak, dışarı çıkmasını istedi. İkisi birlikte usulca salondan çıkıp mutfağa geçtiler. Ebru Funda'nın elini tutup, ona doğru eğilerek, kulağına fısıldadı:

"Funda'cığım gözünü seveyim, şu abime bir şey söyle de beni biraz Bora'yla yalnız bıraksın; anlatacaklarını da yarın filolarında anlatsın."

"Tamam canım sen merak etme. Ben şimdi Hakan'ı salondan çıkarırım ve sizi bir süre yalnız bırakırım," dedi. "Şimdi ben içeri gireceğim, sen iki - üç dakika bekle sonra salona gel." deyip mutfaktan salona geçti.

Ebru biraz bekledikten sonra salona gitti. Salonda Bora yalnızdı. Ebru hızla onun yanına gelip ona sarıldı, kulağına sevgi dolu bir sesle,

"Canım benim nasıl da özledim seni," dedi.

Bora da ona sımsıkı sarılıp, heyecanla öptü. O da ona,

"Ben de hayatım!" diye fısıldadı. "Eğitim uçuşumun bitmesine az kaldı artık. Hava bugünkü gibi iyi giderse, Allah'ın da izniyle çarşamba günü buradaki eğitimim bitecek."

"Sonra ne olacak?"

"En kısa sürede evleneceğiz."

"O günü iple çekiyorum..."

"Ben de..."

Tekrar sıkıca sarıldılar. Doyasıya birbirlerini öptüler. Onlara beş dakika geçmiş gibi geldi. Ama zaman hızla akıp gitmişti. Kulaklarına Funda'nın öksürük sesi geldi. Hemen divana oturdular. O sırada Funda içeriye girdi. Kısa süre sonra da Hakan kapıda göründü,

"Şofbenin açma düğmesi arıza yapmış, uğraştım ama bir türlü yapamadım. Sizi de daha fazla bekletmemek için tamir işini daha sonraya bıraktım," diyerek, salona girdi.

Bir süre daha sohbet ettikten sonra Bora müsaade isteyip evden ayrıldı.

Bora, pazartesi gün uçuşunu sabahtan tamamladı ve öğleden sonra izin alarak Ebru'yu görmeye gitti. Salı günüyse hem gündüz hem de gece uçuşu vardı. O gün yalnızca telefonla görüşebildiler. Çarşamba günü öğleden sonra Bora Ebru'yu telefonla aradı; uzun süre konuştular. Konuşmaları biterken Ebru,

"Bu gece son kez eğitim uçuşuna çıkacaksın değil mi?" diye sordu.

"Evet bir tanem. İnşallah bir aksilik çıkmaz da Konya'daki eğitimimi bitiririm."

"İnşallah! Ama bu gece uçamazsan yarın uçarsın, bir gün fark etmez değil mi?"

"Doğru söylüyorsun; ancak sabah brifinginde, meteoroloji uzmanları, gece yarısından sonra havanın bozacağını ve iki - üç gün kar yağacağını söylediler. Bugün uçamazsam uçuşu bitirmem önümüzdeki haftaya kalır."

"Yaa!.. O zaman inşallah bu gece uçarsın."

"İnşallah hayatım. Şimdi gece uçuşu için brifinge katılmam gerekli. Akşam üzeri seni yine ararım. Şimdilik hoşçakal."

Toplu brifingden sonra Bora, Ebru'yu telefonla aradı. Ona, brifingde Filo Komutanı'nın 'Eğitim uçuşunu bitirenleri izine göndereceğiz' dediğini söyledi. Bu habere Bora gibi Ebru da çok sevindi.

"Yani, istersek yarın birlikte İstanbul'a gidebiliriz öyle mi?" diye sordu.

"Evet. Sanırım bir hafta kadar izinli olabileceğim."

"Hayatım buna, tahmin edemeyeceğin kadar fazla sevindim. Anneme ne büyük sürpriz olur."

"Evet. Belki bir - iki gün de İzmir'e gider, annemleri görürüz."

"Tabi ya... Ne güzel olur."

"Haydi öpüyorum seni, uçuştan inince ararım."

"Saat kaç gibi ararsın?"

"Akşam dokuz – on gibi."

"Telefonunu bekleyeceğim. İyi uçuşlar."

"Teşekkür ederim."

BEYAZ GECE

Gece uçuşlarına başladığı günden beri Bora'nın içi içine sığmıyordu çünkü Bora'nın gece uçuşlarından başka çok az eğitim görevi kalmıştı. Gece uçuşlarının bitimiyle Konya'daki eğitim de sonlanacaktı.

Gece uçuşları devam ederken, diğer uçuşlarını da tamamlayan Bora'nın artık son gece uçuşu kalmıştı. O gün hem gece uçuşlarını hem de Savaşa Hazırlık Eğitimi'ni bitirecekti. Oldukça heyecanlıydı ama içinde de sebebini bilemediği bir sıkıntı vardı. Oysaki bu geceki uçuştan sonra çocukluğundan bu yana kurduğu hayalleri gerçekleşecekti. Artık Savaşa Hazır Pilot niteliğini kazanacaktı.

O gece Bora, yer radarları ile eşgüdümlü olarak yapılan bir önleme görevine çıkacaktı. Görev dört uçak olarak planlanmıştı. Bir ve üç numaralı uçaklar iki kişilik, iki ve dört numaralı uçaklarsa tek kişilik uçaklardı. Çift kişilik uçaklarda bir öğretmen ve bir teğmen, tek kişilik uçaklarda ise birer teğmen uçacaktı. Bora, öğretmeni Yüzbaşı Ali ile birlikte, çift kişilik bir uçakta, görev kolunun üç numaralı uçağı olarak uçuşa çıkıyordu.

Güneş battıktan bir süre sonra dörtlü kol pist içinde yerini aldı. Dörtlü kolda, bir ve iki numara birinci eleman, üç ve dört numaraysa ikinci eleman olarak görev yapacaktı.

Ay muhteşem görünüyordu, tam dolunaydı. Bir ve iki numara, uçuş kulesinin izniyle motor güçlerini maksimuma getirip frenleri serbest bıraktılar. İki uçak birbirine bağlıymış gibi aynı anda ileriye doğru hareket etti. Bir numaranın uyarısıyla 'After

Burner'leri (uçak motorlarının egzoz bölümünde yakıt - hava karışımının yanmasıyla daha fazla güç sağlayan sistem) devreye koydular. O an görülmeye değerdi. İki uçağın da arkasında bir anda ikişer tane dev pürmüs aygıtı yanmaya başlamış gibi çok parlak alev uzantıları oluştu. Gecenin karanlığında hızla ileriye doğru giden dört adet alev uzantısı, ay ışığının karın beyaz rengini görünür hale getirdiği manzarayı daha da güzelleştiriyordu. Uçaklar havalanınca bu görüntü bir süre daha parlaklığı gittikçe azalan bir şekilde devam etti. Yeterli yüksekliğe ve hıza ulaşılıp, after burnerler devreden çıkarıldığında, alev uzantıları birden kayboldu. Havada, yalnızca uçakların gövdelerindeki ve kanat uçlarındaki lambaların flaş gibi çakan renkli ışıkları kaldı. Bu görüntü de müthişti. Işıklar, sanki birbirlerine çok hassas ölçülerle sıkıca bağlanmış gibi aynı açıklığı koruyarak uzaklaşıp gidiyordu.

İkinci elemanın da kalkışından sonra dörtlü kol radar kanalına geçip, radara önleme eğitimi yapacaklarını bildirdiler.

Bu önleme çalışmasında Bora'nın bulunduğu iki numaralı eleman av rolünde, diğer elemansa hedef rolündeydi. Uçuş öncesinde yapılan brifinge uygun olarak, ilk önlemeyi Bora yapacaktı. Radardaki kontrolör, elemanlardan değişik yönlerde uçmalarını istedi ve onları birbirlerinden uzaklaştırdı. Daha sonra da her iki elemanın aynı noktada bir araya gelebilmeleri için uçacaklara yeni istikametlerini bildirdi. Yeni istikametlerine dönen elemanlar, hızla birbirlerine yaklaşıyorlardı. Hedef olarak uçan uçaklar, av olarak uçan uçakların gözle görüş mesafesine gelirken Bora hedef uçakları gördüğünü radara bildirdi ve belirli bir uzaklığa kadar hedeflere yaklaştı. Limit uzaklığa gelince radar ikinci önleme için elemanlara yeni yönlerini bildirdi.

Bu şekilde her teğmen birer adet olmak üzere dört önleme yapıldı. Son olarak bir önleme çalışması daha yapılıp, bu önlemenin sonunda uçaklar bir araya gelecek ve inişe gidilecekti.

Bu önleme çalışmasında bir numaralı eleman av, iki numaralı elemansa hedef rolünde uçmaktaydı. Elemanlar birbirlerinden yeterli mesafe uzaklaşınca, belirlenmiş noktada yeniden buluşabilmeleri için radar tarafından yeni istikametler verildi. Yeni yönlerine dönen uçaklar hızla birbirlerine yaklaşmaya başladılar. Birinci elemandaki öğretmenin uçtuğu çift kişilik uçak önde, teğmenin uçtuğu tek kişilik uçaksa onun kolundaydı. Yani önlemeyi öğretmeniyle birlikte çift kişilik uçakta uçan teğmen yapıyordu.

İki eleman birbirlerine oldukça yaklaşmalarına karşın çift kişilik uçakta av rolünde uçan teğmen hedef uçakları göremedi. Tüm gayretine rağmen öğretmen pilot da hedef uçakları göremedi. Radar ayrıntılı tarifini sürdürmesine karşın av uçakları hedef uçaklarını göremediler bunun üzerine dörtlü kol lideri, radara önlemeyi iptal ettiklerini bildirdi. Tam bu sırada Bora, önleme yapan uçakların hızla kendi üzerlerine doğru geldiğini gördü ve telsiz düğmesine basarak,

"Ne yapıyorsunuz? Bize çarpacaksınız..." diye feryat etti. "Sağ tarafa keskin dönüşe giriiiin..."

Bu uyarı üzerine birinci eleman, sola dönüşlerini durdurup, hızla sağa doğru keskin bir dönüşe girdi. Onlar sağa doğru dönüş manevrasına başlarken, Bora da uçağını hızla sola yatırıp dönüşe başladı. Ancak uçakların yaptıkları manevralar yetersiz kaldı ve av rolünde uçan uçakların iki numarası olan eğitim pilotu teğmen, uçtuğu uçağın gövde altıyla Bora'nın uçtuğu uçağın kuyruk kısmına hızla çarptı.

Çarpmayla birlikte Boraların uçtuğu uçağın kuyruk kısmı parçalanarak gövdeden ayrıldı. Gövdeden ayrılan parçalardan kuyruk stabilizesi, diğer uçağın tam gövde altından girip pilot kabinine kadar gelerek orada kaldı. Teğmen ne olduğunu anlayamadan kendisini havada buldu. Paraşütü otomatik olarak açıldı.

Çarpışmanın ve paraşütün açılmasının yarattığı şokla kendisini kaybedip bayılan teğmen ne olduğundan habersiz salınarak aşağı doğru inmeye başladı.

Çarpışmadan hemen sonra Boraların uçağında telsiz sistemi sustu. İç ve dış konuşmalar yapılamaz oldu. Bora çarpışma sonunda uçakta nasıl bir hasar oluştuğunu anlayamamıştı. Ancak uçağın fırıldak gibi dönerek hızla yere doğru gitmeye başladığını fark etti.

O anda arkasında bir sıcaklık hissetti, başını arkaya doğru çevirdi; uçaktan iki tane çok büyük havai fişek gibi bir şeylerin boşluğa doğru hızla gittiğini gördü. "Öğretmenim paraşütle atladı sanırım," diye düşündü. Sora, "önce uçağın dönüşünü durdurayım, sonra atlarım," diye kendi kendine konuştu. Uçağın dönüşünü durdurup, kontrol altına alabilmek için tüm bilgisini kullanarak yapılabilecek her şeyi saniyelerle ölçülecek kadar kısa sürede yapan Bora, uçağın kontrolünü kazanamadı. Yüksekliği gösteren saate baktı beş bin metre yükseklikte olduğunu gördü; ama o bölgede arazinin yüksekliği de yer yer iki bin metreye kadar yükseliyordu.

Kısa sürede durumunu değerlendiren Bora, paraşütle atlamaktan başka yapacak bir şey olmadığını anlayarak, hızla paraşütle atlama işlemlerini tamamlamaya başladı. Bacaklarını topladı vücudunu dik duruma getirdi ve paraşütle atlama kollarını çekti. Ama paraşütle atlama işlemleri başlamadı. Yere çok yakın olduğunu biliyordu. Böyle bir durumda saniyelerin ne denli değerli olduğunun da bilincindeydi. Çünkü uçak hızla yere doğru yaklaşıyordu.

Hiç tereddüt etmeden kanopiyi atma kolunu çekti; anında kanopi uçtu gitti. Arkasından kendisini iskemleye bağlayan bağları çözdü. Bağlarını çözerken sağ eliyle de paraşütün elle açma kolunu sıkıca tuttu. Bağları çözülünce, dönüşün oluşturduğu merkez kaç kuvvetiyle bir anda savrularak uçaktan ayrıldı; boşlukta dönerek düşmeye başladı. Önce bir parça şaşkınlık geçirdi; ancak kendisini hemen toparlayarak, 'Yere çok yakınım, bir an önce paraşütü açmam gerekli, yoksa taş gibi yere vururum,' diye düşündü. Paraşütü elle açma kolunu çekti, bekledi, bekledi paraşüt açılmadı. Paraşütün açılmadığını görünce bu kez, "Artık işim bitti, demek ki yaşamım buraya kadarmış," diye mırıldandı. Gözü yaklaşmakta olan karla kaplı araziye takıldı. Yer büyük bir süratle yaklaşıyordu. Gözlerini kapadı. Yere çarpmasına engel olabilmek için yapabileceği hiçbir şey yoktu artık. Aklına annesi ve kız kardeşi geldi. 'Artık dönüşü olmayan noktaya geldim,' diye aklından geçirdi. Sonra aklına Ebru geldi. 'Bizim de kaderimiz böyleymiş, birbirimize kavuşamayacakmışız. Ona doyamadan göçmek varmış dünyadan,' diye düşündü. Tüm bu düşünceler iki - üç saniyede aklından geçti. Bu süre, ona saatler kadar uzun gelmişti. Gözleri kapalı yere şiddetle çarpmayı bekliyordu. Ama bir hışırtı duydu, daha gözlerini açıp ne olduğunu anlamaya fırsat bulamadan, birden büyük bir silkelenişle havada asılı kaldığını hissetti. Sanki büyük bir el onu düşerken tutmuştu. Gözlerini açtığında hızla yaklaşan yerin; artık daha yavaş yaklaştığını anladı. Başını yukarıya doğru kaldırdı, ay ışığının altında paraşütün açılmış olan beyaz şemsiyesini gördü. Müthiş bir görüntüydü. "Yaşasın paraşüt açılmış," diye, avazı çıktığı kadar bağırdı. Yere baktı yer de ay ışığının aydınlatmasıyla bembeyaz görünüyordu. "Ne kadar güzel gök beyaz, yer beyaz. Beyaz bir gece," diye düşündü.

Bir anda karamsarlığı gitti, yerine coşkulu bir mutluluk geldi. O denli sevindi ki, "Seviyorum, seviyorum, seviyorum... Ebru'mu seviyorum, annemi seviyorum, kız kardeşimi seviyorum, yaşamı seviyorum," diye avazı çıktığı kadar bağırmaya başladı.

KAR YAĞIŞI

Sevinçle bağırarak, duygularını dışa vurması uzun sürmedi. Birden bir yere çarptığını ve hızla aşağıya doğru kaydığını hissetti. Ay ışığı da kaybolmuştu. Ne olduğunu anlamaya çalıştı. Yalçın kayalıklardan oluşan dağdaki tepelerden birisinin yamacından aşağı doğru hızla kaydığını anladı. Kaydığı yer o denli dikti ki çok hızlı kaymasının nedeni de buydu. Paraşütün vücudunu saran bağlarının hâlâ gergin olmasından, paraşüt şemsiyesinin sönmediğini anladı. 'Allah'tan paraşüt sönmemiş de bu dik yamaçtan kayışımı yavaşlatıyor. Yoksa parçalanabilirdim,' diye düşündü.

Bora'ya çok uzun gelen; ancak bir - iki dakika süren hızlı kayış sırasında her ne kadar paraşüt fren görevi yaptıysa da uçuş giysisi üzerinde bulunan bazı lüzumlu şeyler yerinden fırlayıp, kar içerisinde kaybolup gitmişti. Böyle bir paraşütle atlama durumunda, çok önemli olan ve gönderdiği sinyallerle pilotun bulunduğu yeri belirten cihaz da parçalanmış ve savrulup gitmişti. Henüz bunun farkında değildi Bora...

Biraz sonra hızlı kayış yavaşladı, daha sonra da durdu. Bir süre nefes bile almadan bekleyen Bora, heyecan ve korku karışımı duyguların etkisindeydi. Sağ elini başının üst tarafına uzatarak paraşütün kolonlarını tuttu. Çekmeye çalıştı, çekemedi. Kolonlar oldukça gergindi. "Sanırım, paraşüt bir yere takılmış," diye mırıldandı. Çevresine bakındı, bir şey görülmüyordu. "Havadayken ay ışığının etkisiyle, yer bembeyaz görünüyordu. Şimdi hiçbir şey görülmüyor. Galiba ay, kaydığım tepenin arkasında kaldı." diye söylendi

Eliyle yan tarafını yokladığında kardan başka bir şey olmadığını anladı. Sanki paraşütle atlama kulesinde asılıymış gibi hissetti kendini. Birden içini bir ürperti kapladı. Aklına el feneri geldi. 'İnşallah atlama anında ve yere indikten sonra kayarken, fırlayıp gitmemiştir; ya da kırılmamıştır,' diye aklından geçirdi. Feneri koyduğu sol göğüs cebini eliyle yokladı, fener orada duruyordu. Buna çok sevindi. Hemen feneri cebinden çıkarıp, sağ ve sol tarafını süratle gözden geçirdi. Etrafının karla kaplı olduğunu gördü. Çevresini biraz daha dikkatli inceleyince; oldukça dik bir yamaçta bulunduğunu ve paraşütün de bir kaya parçasına takıldığını anladı. Ama fenerin ışığını ayak ucuna doğru döndürdüğünde, bulunduğu yerden iki - üç metre sonra yamacın bittiğini ve bir uçurumun başladığını gördü; birden ürperdi. 'Eğer paraşüt kayaya takılmasaydı, şu anda dibini göremediğim uçuruma yuvarlanıp gidecekmişim,' diye korkuyla içinden geçirdi.

Durumu oldukça endişe vericiydi. 'Paraşüt kayadan kurtulursa ne yaparım,' diye düşündü. Aklına hiçbir şey gelmedi. Sonra, komando bıçağını çıkardı, poposunun bulunduğu yerdeki karları bıçakla kazıp, orayı çukurlaştırmaya başladı. 'Paraşüt kurtulursa, çukurlaştırdığım yerde kaymadan kalabilirim,' diye düşündü. Karları bir an önce kazayım derken, aceleden komando bıçağı elinden kaydı ve aşağı doğru yuvarlandı gitti. Bıçak karanlıkta aşağıya doğru kayıp giderken, Bora'nın yüreği cız etti. "Eyvah bıçak gitti şimdi ne yapacağım," diye mırıldandı. Sonra, 'Olan oldu, yapacak bir şey yok. Moralimi bozmamam lazım,' diye düşündü. Yine de çok üzüldü. Çünkü elindeki tek silah da kayıp gitmişti.

Komando bıçağını yitirmek, içinde büyük bir karamsarlığın oluşmasına neden oldu. Kendisine moralini bozmaması için yaptığı telkinlere karşın aniden kalbi küt küt atmaya başladı, tüm vücudundaki adaleler gerildi. Uçuş eldiveninin içerisinde avuç içlerinin terlediğini hissetti. Hâttâ koltuk altlarının da terlediğini anladı. "Sanırım sıcaklık eksi beşle eksi on derece arasında, nasıl oluyor da terliyorum," diye yüksek sesle kendi kendine konuşmaya başladı. Bu arada ağzının ve boğazının kuruduğunu hissetti. Ağzından son çıkan kelimeler ise hafif bir kekelemeyle çıkmıştı. Ne olduğunu anlamaya çalışırken midesi de bulanmaya başladı.

Durumu hiç de iyi değildi. Yaşamı süresince kendisini hiç bu kadar kötü hissetmemişti. "Neler oluyor bana? Allah'ım yardım et!" diye dua etti. Sonra uçuş eğitiminin başlangıç safhasında gördükleri 'Hayatta Kalma' kursu geldi aklına. Kursta, o anda hissettiği şeylerin hepsinin olabileceğinden söz edilmişti. Bunlar şuursuz bir korkunun belirtileriydi. Böyle durumlarda, insanın en büyük düşmanın panikleyerek korkmak olduğu defalarca anlatılmıştı. 'Şu anda kursta anlatılanları yaşıyorum. Paniklemeyi ve korkuyu yenemezsem benim için çok kötü olur. O zaman ne yapmam gerektiğini bilemem, doğru dürüst düşünemem; hatta sanki çevremde bir sürü vahşi hayvan varmış gibi korkudan sağa - sola bile bakamam,' diye düşündü.

Kendisini biraz toparladı ve duygularından sıyrılıp, bir parça daha mantıklı düşünmeye başladı. 'Ben her türlü problemi çözebilecek düzeyde bir eğitim aldım. Böyle korkak insanlar gibi paniklemek bana yakışmıyor,' diye içinden geçirdi. İçinde bulunduğu durumu değerlendirdi. 'Evet vaziyet pek iç açıcı değil; ama ben hayatta kalmayı becerebilecek kadar bilgiliyim,' diye düşündü. Aklına komando bıçağının kayıp gitmesi geldi. Bıçak her an ihtiyacını duyabileceği büyük bir güçtü. Buna yine canı sıkıldı. Tekrar paniklemenin tam sınırındayken, "Kendine gel Bora!" diye kızarak, kendisine söylendi. "Hem karları kazıp çukur açabilmek için bıçağım yoksa, ayaklarım var. Botlarım da çok sağlam ve yeni," diye mırıldandı.

Hemen iki ayağını da kullanarak, botlarının topuklarıyla, poposu ile dizleri arasında kalan, karları iteleyerek bir çukurcuk oluşturmaya başladı. Topuklarıyla karları çok özenli iteliyordu. Azıcık bir kar parçasının bile aşağı kayıp gitmesine izin vermiyordu. Çünkü bu kar yığınıyla oluşturacağı set sayesinde, eğer paraşüt takıldığı kayadan kurtulursa, bulunduğu yerde kalabilecekti. Zifiri karanlıkta, yalnızca ayaklarını kullanarak çukur açması ve karları onun önünde set haline getirmesi çok zor olmuştu. Ama başarmıştı işte. Bu başarı kendine olan güvenini artırdı.

Artık kendisini daha güçlü hissediyordu. Korkusu da yok olmuştu. "Aferin sana Bora, paraşüt kayadan kurtulursa kurtulsun, nasıl olsa bu çukur seni kaymaktan kurtarır," diye mırıldanıp, kendisini kutladı. El fenerini kullanarak kolundaki saate baktı. Saat yirmi dörde geliyordu. 'Zaman nasıl da geçmiş, hiç anlamadım,' diye aklından geçirdi. Öğretmeni geldi aklına, 'Acaba ne yaptı? Pilot iskemlesiyle birlikte uçaktan boşluğa uçuşunu gördüm, ondan sonra ne oldu bilmiyorum. İnşallah paraşütü açılmıştır,' diye düşündü. "Belki o da yakınımda bir yerdedir. Gün ağarınca anlarım."

Feneri cebine koyarken, içerisine pil konduktan sonra kapatılan alt kapağındaki çengele bağlı ipi parmağına dolandı. İpi parmağından kurtarıp feneri cebine koydu. Birden komando bıçağının da bir iple sağ bacağındaki bıçak koyma yerinin kenarına bağlı olduğu aklına geldi. Hemen elini oraya götürüp ipi aradı. İp orada ve gergindi. Kalbi hızlı hızlı atmaya başladı. Ama bu kez korkudan değil sevinçtendi.

İpi yavaşça çekmeye başladı. Çekti, çekti sonunda bıçağın kabzası hafifçe eline değdi. Çabucak bıçağın sapını eliyle kavradı. Bu hareketi o denli çabuk ve ciddi bir şekilde yapmıştı ki bıçak tekrar kayıp gider endişesi neden olmuştu bu davranışına. Bu davranışını komik bularak önce gülümsedi, sonra kahkahayla gülmeye başladı. Bu gülüşle iyice gerilmiş olan sinirleri biraz gevşedi ve kendisini daha rahat hissetmeye başladı.

Bir süre sonra kendisini tam anlamıyla toparlamayı başardı. Artık her şeyi daha açık ve daha detaylı düşünebiliyordu. 'Oldukça tehlikeli bir durumdayım, bundan sonra ne ile karşılaşacağım da belli değil; onun için sabaha dek uyumamam gerekli,' diye düşünerek, kendisini uyanık tutmaya çalıştı.

Bir süre sonra orta şiddette bir rüzgâr esmeye başladı. Rüzgârın etkisiyle, hava daha da soğumuş gibi oldu. Rüzgâr bir süre sonra yavaşladı ve kar yağmaya başladı. 'Ne şans! Bir de kar yağmaya başladı. İnşallah uçağın enkazını örtmez de gün ağarınca aramaya gelenler bulunduğum yeri görebilirler.' diye içinden geçirdi.

Aklına Ebru geldi. 'Güzel Ebru'm şu anda ne yapıyor acaba?' diye düşündü. 'Eğer Hakan paraşütle atladığımı öğrendiyse mutlaka ona haber vermiştir. O da perişan durumdadır şimdi.'

Kar yağışı zamanla daha kesifleşti. Taneler gittikçe büyüdü ve kar lapa lapa yağar oldu. Buna canı çok sıkıldı Bora'nın. Ancak biraz sonra, karın altında kalan bedeninin daha az üşüdüğünü fark edince, can sıkıntısının yerini yavaşça olumlu duygular almaya başladı. 'İyi oldu, kar beni soğuktan koruyor. Üşümem de oldukça azaldı,' diye düşündü. Ama kar başını da kaplamaya başlayınca yine canı sıkıldı. Hemen eliyle yüzünü örten karları temizledi ve kar nefes almasını zorlaştıracak kadar yüzünü kapladıkça, bu işi tekrarladı.

İçinde bulunduğu durum çok iç açıcı değildi. Ama bu şekilde sabaha dek yaşamını sürdürebileceğini kestirince, üzerine bir rahatlık geldi. Rahatlamanın etkisiyle göz kapakları ağırlaştı. "Kar biraz da olsa ısınmamı sağladı; ama yüzümde birikenleri temizlemezsem, nefes almakta güçlük çekebilirim. Hatta boğulabilirim. Onun için kesinlikle uyumamam gerekli," diye bir parça yüksekçe sesle mırıldandı. Uyumamak için büyük bir mücadele vermeye başladı. Bunda da başarılı oluyordu. Bu başarı onu mutlu etti. Gülümsedi... Aklına kasabaları ve öz ailesi geldi. Annesiyle pilot olup olmama konusunda yaptığı mücadeleyi hatırladı.

HAYALLER

O sıralarda uçaklara karşı duyduğu sevgi ve pilot olma tutkusu, gün geçtikçe artmaktaydı. Annesinin ve ablasının tüm karşı koymasına rağmen bu tutku bütün benliğini kaplamıştı. Her an uçakları düşünüyor ve 'nasıl yaparım da uçabilirim?' diye sürekli araştırıyordu. Doğal olarak da uçaklarla ve uçuşla ilgili tüm yayınları takip ediyordu.

Havacılıkla ilgili bir dergide, Selçuk yakınlarında bir hava meydanının olduğunu ve isteyen kişilerin ücreti karşılığında küçük uçaklarla uçurulduğunu okumuştu. Bu yazıyı okuyunca çok heyecanlanmış, 'Mutlaka oraya gidip sözü edilen uçaklarda uçmalıyım,' diye düşünmüştü.

O meydana, yalnız başına gidemeyeceğini iyi bilmekteydi. Yakın çevresindeyse onu oraya götürebilecek tek kişi babasıydı. 'O uçaklarda uçabilmem için babamı mutlaka ikna etmem gerekli,' diye aklından geçirdiğini, o günkü gibi hatırladı.

O günden sonra da eline geçen her fırsatı kullanarak, babasını razı etmeye çalışmıştı. Babasının başlangıçtaki 'olmaz' yanıtına karşın mücadelesinden vazgeçmemiş ve gün geçtikçe, yavaş yavaş babasını etkilemeyi başarmıştı. Ne var ki annesinin bu konudaki olumsuz tutumunu ise kırmakta bir türlü başarılı olamamıştı.

Bora'nın uçaklara karşı olan ilgisinden hep rahatsız olan annesi, onun bu isteğine oldukça kızmaktaydı. Bora'nın çok ısrar ettiği bir gün, "Böyle bir şeye asla izin vermeyeceğim," diyerek de kesin tavrını ortaya koymuştu.

Annesinin bu katı tutumu karşısında sesini fazla çıkaramayan Bora, "Annem ne derse desin, ne yapıp edip babamı kandıracağım ve o uçaklarla uçacağım," diye mırıldanmıştı.

O meydandaki uçaklarla uçmak isteği, her geçen gün biraz daha artmış, sonunda da Bora'da bir saplantı haline gelmişti. Bu saplantı düşlerini bile etkilemeye başlamıştı. Hemen hemen her gece uçakları görmekteydi rüyalarında.

Gördüğü rüyaları bazen sabah kahvaltısında anlatıyordu. Ancak her seferinde annesi, daha sözün başındayken kızıp söylemiyor ve Bora'nın kelimelerini boğazına tıkıyordu. Aslında annesi, kiralanacak uçak arıza yapar da ona bir şey olur diye korktuğu için oğlunun bu isteğine karşı çıkmaktaydı. Babasıysa, uçaklara karşı olan sevgisinden, böyle bir durumla karşılaşma olasılığının çok düşük olduğunu düşünüyor ve oğlunun isteğine pek de soğuk bakmıyordu.

Bunlar, en küçük ayrıntısına dek gözlerinin önünden geçerken, o günlere duyduğu özlemle yüzünde hafif bir tebessüm oluştu. Bu durum, Bora'nın yavaş yavaş duygularının etkisinde kaldığını ve yaşadığı ortamın ciddiyetinden uzaklaştığını gösteriyordu. Yüzüne düşen karlar çoğalmış olmasına karşın onları eliyle temizlemek bile gelmiyordu içinden. 'Elimi yüzüme götürüp karları temizlersem, şu anda beni mutlu eden hayalim ortadan kaybolur,' diye düşünüyor, hiç kıpırdamadan öylece yatıyordu. Kendisini tamamen duygularının eline bırakmıştı.

Birden birkaç kar tanesi burnundan içeriye girdi ve gıcık yaparak hapşırttı. Hapşırınca ister istemez daldığı hayalden uyandı. Hemen yüzündeki karları temizledi. 'İyi ki kar taneleri hapşırttı, yoksa uyuyup gidecekmişim,' diye düşündü.

Sonra, "Oğlum Bora kendine gel, uyursan donup ölebilirsin, mücadeleni sürdür," diye kendi kendine uyarıda bulundu.

Ama bedeninde öyle tatlı bir uyuma isteği vardı ki buna güçlükle karşı koyabiliyordu. Yaşadığı anın ciddiyetine konsantre olmakta da zorluk çekmeye başlamıştı.

Aklına yine rahmetli annesi, babası, ablası geldi. Yüreği cız etti. O hayatını alt üst eden trafik kazasından bugüne dek seneler geçmişti. Kazada tüm ailesini kaybedişini ve çektiği o dayanılmaz acıyı yeniden yüreğinde hissetti. 'Keşke onlarla birlikte olsaydım, şu an' diye düşündü. "Ne oluyor bana, neden hep rahmetliler geliyor aklıma," diye içinden geçirdi. Sonra, 'Yoksa yaşamımı yitiriyor muyum?' diye sordu kendine. Daha sonra da, "Hayır, hayır onlar bana güç vermek için düşüncelerime giriyorlar," diye mırıldandı. Ama gittikçe dayanma gücü azalıyordu. Karşı koymasına karşın uçuş için annesini ikna edişi ve kiralık bir uçakla ilk kez uçuşu, tüm düşüncelerini bastırarak öne çıktı ve o günler gözlerinin önünden geçmeye başladı.

Uzun bir uğraş sonunda önce babasını ikna etmiş, sonra babasının desteğiyle zor da olsa annesini razı etmeyi başarmıştı. Annesi, 'Ne haliniz varsa görün,' deyip, gönülsüzce izin vermişti.

Annesinin izin vermesine çok sevinen Bora, bir an önce uçak kiralamak için babasına aşırı baskı yapmaya başlamıştı. Babası da oğlunun aşırı baskısından bunalarak, bir gün işi gücü bırakmış ve oğlunu uçak kiralayıp uçurmak için Selçuk'a götürmüştü.

Bora, hava meydanına geldiklerinde, sevinçten uçmuş, uçakları gördüğündeyse, yerinde duramaz olmuştu. 'Sonunda düşlerim gerçekleşti!.. İşte uçaklar, o denli yakınlar ki bana,' diye içinden geçirirken, bir taraftan da babasının kolunu çekiştirerek şöyle demişti:

"Baba!.. şu uçakların güzelliğine bak. Haydi! Hemen birine binip uçalım."

"Acele etme oğlum. Önce ilgilileri bulup konuşalım."

İlgili kişiyi bulup, gerekli formalitelerin tamamlanması yarım saat sürmüştü. Bu sürede Bora, gözünü uçaklardan hiç ayırmamış, geçen zamansa bir gün gibi uzun gelmişti. İşlemler sürerken, 'Şu işler bitse de bir an önce uçsak,' diye, sabırsızlanmaktaydı. Kiralamayla ilgili formaliteler tamamlandıktan sonra pilotla tanışmışlardı. O andan itibaren bakışlarını pilotun üzerinden ayıramayan Bora, ona gıptayla bakarken, 'Aaah!.. Keşke ben de onun gibi bir pilot olabilsem,' diye aklından geçirmişti.

Uçağın bulunduğu park sahasına doğru yürürken, büyük bir mutlulukla uçağa bakan Bora, 'Ne denli güzel bir uçak,' diye düşünmüştü. Gülümseyerek onu izleyen pilot, eliyle uçağı göstererek,

"Delikanlı uçağı beğendin mi?" diye sormuştu.

"Beğenmek ne kelime, bayıldım."

Sonra Pilot, Halil Bey'e bakıp, sağ eliyle gökyüzünü göstererek hava durumunu anlatmıştı:

"Şansınıza, hava tamamen açık, görüş uzaklığı on kilometreden fazla, rüzgarsa orta şiddette. Sözün kısası, uçuş için ideal bir gün."

"Ne kadar iyi değil mi baba? Sanırım her yeri görebileceğiz!"

"Evet..."

Uçak dört kişilikti. Bora pilotun yanındaki koltuğa, babası da arka sıradaki koltuklardan birine oturmuştu. Uçağa bindikleri andan itibaren, Bora'nın gözü hep pilottaydı, onun yaptığı her şeyi merakla izleyip, hafızasına kaydediyordu. Babası belli etmemeye çalışsa da Bora, onun biraz korktuğunu anlamıştı. İçinden, 'Sanırım babam beni buraya getirdiğine pişman oldu,' diye düşündüğünü hatırlayınca, hafifçe gülümsedi.

Uçak havalanıp, biraz yükseldikten sonra karşılarında ucu bucağı belirsiz bir su birikintisi görünmüştü. Bora geriye dönüp babasına,

"Baba!.. Bak ne kadar büyük bir göl," demişti.

Pilot gülümseyerek Bora'ya bakıp,

"Delikanlı, o göl değil... deniz," diyerek, açıklamıştı.

Bora, ilk kez görüyordu denizi. "İnanamıyorum!.. İşte kitaplarda resmini gördüğüm deniz karşımda," diye düşünmüş, uçaktan yeryüzünün görünüşüne de bayılmıştı. Sonra pilota bakarak şöyle demişti:

"Abi, sağa - sola dönüşler yapsana, yeryüzünü daha iyi görürüz."

Pilot tamam anlamında, başını sallayarak, uçağı biraz fazla yatışla, sağa - sola döndürmeye başlamıştı. Uçağın havalanmasından beri kendisini hiç iyi hissetmeyen Halil Bey, bu manevraların başlamasıyla daha da kötüleşmiş ve midesi aşırı derecede bulanmaya başlamıştı. Dayanma gücünün son noktasına gelince de pilota durumunu anlatarak, uçağı hemen indirmesini istemişti.

Daha on dakika olmuştu havalanalı. Oysa yarım saatliğine kiralamışlardı uçağı. Bora, geri kalan süreyi, pilotla birlikte uçmak için babasından izin istemiş, önce direnen Halil Bey oğlunun yalvarmalarına dayanamayarak, kabul etmek zorunda kalmıştı.

Halil Bey indikten sonra pilot, Bora'yla birlikte yeniden havalanmış, biraz dolaşıp, dönüşler ve bazı manevralar yapmışlardı. Bora son derece mutlu olmuş, zamanın nasıl geçtiğini anlamamıştı. Uçuş sırasında, "Tanrım! Ne olur, pilot olmama ve savaş uçaklarında uçmama izin ver," diye dua etmişti. Bu uçuşun bitmesini hiç istememesine karşın ne yazık ki süre dolmuştu.

Pilot, kuleden iniş bilgisi aldıktan sonra uçağı meydana doğru döndürerek, uçuşu devam ettirmişti. Bir süre sonra Bora, pilotun terlediğini görmüş, nefes alıp verişinin de sıklaştığını hissetmişti. Bir terslik olduğunu fark eden; ancak ne olduğunu anlayamayan Bora, kaygıyla pilota bakarak,

"Abi!.. Ne oldu, hastalandın mı?" diye sormuştu.

"Ben iyiyim de uçağın motoru hastalandı."

"Bu ne demek abi, motor hastalanır mı hiç?"

"Bak çocuğum, senin anlayacağın motorda arıza var."

Bora birden heyecanlanmış, tedirgin bir şekilde pilota bakarak,

"Abi şimdi ne olacak, uçak düşer mi?" demişti.

"Yok canım, daha neler!.. Uçağın düşmesi o kadar kolay olmaz. Sen şimdi bağlarını sıkıca bağla ve kilitle. Bundan sonra da beni fazla konuşturma ki düşüncelerim dağılıp, yanlış bir şey yapmayayım."

"Tamam abi. Sen merak etme. Hiçbir şey sormam."

Bu konuşmadan sonra daha da heyecanlanan Bora, 'Uçağın motoru da bir garip çalışmaya başladı. Sanki öksürüyor gibi,' diye düşünmüştü. O bunları düşünürken pilot, hızlı bir şekilde kokpit içerisindeki bazı şalter ve düğmeleri açıp, kapatmış, sağa-sola çevirmişti. Bir süre sonra alnındaki ter boncuk boncuk olmuştu. Uçuş kulesini arayıp, endişeli bir ses tonuyla,

"Uçuş kontrol, uçuş kontrol! Konuşan altı – yedi (uçağın numarası), uçağın motoru durdu, çalıştıramıyorum. Durmuş motorla iniş için piste yaklaşıyorum, pisti tutturamazsam, meydan güneyindeki tarlaya mecburi iniş yapacağım," demişti.

Uçuş kulesi, anlaşıldığını bildirdikten sonra,

"Dikkat, dikkat havadaki tüm uçaklar! Acil durum ilan ediyorum. Bütün uçaklar iniş trafiğini terk etsinler. Altı - yedi kuyruk numaralı uçakta motor arızası var. İkinci uyarıya dek hiçbir uçak meydan batısına geçmesin," diye, iki kez bildiride bulunmuştu. Sonra da, "Altı - yedi, şu an neredesiniz?" diye sormuştu.

"Meydan güneybatısı sekiz kilometredeyim. Pisti görüyorum ve yaklaşmaya devam ediyorum."

"Anlaşıldı altı - yedi. Normal iniş yönünün tersinden yaklaşıyorsunuz. İnişte, arkadan on beş kilometre şiddetinde rüzgar etkisinde kalacaksınız (Acil durumlar dışında, inişte, rüzgar önden alınacak şekilde planlanır)."

"Anlaşıldı kule. Meydan güneyi iki yüz metredeki tümseğe yaklaşırken, yüksekliğim yeterli olursa piste inebilirim. Aksi takdirde tarlaya iniş yapacağım."

"Anlaşıldı altı - yedi."

Pilot bütün becerisini kullanarak, uçağı tepenin üzerinden geçirmeye çalışırken, arkadan gelen rüzgarın da olumlu etkisi olmaktaydı. Aslında pilot, arkadan gelen rüzgarın olumlu etkisini değerlendirerek, tarlaya inmek yerine, riske girerek piste inmeyi yeğlemişti. Uçağın piste yaklaşması oldukça iyiydi, tepenin üzerinden sıyırarak da olsa geçebilecek gibiydi.

Tam tepenin üzerine geldiklerinde, aşağı doğru bir hava akımının etkisinde kalmışlardı. Bu etkiyle uçak, biraz alçalmış ve tümseğin en yüksek yerine sürtünerek uçuşunu sürdürmüştü. Bir anda büyük bir gürültüyle birlikte, uçağın etrafını toz toprak sarmıştı. Çok korkan Bora,

"Abiii!.. Neler oluyor? Ne olur kurtar bizi," diye feryat etmeye başlamıştı.

"Korkma aslanım, bir şey olmayacak..."

Sürtünmeyle birlikte uçak bir parça yükselmiş, yükselişin etkisiyle de sürati azalmıştı. Sürati azalan uçak da hızla yere doğru yaklaşmaya başlamıştı. Ama pilot, kumandaları öyle ustaca kullanmıştı ki uçak çakılmayıp, yere biraz sertçe değerek, sürüklenmeye başlamıştı. Bir anda havaya toz toprak uçuşmuş ve uçak bu toz bulutunun içerisinde kaybolmuştu.

Toz bulutu yatışınca, Bora, sadece lastikleri patlamış olan uçağın penceresinden dışarıya bakmış, uçağın toprağın üzerinde durduğunu görünce çok sevinmiş ve pilota sarılırken ağzından şu kelimeler çıkmıştı:

"Yaşa be abi! Sen harika bir pilotsun."

Pilot, motoru durmuş olan uçağı başarıyla tarlaya indirmenin mutluluğuyla Bora'ya bakmış,

"Ben sana bir şey olmayacağını söylemiştim. Gördün mü bak, bir şey olmadı," demişti.

Tüm kurtarma ekibi, hızla olay yerine gelmiş, sağlık görevlileri, pilotla Bora'yı alıp, meydandaki sağlık ünitesine götürmüşlerdi. Yapılan ilk muayenede, pilotun hafifçe başından yaralandığı, Bora'nınsa burnunun bile kanamadığı anlaşılmıştı. Buna rağmen doktor, her ikisinin de hemen hastaneye götürülüp, orada da muayene edilmelerini istemişti. Bora, endişeyle doktora bakarak,

"Babam nerede? Ben hastaneye yalnız gitmem," demişti.

"Baban kim çocuğum?" diye sormuştu doktor.

"İsmi Halil, birlikte binmiştik uçağa. Midesi bulanınca onu indirip tekrar havalanmıştık."

Muayenede doktora yardım eden hemşire, Bora'nın saçlarını okşayarak,

"Tamam yavrum, baban yandaki odada," demişti. "Biraz önce getirdiler."

Babasının da sağlık ünitesine getirildiğini duyunca, ona bir şey olmasından çok korkan Bora, ağlamamak için kendisini zor tutmuştu. Hemşireyle birlikte, hemen babasının bulunduğu odaya gitmişti. İçeri girdiklerinde, babasının bir karyolada yattığını gören Bora, onun yattığı karyolaya doğru koşmuştu.

Karşısında oğlunu gören Halil Bey, yattığı yerden kalkıp, ona sıkıca sarılmış ve yanaklarından öperken,

"Neyse ki bu macerada bitti," diye mırıldanmıştı.

Ambulansa binip, birlikte hastaneye gitmişler, hastanede de Bora'da bir şey olmadığı anlaşılınca, gerekli raporlar hazırlanıp imzalanmış ve baba - oğul hastaneden ayrılarak kasabalarına dönmek için yola çıkmışlardı.

Eve gelince evdekilere, yaşadıkları korkunç olaydan hiç söz etmemişler ve olay aralarında bir sır olarak kalmıştı.

Yaşının küçük olmasına rağmen Bora, büyük bir kaza geçirdiklerini anlamıştı. Ancak pilotun, soğukkanlılığını koruyarak, uçağı ustaca kullanmasıyla faciadan kıl payı döndüklerinin de farkına varmıştı. Yaşadığı olayı, en küçük ayrıntısına dek uzun uzun irdeledikten sonra, 'Demek ki, uçuşla ilgili her şey iyi bilinir ve bilinen hususlar da ustaca uygulanırsa, pilot olmanın çoğu kimsenin sandığı gibi büyük bir tehlikesi yok,' diye düşünmüştü.

Aradan on seneyi aşkın bir zaman geçmesine rağmen o gün yaşadıklarının her saniyesi, peş peşe gözünün önünden geçerken tüm vücudu istem dışı gerildi Bora'nın. Babasıyla birbirlerine sarıldıkları an gözünün önünden geçerken, sanki babası yanındaymış gibi kollarını açtı ve ona sarılıyor gibi kollarını kavuşturdu. Kollarını kaldırıp babasına sarılıyor gibi hareket edince, kollarının üstünde birikmiş olan oldukça fazla miktardaki kar birden yüzüne düştü.

Karların yüzüne çarpmasıyla bir anda korkan Bora, daldığı hayal aleminden sıçrayarak uyandı. Kalbi yerinden fırlayacakmış gibi küt küt atıyordu. Hemen yüzündeki karları temizledi ve kısa sürede kendisini toparladı. 'O uçuşta; pilotun bilincini yitirmeden, ne yaptığını bilerek uçağı kullanması sayesinde, olaydan yarasız beresiz kurtulmuştuk' diye aklından geçirdi. Sonra yüzünde bir tebessüm belirdi. 'O pilotun, ölümün eşiğinde soğukkanlılığını kaybetmediği gibi şimdi ben de kurslarda öğrendiklerimi bilinçli olarak uygulayacağım ve Allah'ın da yardımıyla buradan sağ salim kurtulacağım,' diye düşündü.

Yüzbaşı Ali, çarpışma anında, telsiz frekansını ayarlamakla meşguldü. Telsiz frekansını ayarlarken genellikle kokpitin içine bakmazdı; ama o anda aklına bir şey takıldığı için bakışlarını telsizin kumanda kutusuna çevirmişti. O sırada Bora'nın, "Ne yapıyorsunuz? Bize çarpacaksınız!.. Sağ tarafa keskin dönüşe giriiin..." diye feryat edip uçağı, çarpışmayı önleyebilmek için sola sert şekilde yatırmasıyla ne olduğunu anlamak için başını kaldırıp dışarıya baktığı anda birden kendisini boşlukta bulmuştu.

Çarpışmanın etkisiyle, iskemlesinin elektrik sisteminde kısa devre oluşmuş, arkasından arka pilot mahallinin paraşütle atlama sistemi çalışmış, birbirini takip eden sıralı işlemler sonucunda da Yüzbaşı Ali, pilot iskemlesiyle birlikte gökyüzüne fırlamıştı. Önce uçaktan uzaklaşmış, sonra otomatik olarak iskemleden ayrılıp, havada istem dışı taklalar atmaya başlamıştı. Karanlık bir kuyuya düşer gibi hızla yere doğru inerken, belirli bir yüksekliğe gelince paraşüt kendiliğinden açılmıştı.

Paraşütle salınarak yere doğru yaklaşırken, kendisini toparlayabilen Yüzbaşı Ali, 'Ne oluyor, ben neden gökyüzündeyim, uçağa ne oldu, Teğmen Bora nerede?' diye aklından geçirdi. Sonra Bora'nın feryadını hatırladı. 'Sanırım diğer uçaklardan birisiyle çarpıştık ve çarpışmanın etkisiyle şoka girdim. Acaba uçaktan nasıl ayrıldım, paraşütüm nasıl açıldı?' diye düşündü. Ancak bunu hatırlayamadı.

Kafasından bu düşünceler peş peşe geçerken, ağzında tuzlu bir sıvı olduğunu hisseti. 'Acaba bu ne?' diye aklından geçirirdi. "Yoksa ağzımın içindeki kan mı?" diye mırıldandı. Birden içini bir ürperti kapladı. Biraz sonra ürperti korkuya dönüştü. 'Sanırım iç kanama meydana geldi. Ama ağızdaki kanın nedeni her zaman iç kanama değildir ki...' diye içinden geçirdi. Sonra, 'Eğer iç kanamaysa, böyle bir yerde bu şartlarda, yaşamımı sürdürebilmem mucizelere kalmış bir şey,' diye düşündü.

Ay ışığının aydınlatmasıyla yerin renginden her tarafın karla kaplı olduğunu anladı. Ancak bir süre sonra ay ışığı kayboldu ve yeri göremez oldu. Ayın neden kaybolduğunu anlamaya çalışırken birden sert bir şeye çarptı. Çarpma oldukça şiddetli olmuştu. Çarptığı yer irice bir kaya parçasıydı. Gözleri kapandı kulağında önce bir uğultu oluştu. Sonra tam bir sessizliğin içinde kaldı. Bayılmıştı.

Rüzgârın etkisiyle paraşütün şemsiyesi sönmedi ve onu sürüklemeye başladı. Sürüklenme on beş - yirmi metre kadar devam etti. Sürükleniş sırasında yine bir kayaya çarptı. Çarpmanın şiddetinden savruldu ve büyük bir şans eseri savrulmayla birlikte vücudu kayalar arasında oluşmuş bir oyuğun içerisine girdi ve orada kaldı.

Ama hâlâ sönmemiş olan paraşüt, onu çekmeye devam ediyordu. Fakat sağ ayağındaki bot, iki kayanın arasına sıkışıp kaldığı için paraşüt, onu oyuktan çekip çıkaramadı. Böylece ayağının kayalara sıkışması Yüzbaşı Ali'nin hayatını kurtardı. Yüzbaşı oyuğun içerisinde kaldı ama sağ ayağındaki kemiklerin de çoğu kırıldı.

Paraşüt kolonlarından iki tanesi kayalara sürtüne sürtüne bir süre sonra koptu ve böylece paraşüt söndü. Bütün bunlar olurken, Yüzbaşı Ali baygın olduğu için hiçbirinin farkına varmadı. Ama acıdan gerilmiş olan yüzünün korkunç şekli ve inlemeleri uzunca bir süre devam etti.

Gözlerini açtığında ne olduğunu, nerede bulunduğunu anlayamadı. Bir süre öylece kaldı. Sonra paraşütle yere doğru yaklaşmakta olduğunu ve sertçe bir şeye çarptığını hatırladı. Vücudunun her yerinde oldukça şiddetli bir ağrı vardı. Aklına paraşütle yere doğru yaklaşırken ağzındaki kan geldi. Dilini ağzının içerisinde dolaştırdı. Kanın iç kısmı yarılmış olan sol yanağından geldiğini fark etti. Buna sevindi. "Demek ki iç kanama yok kan buradan ağzıma yayılmış," diye düşündü.

Sonra sağ eliyle göğsünü yoklamak istedi ancak kolunu oynatamadı. Sol eliyle aynı şeyi denedi. Bu kez başarılı oldu. Ama büyük bir acıyla yapabildi bunu. 'Sanırım sağ kolum kırılmış,' diye düşündü. Yattığı yerden doğrulmak istedi, doğrulamadı. Hatta yerinden bile kımıldayamadı.

Aklına kızı ve eşi geldi. Kızı henüz üç yaşındaydı. Aile içerisinde uzun süren bir tartışmadan sonra Fulya koymuşlardı ismini. "Güzeller güzeli Fulya'm ve eşim şu anda ne yapıyorlar acaba? Kızım daha çok küçük, hiçbir şeyin farkında değildir; ama eşim Nesrin perişandır şu anda. Keşke onlara bir şekilde ulaşsam da sağ olduğumu bildirsem,' diye düşündü.

Aklına cep telefonu geldi. Zorlukla sol elini göğüs cebine götürdü; ama göğüs cebinin parçalandığını ve içine koyduğu her şeyin savrulup gittiğini anladı. Aklına paraşütle atlandıktan sonra otomatik olarak çalışan ve belirli bir frekansta yayın yaparak, pilotun bulunduğu yerin saptanmasını sağlayan 'PLS' cihazı geldi. Sol eliyle onu aradı ama bulamadı. "O da fırlayıp gitmiş," diye mırıldandı. 'Cihaz fırlamış ama inşallah çalışmaya başlamıştır ve yayınını sürdürüyordur,' diye düşündü. Oysa ki cihaz kayaya çarptığı anda kırılmış ve fırlayıp gitmişti.

Yüzbaşı Ali'nin durum hiç de iyi değildi. Çarpışmanın ve yerde sürüklenmenin etkisiyle vücudunda yaralar oluşmuştu. Bunların bir kısmında kanama hâlâ devam ediyordu. Zaman zaman gözleri kapanıyor, bir süre sonra da titreyerek gözlerini açıyordu. Yüzüne ara sıra kar taneleri gelmekteydi. 'Sanırım kar atıştırıyor,' diye aklından geçirdi. Oysaki kar yağışı yoğundu. Kovuğun üst tarafındaki kayanın uzantısıyla oluşan ve sanki büyük bir saçakmış gibi duran kaya parçası nedeniyle, yağan karın çok az kısmı kovuğun içerisine girmekteydi. 'Uyumamam gerekli, uyursam soğuktan donabilirim,' diye düşündü. Ancak tüm çabasına karşın gözkapaklarını açık tutmakta başarılı olamadı. Rüyasında kızı Fulya'yı görmeye başladı.

❖

İki uçağın çarpışmasından sonra kol lideri, durumu radara bildirdi ve bulundukları yerin koordinatlarını verdi. Toroslar üzerinde, Silifke kuzeyi elli kilometrede, Kırobası civarında bir yerde olmuştu olay.

Lider durumu rapor ettikten sonra telsizle dört numarayı aradı:

"Dört numara, konuşan iki – bir - iki."

"İki – bir - iki, devam edin," diyen teğmenin sesi çok kısıktı. Fısıldar gibiydi. Bu onun aşırı derecede heyecanlı olduğunun belirtisiydi.

"Beni görebiliyor musun?"

"Hayır efendim... Gittiler, gittiler iki uçak da infilak etti, hepsi parçalandılar!"

"İki numara kendini toparla! Böyle olaylar olabilir," diyerek teğmenin ruh halini düzeltmeye çalıştı lider. "Şu an hangi istikamete uçuyorsun?"

"Bilmiyorum efendim! Hiçbir şey bilmiyorum!.."

Lider, teğmenin konuşmasından, onun şokta olduğunu anlamıştı. Aslında kendisi de hiç iyi değildi; çünkü Yüzbaşı Ali can dostuydu. Onunla birlikte iki teğmenin, çarpışmadan sonra ne olduklarını bilememek kahrediyordu kendisini. Ama yapması gereken ilk işin şoktaki teğmenle, aynı uçakta uçtuğu teğmeni, uçaklarla birlikte salimen üslerine geri götürmek olduğunun bilincindeydi. 'Şimdi teğmeni bulmam gerek, yoksa onu da kaybedebiliriz,' diye düşündü ve telsizle onu tekrar aradı:

"Dört numara beni duyuyor musun?"

"Evet, evet..."

"Çok güzel, şimdi oksijeni yüzde yüz durumuna getir."

"Peki efendim," diye yanıt verdi teğmen. "Şimdi oksijeni yüzde yüze açtım."

"Aferin, biraz sonra kendini daha iyi hissedeceksin. Çevrene bir kez daha iyice bak. Beni görebiliyor musun?"

"Hayır efendim göremiyorum."

"Önemli değil. Ben seni görüyorum ve arkandan takip ediyorum. Şimdi üç yüz kırk dereceye dön."

Gerçekte lider de dört numarayı görmüyordu ama onun yavaş yavaş düzelen moralinin daha hızlı düzelmesi için öyle söylemişti.

"Anlaşıldı efendim."

"Dört numara, yeni istikamete girince bana bildir."

"Peki efendim."

"Şu anda süratin kaç?"

"Dört yüz otuz mil."

"Anladım. Motorların gücünü biraz azalt ve süratini iki yüz yetmiş mile düşür."

"Anlaşıldı, süratim iki yüz yetmiş olacak."

Bu telsiz görüşmesinden sonra başka bir kanaldan radarı arayan lider, dört numaraya göre kendi pozisyonunu sordu. Radar, dört numaranın, sol önünde saat on bir istikametinde, on kilometre mesafede olduğunu bildirerek, buluşma için üç yüz otuz dereceye uçmasını söyledi. Bu yöne dönen lider, süratini artırdı ve kısa süre sonra dört numaranın ışıklarını görerek onun koluna yanaştı.

"Dört numara... Konuşan iki – bir - iki, beni görebildin mi?"

"Hayır efendim. Henüz göremedim."

Teğmenin sesinden kendisini toparlayarak, şokun etkisinden kurtulduğunu anladı lider. Bunu anlayınca rahatladı. "Artık teğmen problemsiz bir iniş yapabilir," diye düşündü.

"Sağ tarafa bak. Ben senin kolunda uçuyorum."

Başını sağa çevirip lideri gören teğmen, çarpışmanın ardından yitirdiği özgüvenini yeniden kazandı. Daha sakin ve kendine güvenen bir sesle yanıt verdi:

"İki – bir - iki, şimdi sizi gördüm."

"Anlaşıldı, bizi görüyorsun. Şu anda üssümüzün ne tarafta olduğunu biliyor musun?"

"Biliyorum efendim. Hafif solumuzda, saat on bir istikametinde."

"Evet üssümüz o istikamette. İniş için sen bir numara olarak meydana yaklaşacaksın. Biz senin kolunda olacağız. İniş için direkt yaklaşmalı bir patern uygulayacağız."

"İki – bir - iki anladım. Ben bir numara olarak direkt yaklaşmayla iniş yapacağım."

"Tamamen doğru."

Teğmen son derece güzel bir şekilde piste yaklaştı ve yumuşak bir iniş yaptı. O indikten sonra pas geçip, tekrar inişe gelen lider de inişini tamamladı. Ancak dört uçak kalktıkları üsse iki uçak olarak dönmüşlerdi.

Radardaki sorumlular, iki uçağın havada çarpıştığını ilgili yerlere bildirdiler. Bu bilgi üzerine Arama Kurtarma Harekat Merkezi'nce hemen arama kurtarma operasyonu başlatıldı. İlk olarak Konya Hava Üssü'nden bir helikopter kaldırılıp, olay mahalline gönderildi. Ancak bölgenin dağlık olması ve karanlık nedeniyle; ikinci bir kazanın olmaması için bir süre sonra helikopterin görevi iptal edildi. Helikopterin ikinci pilotu Hakan'dı, dolayısıyla çarpışmayı ilk öğrenenlerden birisi de o oldu.

Kurtarma helikopteri kaza mahallinden ayrılırken, çift motorlu bir arama kurtarma uçağı aramayı sürdürmek için bölgeye geldi. Uçağın içinde elektronik sinyal algılayıcı cihazlar vardı. Bu cihazlarla paraşütle atlayan pilotların bulunduğu yer belirlenebiliyordu. Ancak bu belirlemenin gerçekleşebilmesi için pilotların yanında bulunan ve atlamayla birlikte otomatik olarak çalışan cihazların, yaptıkları yayını sürdürmesi gerekliydi.

Uçağın bölgede saatlerce arama yapmasına karşın, uçaktaki cihazlar tarafından çok düşük bile olsa sinyal alınamadı. Gece yarısında başlayan kar yağışına ve sinyal alınamamasına rağmen hiç ara verilmeden arama sabaha dek sürdürüldü. Ertesi gün de kesintisiz olarak aramaya devam edildi; ancak yine sinyal alınamadı ve hiçbir ize rastlanamadı. Çünkü yoğun şekilde yağan kar, tüm enkazın üzerini kapatmış ve hiçbir şey görünmez olmuştu.

Saat yirmi bir olunca Ebru telefonun başına oturdu. Bora'dan gelecek telefonu beklemeye başladı. Saat yirmi iki oldu, hâlâ telefon çalmadı. Sabırsızlanmaya başlamıştı Ebru. Funda da meraklandı ve gelip Ebru'nun yanına oturdu. O günkü gece uçuş için Hakan da göreve kalmıştı. Zaman ilerleyip de Bora'dan telefon gelmeyince Hakan'ı telefonla aramaya karar verdiler. Aradılar ancak ona ulaşamadılar. Hakan'ın bulunabileceği birkaç numarayı daha çevirdiler; fakat tüm telefonlar sürekli meşguldü. Hakan'la iletişim kurulamayınca Funda da endişelenmeye başlamıştı. Ebru ise endişelenmenin ötesinde korku içerisindeydi. O sırada televizyonun normal yayın programı kesildi ve 'Son Dakika' haberi olarak: 'İki uçağın, gece görev uçuşundayken havada çarpıştıkları ve pilotlardan herhangi bir bilgi alınamadığı' bildirildi. Kısa süre sonra da pilotların isimleri açıklandı. Ebru Bora'nın ismini duyunca, avazı çıktığı kadar,

"Boraaa..." diye bağırdı ve olduğu yere yığılıp kaldı.

Ebru'nun bayılması üzerine panikleyen Funda, ne yapacağını bilemedi.

"Haydi Hakan ne olur eve gel," diye bağırarak, ağlamaya başladı.

Biraz sonra Funda kendini bir parça toparladı. Ebru'yu omuzlarından tutup sarsarak ayıltmaya çalıştı; ancak ayıltamadı. Hemen aklına yüzüne su serpmek geldi. Hızla mutfağa gidip bir bardak su alıp geri geldi ve suyu Ebru'nun yüzüne serpeledi. Ama o yine ayıltamadı. "Allah'ım! Ne yapacağım şimdi ben?" diye mırıldanmaya başladı. Kendi kendine konuşurken, aklına üst katta oturan Doçent Doktor Tarık geldi. Hemen üst kata çıktı; kapıyı kırarcasına çalarken, bir taraftan da,

"Tarık abi, Tarık abi," diye bağırıyordu.

Televizyondan kötü haberi işitmiş olan Tarık Bey, kapıya doğru gelirken, 'Bu Funda'nın sesine benziyor, inşallah Hakan'a da bir şey olmamıştır,' diye düşünmekten kendini alamadı. Kapıyı açıp da Funda'nın perişan halini görünce, 'Eyvah, sanırım Hakan...' diye aklından geçirdi. Merakla Funda'ya sordu:

"Funda kardeşim hayırdır, ne oldu?"

"Tarık abi! Hemen bize inelim. Hakan'ın kız kardeşi Ebru bayıldı, bir türlü ayıltamadım."

Funda'nın sözlerinden Hakan'a bir şey olmadığını anlayan Tarık, biraz rahatladı. Ancak, 'Bora'ya yazık oldu, aslan gibi bir teğmendi,' diye düşünmekten de kendisini alamadı.

"Ne oldu da bayıldı?"

"Teğmen Bora'yı biliyorsunuz, Ebru onunla sözlü. Bu gece uçak kazası oldu. Kazada kaybolan pilotlardan birisi de Bora."

"Anladım. Sen evine git; ben gerekli ilaçları ve cihazları alıp hemen inerim. Aksilik eşim de Ankara'da. O burada olsaydı daha iyi olurdu."

Tarık Bey, tansiyonu oldukça yükselmiş olan Ebru'ya tansiyon düşürücü bir iğne yaptı. Bir süre sonra da gözleri yavaşça açılırken sakinleştirici bir iğne yaparak, belirli zaman aralıklarıyla kullanılsın diye bir kutu draje verip evine gitti.

Doktor ayrıldıktan kısa süre sonra Hakan eve geldi. Funda onun gelişine çok sevindi. Kapının açılışını duyunca hemen antreye koştu ona sarıldı, öptü, öptü.

"Hakan'ım televizyonda haberi ilk duyduğumda, sana bir şey olduğunu sanarak çok korktum. Sonra isimleri duyunca çok sevindim; ama Bora'nın ismini duyunca bu kez onun için çok üzüldüm," deyip, sonra Ebru ile birlikte yaşadıklarını anlattı.

"Ebru nasıl şimdi?"

"Uyuyor. İlaçların etkisinde."

"Annemler aradı mı?"

"Hayır, aramadılar. Sanırım haberi duymadılar."

"Onları arayıp haber versem mi acaba?"

"Zaman gece yarısını geçti. Bu saatte aramayalım. Yarın ararız."

"Haklısın. Şu anda ne yapacağımı bilmiyorum. Bu sıkıntıdan nasıl kurtulacağız?"

"Hayatım. Neden antrede duruyoruz, haydi salona gidelim."

Salona geçtiler. Ebru divanın üzerinde yatmış, derin bir uykudaydı. Hakan divanın yanına gelip, kardeşinin başını okşadı, eğildi alnından öptü.

"Vah benim talihsiz kardeşim! Ne kadar üzgün olduğunu çok iyi anlıyorum," diye mırıldandı.

Kısa süre sonra telefon çalmaya başladı. Hakan telefonu açtı. Telefon eden Sezen'di. Sezen ağlamaktan konuşamıyordu. Hakan bir - iki kez kim olduğunu sordu. Sonunda,

"Ben Sezen," diyebildi.

"Sezen'ciğim ben Hakan. Nasılsın, iyi misin?" diye, duygusallığının ve şaşkınlığının etkisiyle öylesine sordu.

"Hakan nasıl olabilirim ki, perişanım. Bora'dan haber var mı?"

"Çok üzgünüm ama olumlu veya olumsuz hiçbir bilgi yok."

"Allah'ım çıldıracağım şimdi. Nasıl olmuş bu talihsiz olay?"

Hakan, uçuştan döndükten sonra liderin ve teğmenlerin çarpışmanın oluşuyla ilgili söylediklerini anlattı.

"Sezen'ciğim kendini harap etme. Ben kesin olarak inanıyorum ki, Bora'ya hiçbir şey olmamıştır. O her şeyi hepimizden daha iyi bilir. Sen de buna inan," dedi.

"Ebru'nun haberi oldu mu?"

"Ebru Konya'da bizimle birlikte. Olayı biliyor," deyip Funda'nın anlattıklarını ona aktardı.

"Vah benim güzel Ebru'm. Nasıl dayanacak buna?.."

"Hülya Teyze nasıl? Sanırım o da perişan olmuştur."

"Sorma Hakan o da aynı Ebru'nun yaşadıklarını yaşadı. Şimdi ilaçlarla uyuşturulmuş durumda uyuyor."

"Sezen'ciğim sen güçlü ol ki Hülya Teyze'yi teselli edebilesin. Ben ufacık bir bilgi alır almaz sizi arayacağım."

ALTINCI BÖLÜM

ERDEMLİ DAVRANIŞLAR

ÖZVERİ

Kar uzunca bir süre yağdı. Gün ağarırken yağış hızı azaldı. Sonra da durdu. Ancak gökyüzü hâlâ koyu renkli bulutlarla kaplıydı. "Kar yağışı durdu ama görünüşe göre her an yeniden yağabilir," diye aklından geçirdi Bora. 'Etraf biraz daha aydınlanınca üzerindeki karları gerektiğinde kullanabilirim' diye yattığı yerin sağ tarafına yığdı. Sağ elini açıp, avuç içini karın üzerine gelecek şekilde yerleştirdi; sol dirseğiyle de destek vererek, vücudunu hafif sola dönük olarak kaldırdı ve çevresine bakındı. Oldukça dik bir yamaçta olduğunu, yamacın bitişinde de arazinin keskin bir şekilde alçaldığını gördü. Bu görüntü Bora'yı ürpertti. 'Uçuruma iki - üç metre kala durmuşum. Eğer paraşüt o kayaya takılmasaymış, uçurumdan düşüp paramparça olmam işten bile değilmiş,' diye içinden geçirdi.

Biraz daha doğruldu ve paraşütün takıldığı kayaya doğru baktı. Kayanın sağ üst tarafında daha yüksek kayaların oluşturduğu bir kaya gurubu gördü. 'Orası bulunduğum yerden daha emniyetli gibi, oraya çıkabilirsem iyi olacak,' diye düşündü.

Çok dikkatli olması gerekiyordu çünkü oldukça dik olan yamaçta, yanlış bir davranış, insanın uçurumdan aşağı uçup gitmesine neden olabilirdi. Bora kısa bir durum değerlendirmesi yaptı ve önce paraşüt kolonlarının yardımıyla paraşütün takıldığı kayaya doğru tırmanmanın akıllıca olacağı sonucuna vardı. 'O kayalara doğru tırmanırken paraşüt kolonlarının gerginliğini korumam lazım, eğer bir gevşeme olursa, hâlâ devam eden rüzgârın da etkisiyle kolonlar takıldıkları kayadan kurtulabilir. Bu da uçurumdan aşağı yuvarlanmama neden olur,' diye düşündü.

Tırmanış sırasında komando bıçağıyla, önce kar üzerinde ayaklarını sokabileceği çukurlar açmaya sonra bu çukurları kullanarak tırmanışını sürdürmeye karar verdi. Komando bıçağını çıkardı ilk çukuru açmaya başlarken, "Allah'ım bana yardım et; kayalara ulaşabileyim..." diye dua etti. Çukurları açıp adım adım kayaya doğru tırmanırken, bir taraftan da paraşüt kolonlarını beline dolayarak gerginliklerini korumaya çalışıyordu.

Böyle bir tırmanış oldukça uzun zaman almaktaydı. Ama Bora yılmadan uğraşısını sürdürdü. Kayaya ulaşmasına artık bir çukurluk mesafe kalmıştı. Tırmanışı buraya kadar başarıyla sürdürmesi mutlu etmişti Bora'yı. 'Çok şükür bir çukurluk mesafe kaldı,' diye aklından geçirdi. Başarılı tırmanışın getirdiği mutlulukla Bora, son çukuru açmaya başlamadan önce paraşüt kolonlarını beline sarmayı ihmal etti. Bu hatası pahalıya mal oldu ona. Çünkü paraşüt kolonlarının gevşek kalması, o anda rüzgârın hamle yapmasıyla birleşince, paraşütün şemsiyesi şişti ve kolonları silkeledi.

Silkeleme çok şiddetli olmuştu. Buna karşın büyük bir şans eseri, kolonlar kayada takılı kaldı. Ama sarsıntı Bora'nın dengesini bozmuştu. Dengesi bozulunca, Bora'nın içini birden bir korku kapladı. 'İnşallah aşağıya doğru kayıp, uçurumdan düşmem,' diye aklından geçirdi. Dengesini kazanmaya çalıştı; ama başarılı olamadı. Artık yapacak bir şeyi yoktu. 'Sonum geldi,' diye içinden geçirdi. Tam kaymaya başlayacağı sırada, komando bıçağını, şuursuzca tüm gücüyle karın içine sapladı. Bıçak hızla karın içerisine gömülürken, orta sertlikte bir yere girdi ve orada kaldı. Bu da Bora'nın bozulan dengesini yeniden sağlamasına yetti.

Kalbi yerinden fırlayacakmış gibi atıyordu. Soğuğa rağmen vücudunu ter bastı. Kısa bir süre, nefes bile almadan öylece kalakaldı. Büyük bir şans eseri, rüzgârın hamlesi durdu ve paraşüt söndü. Hemen kendisini toparlayan Bora, kayaya baktı. 'Bir hamlede kayaya ulaşırım ama tedbiri elden bırakmamam gerekli,' diye düşündü.

Rüzgârın yeni bir hamle yapmasına karşı, çok dikkatli olarak paraşütü yavaşça çekip beline doladı. Sonra komando bıçağını saplandığı yerden çıkartıp son çukuru açmayı düşündü. Ama bundan hemen vazgeçti. 'Bıçağı çıkarayım derken ters bir durumla karşılaşabilirim,' diye içinden geçirdi. Aslında bıçak beli hizasındaydı ve çıkarılması zor olmayacaktı. Bıçağı saplandığı yerden çıkarmaktan vazgeçti ama tek silahı olan bıçağını da orada bırakmak istemedi. Bıçağı çıkartıp çıkartmamakta kararsız kaldı ve ne yapacağını bilemedi. 'Bıçağın sırt kısmı yukarı doğru, o kısma basarak, kayaya uzanabilirim, kayanın olduğu yere tırmandıktan sonra da paraşüt kolonlarından bir kısmını kayaya sağlamca bağlayıp, bıçağın olduğu yere inerim ve bıçağı çıkartırım,' diye düşündü.

"Allah'ım bana yardım et," diyerek; sağ ayağını, bıçağın arka kısmıyla kabzasına denk gelecek şekilde yerleştirdi ve kayaya doğru sıkı bir hamle yaptı. Bu hamlede bıçak saplandığı yerden kurtuldu; ama Bora da kayayı yakalamayı başardı. Kendisini öyle bir çekişle yukarı doğru çekti ki adeta havada uçarak kayanın arkasına ulaştı. Derin bir nefes aldı. Yüzünde tatlı bir gülümseme belirdi. Şartlar ne olursa olsun; böyle kuş uçmaz kervan geçmez bir yerde verdiği uğraştan başarıyla çıkmak mutlu etmişti onu. Bıçağını ipinden çekerek yanına getirdi. Onu okşadı, öptü ve kılıfına sokup, kılıfın kilidini kapattı.

Kaya grubunun olduğu yere doğru baktı, kayalar bulunduğu yerden beş - altı metre uzaklıktaydı. Yamaç, aynı diklikte oraya kadar uzanıyordu. Biraz daha dikkatli bakınca kayaların bulunduğu yerdeki arazi eğiminin daha az olduğunu fark etti. 'Çok güzel... oraya çıkabilirsem, paraşüt kumaşlarından kendime kardan ve soğuktan korunacak bir çadır kurabilirim,' diye düşündü. Gökyüzüne baktı bulutlar biraz daha koyulaşmıştı. 'Acele edersem kar başlamadan oraya ulaşabilirim,' diye içinden geçirdi.

Her olasılığa karşı paraşüt kolonlarındaki iplerden bir kısmını kesip, uç uca bağladı ve sonra onları saç örgüsü şeklinde örerek başparmak kalınlığında bir urgan oluşturdu. Urganın bir ucunu kayaya diğer ucunu da beline bağlayarak, biraz önce uyguladığı şekilde tırmanmaya başladı. İlk seferinde elde ettiği tecrübeyle bu kez tırmanışı daha kolay ve daha çabuk tamamladı. Sonra halatın bir ucunu oradaki kayalardan birine sıkıca bağlayarak, yeniden aşağıya indi. Halatın diğer ucunu, aşağıdayken bağladığı kayadan çözerek, tekrar yukarıya çıktı.

Kayaların arkasında, tahmin ettiğinden daha düz bir arazi vardı. Buna oldukça sevindi. 'En azından yamaçtan kayıp gitme tehlikesi yok burada,' diye içinden geçirdi. Çevresine göz gezdirdi, arazinin bir tarafı tatlı bir meyille aşağı doğru uzanıyordu. Ama havadaki pus nedeniyle bir kilometreden sonrasını göremediği için arazinin nerede ve nasıl son bulduğunu anlayamadı. Diğer bir tarafı ise oldukça dikti. Öbür tarafı ise orta diklikteydi ve üst tarafta dik olan kısımla birleşiyordu. Orada bir kaya grubu daha vardı. 'Ne kadar enteresan bir yer...' diye aklından geçirirken, birden yüreği hızla çarpmaya başladı. Dik yamacın üst tarafındaki kaya gurubunun olduğu yerde, kumaş parçasına benzeyen bir şeyin sallandığını fark etti. Dikkatlice bakınca bunun paraşüt olduğunu anladı. "Bu, sanırım Yüzbaşı Ali'nin paraşütü. Hemen oraya çıkıp bakayım," diye mırıldandı.

Bir anda tüm yorgunluğunu unuttu ve orta diklikte olan yamaçtan koşarak, sallanan paraşütün olduğu yere çıktı. Paraşütün şemsiye kısmı oradaydı; ama kolonlar kayaların arka tarafına doğru mağaramsı bir yere uzanıyordu. Onları takip etti ve kolonların bittiği yerde gördüğüne inanamadı. Yüzbaşı Ali yerde baygın yatıyordu, yüzünde de oldukça çok miktarda pıhtılaşmış kan vardı. Sağ ayağı ise kayaların arasına sıkışıp kalmıştı.

Bora hemen paraşütün kolonlarını topladı ve Yüzbaşının ayağını, sıkıştığı yerden kurtardı. 'Her şeyden önce onun ısınması için ateş yakmalıyım,' diye düşündü. Mağaramsı kovuktan çıkıp, ağaç ya da çalı parçası aradı. Ancak yakacak hiçbir şey bulamadı.

Yüzbaşının yanına geri geldi. Onu ısıtabilmek için paraşütün şemsiye kısmını güzelce yere yaydı ve Yüzbaşıyı üstüne yatırdı. Kendi paraşütünü de yorgan gibi yapıp üzerine örttü. Ayaklarını ve ellerini yokladı. "Çok şükür soğuktan donmamışlar," diye kendi kendine söylendi. Sonra elini alnına koyup ateşi var mı diye kontrol etti. 'Sanırım ateşi otuz dokuz derece civarında,' diye düşündü. Bulundukları yerde ne ilaç ne de yiyecek vardı.

Durumu değerlendiren Bora, 'Yüzbaşı Ali'ye yiyecek ve ilaç bulmam lazım,' diye düşündü. Ama bu işi nasıl yapacağını kestiremedi. Sonra, "Onu buradan alıp, bir köy ya da kasabaya götürmem gerekli," diye mırıldandı.

Önce paraşütün kumaşından ve kolonlarından istifade ederek sedye gibi bir şey yapmayı ve sedyenin bir ucunu tutarak kar üzerinde sürükleyerek götürmeyi düşündü; ancak sedye için gerekli olan dal parçalarının olmadığı aklına geldi. 'O zaman iki paraşütü de Yüzbaşının üzerine güzelce sararım ve kolonlarla bağlarım, başının olduğu kısımdan kolonları uzatıp omzuma alırım ve dikkatli bir şekilde meyli az olan yerden aşağıya doğru götürürüm,' diye düşündü.

Düşündüğü gibi hazırlık yaptı. Yüzbaşıyı kucağına alıp, dışarıya çıkarmak üzereyken, Yüzbaşının yüzüne bakarak, 'Ne olur seni uygun bir yere götürünceye kadar dayan,' diye içinden geçirdi.

Tam o sırada Yüzbaşı Ali gözlerini açtı. Karşısında Bora'yı görünce gözlerinin içi güldü. Bora da onun gözlerini açtığını görünce çok sevindi. Ona heyecanla bakıp,

"Yüzbaşım!.. Çok şükür, gözlerinizi açtınız," dedi.

"Bora!.. Seni görmek ne kadar güzel..." sesi çok yavaş güçsüz çıkıyordu.

"Kendini yorma yüzbaşım. Allah'ın izniyle seni buradan götüreceğim."

Yüzbaşı Ali gülümseyerek Bora'ya baktı; yine kısık bir ses tonuyla sordu:

"Bora ne oldu bize, burada ne arıyoruz biz?"

"Yüzbaşım, diğer elemanın iki numarası teğmen bizim uçağa çarptı."

Yüzbaşının gözleri fal taşı gibi açıldı ve hayretle sordu:

"O teğmene ne oldu?"

"Onun hakkında hiçbir şey bilmiyorum."

"Peki biz neredeyiz?"

"Sanırım Silifke'nin kuzeyinde bir yerdeyiz."

"İyi de nasıl oldu da buralara geldik?"

"Uçaklar çarpışınca; siz hemen paraşütle atladınız..." deyip, kendisinin paraşütle nasıl atladığını ve geceyi nasıl geçirdiğini anlattı.

"Hiçbir şey anlamadım. Biz uçuşta mıydık?"

"Evet efendim, birlikte iki kişilik bir uçakta uçuyorduk."

"Nasıl yani?"

"Dün gece dört uçak önleme görevine çıkmıştık."

"Dün gece uçtuk mu biz?"

"Evet efendim."

Yüzbaşının, uçuşu ve çarpışmayı hatırlamadığını anlayan Bora, 'Sanırım geçici hafıza kaybı; fazla üzerine gitmeyeyim,' diye düşündü. Sözü değiştirmek için,

"Yüzbaşım üşüyor musunuz?" diye sordu.

"Evet üşüyorum."

"Şimdi birlikte, tepenin aşağısındaki kasabaya gideceğiz."

"İyi de sağ ayağım çok ağrıyor. Yürüyebileceğimi sanmıyorum."

"Sizi yürütmeyeceğim. Biraz önce siz uyurken, paraşütü üzerinize sardım. Sizi karların üzerinden çekerek götüreceğim."

"Ne karı..?"

"Yüzbaşım şu anda dağda bir yerdeyiz ve çevremiz karla kaplı. Hemen hemen bütün gece kar yağdı. Sanırım yine yağacak."

"Öyleyse hemen yola çıkalım."

"Sedye gibi bir şey yapıp, sizi onunla kar üzerinde kaydırarak götürmek isterdim ancak bulunduğumuz yerde hiç ağaç yok."

"Anladım. Ama beni nasıl götüreceksin?"

"Paraşüt kolonlarını, sizi sardığım paraşüt kumaşına bağladım. Kolonları çekerek sizi kar üzerinde kaydıracağım ve ağaç olan bir yere kadar götüreceğim."

"İnşallah sürüklenirken, sıkıntılı bir durumla karşılaşmam."

"Sanmıyorum. Kar neredeyse diz boyu. Sizi rahat bir şekilde kaydırabileceğimi düşünüyorum."

Son sözlerinden sonra Bora, 'Umarım üzüleceğimiz bir şey olmaz,' diye içinden geçirdi. "Zaman yitirmeden yola koyulsak iyi olacak. Sığınacak bir yere ulaşamadan kara yakalanırsak, kötü olur. Yönümüzü bulamayabiliriz ve o zaman da..." gerisini düşünmek bile istemedi. Hemen Yüzbaşıyı yola çıkabilecek gibi hazır edip, az meyilli yamaçtan yavaşça aşağıya doğru inmeye başladı. On dakika kadar gittikten sonra durdu. Etrafına bakındı ve Yüzbaşıya sordu:

"Yüzbaşım nasılsınız, sıkıntılı bir durum var mı?"

"İyiyim Bora, söylediğin gibi kar üzerinde kayarak gitmek, beni rahatsız etmiyor. Ancak çok yavaş gidiyoruz. Daha hızlı gidemez miyiz?"

"Gidebiliriz, ben gayet iyiyim. Siz rahatsız olmayın diye yavaş gidiyorum."

"Yok, yok! Daha hızlı gidebiliriz. Bir an önce yamacın aşağısına inelim."

"Tamam efendim. Bundan sonra daha hızlı yürüyeceğim. Rahatsız olursanız, bana seslenin."

"Olur."

Bora, Yüzbaşının daha hızlı gitme isteğine sevinmişti. Çünkü kara yakalanmadan sığınacak bir yere ulaşamamak korkusu yüreğini epeyce daraltmıştı. Şimdi daha rahattı. Ancak karın yağdım, yağıyorum demesi bir parça tedirgin ediciydi.

Kolonları omzundan aşırtıp sırtından göğsüne doğru getirdi, iki eliyle sıkıca tutarak, adeta koşarcasına aşağıya doğru gitmeye başladı. Kar oldukça kabaydı. Karın üzerine bastığında, neredeyse dizine dek kara gömülüyordu bacağı. Bu durum yürümesini çok zorlaştırıyordu; buna rağmen bir an önce ağaçlık bir yere ulaşabilmek için duraksamadan aşağıya doğru ilerlemesini sürdürdü. Birden gökyüzünün mavisini gördü bulutların arasından. Yüreği nedenini bilmeden çarpmaya başladı hızlıca. Bulutların dağılacağını ve havanın açacağını zannetti. 'Belki güneş de yüzünü gösterir,' diye içinden geçirdi. Ama gökyüzünün maviliği kısa sürede küçüldü, küçüldü ve kayboldu gitti. Buna üzüldü Bora. "Hay Allah!.. Sanırım kar yağacak," diye mırıldandı. Çok yorulmasına karşın hızını biraz daha artırarak, yamaçtan aşağıya doğru yürümesini sürdürdü. Aklına Yüzbaşının durumuna bakmak geldi. Bir parça yavaşladı, baktı olmuyor durdu. Geriye dönüp sordu:

"Yüzbaşım nasılsın, iyi misin?"

"İyiyim, hem de çok iyiyim."

Yüzbaşının ağzı iyiyim diyordu ama acı çektiği yüzünden belliydi. Bora bir an duraksadı. Sonra 'Zaman yitirmemeliyim,' diye düşünerek, yeniden hızlı bir şekilde yürümeye başladı. "Daha hızlı Bora, daha hızlı... Bir an önce güvenli bir yere ulaşmalısın," diye mırıldandı.

Aslında Yüzbaşı hiç iyi değildi. Bunu dile getirirse, bunun zaman kaybetmekten başka bir yararı olmayacağını düşündüğü için sesini çıkarmıyor ve acılarını içine atıyordu. Zaten rahat olmadığını dile getirse, Bora'nın yapabileceği bir şey de yoktu.

Bir süre sonra kar atıştırmaya başladı. Bora başını kaldırıp bulutlara baktı. 'Sanırım biraz sonra kar daha da kesifleşecek,' diye aklından geçirdi. Sonra daha hızlı yürümeye başladı. Yirmi beş dakika geçti geçmedi, kar biraz daha hızlı ve daha büyük taneli yağmaya başladı. Karın hızlanmasıyla birlikte görüş mesafesi de oldukça azaldı. Kar daha da kesifleşeceğe benziyordu. Bora'nın morali oldukça bozulmuştu. 'Bu gidişle dağ başında karların altında kalacağız. Yalnız olsam bir şeyler yapabilirim ama Yüzbaşımla her şey daha kısıtlı oluyor,' diye düşündü. "Allah'ım bize yardım et," diye mırıldandı. Artık üç adım ilerisini göremez olmuştu. Uzunca bir süre o şekilde yürümeye devam etti. Ali Yüzbaşı da umudunu iyice yitirmişti. 'Buralarda donup kalacağız sanırım,' diye içinden geçirdi.

Görüşün çok kısıtlı olması, yön tayinini de olumsuz etkilemişti. Hızla ilerliyorlardı ama Bora ne tarafa gittiklerini bilmiyordu. Birden Bora'nın ayağı kaydı ve daha dik eğimli bir yerden aşağı doğru kaymaya başladılar. Kısa süre sonra dengesini kaybetti ve yere yuvarlandı. Bu sırada da paraşüt kolonları elinden kaydı gitti.

Bora on beş - yirmi metre hem yuvarlanıp hem kaydıktan sonra tahta bir duvara çarptı. Neye uğradığını bilemedi. Çok üzgündü, Ali Yüzbaşıyı düşünüyordu. 'Hemen yuvarlandığım yerden yukarıya tırmanıp, yüzbaşımı arayayım,' diye aklından geçirdi. Yerden kalktı, önünde tahtadan yapılmış bir duvar görünce şaşırdı. Daha dikkatlice bakınca bunun tahtadan yapılmış bir kulübenin arka duvarı olduğunu anladı. Büsbütün şaşırdı. Tahta duvarın sağ tarafında bir pencere gördü. İçeriye baktı. Kimse yoktu. 'Ne büyük bir şans,' diye içinden geçirdi. "Kulübenin incelemesini bir tarafa bırakıp, Yüzbaşımı bulayım," ded,. Tam geri dönerken kulübenin ön tarafında ağaç olduğunu gördü. "Çok iyi! Ağaç dallarını hem yakacak olarak hem de sedye yapmak için kullanabilirim," diye mırıldandı.

Kar o denli hızlı yağıyordu ki kaydığı yere doğru baktığında, bıraktığı izlerin silinip gittiğini fark etti. 'Sağa - sola dönmeden tırmanayım, yoksa kaybolurum ve kulübeye geri dönüş yolunu bulamayabilirim,' diye düşündü.

Yamaca tırmanmaya başladı. Çok yorgun olduğu için bu işi düşündüğü kadar hızlı yapamıyordu. Ama bir an önce Yüzbaşıyı bulması gerektiğinin de bilincindeydi. "Eğer zamanında onu bulamazsam, kan kaybından ya da soğuktan donarak hayatını kaybedebilir. Çünkü çok kan kaybetti," diye aklından geçirdi. Dengesini kaybedip yuvarlandığı yere kadar geldi. Çevresini araştırdı. Ne yazık ki yarım saat kadar aramasına karşın onu bulamadı. Morali oldukça bozuldu. Ağlamaklı oldu. Aklına kendisinin sağ tarafa düşerek yuvarlandığı geldi. 'Ben sağa düşüp yuvarlanırken paraşüt kolonları daha elimden çıkmamıştı. Öyleyse o da benim yuvarlandığım istikamette ama otuz - kırk derecelik bir açı farkıyla kaymış olması gerekir,' diye düşündü ve buna göre bir yön belirleyerek, dikkatlice yürümemeye başladı. On - on beş metre gittikten sonra yerde karla örtülmüş bir kabarıklık gördü. Hemen karı eşelemeye başladı. Eline kumaş gibi bir şey geldi, kumaşı yakalayıp çekti. Gördüğü şey karşısında çok sevindi. Bu paraşütün bir ucuydu. Daha hızlı karları sağa-sola çekti. Ali Yüzbaşı paraşütün içine sarılı orada duruyordu. Eldivenini çıkartıp, parmaklarıyla boynuna dokundu ve nabzına baktı. Belli belirsiz nabız atışlarını hisseti. İşaret parmağını burnunun deliklerine tuttu çok yavaş nefes aldığını fark etti. "Çok şükür!.. Yaşıyor," diye mırıldandı.

Karları iyice temizledikten sonra paraşütün kayarken açılan yerlerini tekrar sıkıca bağladı ve son derece dikkatli bir şekilde onu kulübeye kadar getirdi. Bora kulübenin kapısını açmak istedi; ama kapıyı açamadı. Bir daha zorladı yine açamadı. Döndü

Ali Yübaşı'ya baktı. 'Eğer biraz daha dışarıda kalırsa donacak,' diye aklından geçirdi. Sonra hiç tereddüt etmeden kapıya kilidin bulunduğu yere, ayağının tabanıyla kuvvetli bir tekme vurdu. Kilit kırıldı ve kapı açıldı.

Kulübenin içini görünce Bora çok sevindi. İçeride bir yatak, bir masa birkaç iskemle; bir soba, bir ocak ve bir de tel dolap vardı. Hemen Ali Yüzbaşı'yı yatağa yatırdı. "Kulübede bunlar olduğuna göre sanırım giysi de vardır," diye düşünüp, etrafa bir göz attı. Dolap gibi bir şeyler gördü arka tarafta. Birisinin kapağını açtı, yanılmamıştı. İtinayla katlanmış giysiler vardı dolabın içinde. Giysilerden bir kısmını aldı. Yüzbaşının üzerindekileri çıkardı, onları giydirdi.

Sobaya baktı yanında ve içinde odunlar vardı. Öbür tarafındaki kibritleri görünce gülümsedi. Hemen sobayı yaktı. Biraz sonra kulübenin içi ısınmaya başladı. Oldukça sevindi, "sanırım yiyecek bir şeyler ve ilk yardım için gerekli ilaç da vardır," diye düşündü ve tel dolaba baktı içinde yiyecek vardı. Sonra diğer dolaplara baktı. Birisinde ilaç buldu. Son dolabı açtığındaysa gözlerine inanamadı. Gözlerini ovuşturdu bir kez daha baktı. Karşısında bir telefon duruyordu.

Hemen filosuna telefon etmek istedi ancak telefonun üzerinde ne çevirmek için bir kadran ne de tuşlamak için numaralar vardı. Bu duruma çok canı sıkıldı. Bunca üzüntü ve yorgunluktan sonra normal algılamasını bile yitirdiği bir sırada, umut ışığı gibi gördüğü telefonun bir işe yaramayacağını anlaması, kahrolmasına neden oldu.

İçini bir karamsarlık kapladı. Kendi üstündeki ıslak giysileri de değiştirdi. Sobaya bir - iki odun daha attı. Yüzbaşıya baktı, uyuyordu. Görünüşünden rahat olduğunu anladı. Bora da biraz rahatlamıştı. Bir şeyler yedi.

Aklı telefondaydı. "Eğer kullanılmıyorsa neden buraya getirmişler," diye mırıldandı. Birden beyninde bir şimşek çaktı.

Heyecanlandı. Hemen telefonun bulunduğu dolabı açtı. "Doğru düşünmüşüm. İşte dışarıdan telefona kadar gelen ve ona bağlanan kablolar," dedi kendi kendine. Sonra telefonun arkasında duran pilleri gördü. 'Sanırım bu piller de telefonun çalışması için. Galiba bu bir çeşit manyetolu telefon. Hattın diğer ucunda da başka bir telefon ve kişiler olmalı,' diye düşündü.

Pilleri telefonun altına yerleştirdi. Ahizeyi kulağına yaklaştırdı ve ahizenin konulduğu mandalın üzerine beş - altı kez hızlı hızlı basıp bıraktı. Bora'ya bir saat gibi gelen, on beş - yirmi saniye sonra ahizenin kulaklığından zayıf bir ses geldi:

"Alo, alo. Kimsiniz?"

Bora son derece heyecanlanmıştı. Kulağına gelen sese inanamadı. Sanki hattın öbür ucundaki kimsenin sesi kayboluverecekmiş gibi hızlıca,

"Alo ben Bora, siz kimsiniz?" dedi.

"Kardeşim nc söylediğin anlaşılmıyor, biraz yavaş konuşur musun."

Bora, kendi kendine, "Sakin ol oğlum; telaşlanma," diye mırıldandı ve bu kez kelimeleri tek tek söyledi:

"Ben Bora, siz kimsiniz?"

"Kardeşim dalgamı geçiyorsun! Sen boraysan ben de kasırgayım."

"Beyefendi lütfen beni dinler misiniz?"

"Neyini dinleyeyim. Hem sen o kulübede ne arıyorsun?"

"Ben Pilot Teğmen Bora. Lütfen beni dinler misiniz?"

"Pilot Teğmen mi?"

"Evet bu kulübeye tesadüfen geldik."

"Yoksa siz!.. Dün gece çarpışan uçakların pilotları mısınız?"

"Evet, evet biz onlarız."

"Kaç kişisiniz?"

"İki kişiyiz. Bizim burada olduğumuzu, en yakın askeri birliğe ya da jandarmaya bildirir misiniz?"

"Elbette bildiririm. Tüm Türkiye sizden haber bekliyor. Ama televizyonlarda üç kişinin kayıp olduğu söyleniyor. Senin adın Bora öbür pilotun adı ne?"

"Yüzbaşı Ali. Ama o ağır yaralı, acil yardım gerekli."

"Anladım. Endişelenmeyin hemen ilgili yerlere bildireceğim."

"Ben kiminle görüşüyorum?"

"Benim adım Esen Yel."

"Esen Bey sizden bir şey daha rica edebilir miyim?"

"Rica ne demek Teğmenim, emrin olur."

Bora, annesinin, Ebru'nun abisinin ve Yüzbaşı Ali'nin ev telefonlarını verdi. Evdekilerle yakınlık derecelerini söyledi.

"Durumumuzu ilgili makamlara bildirdikten sonra bizim için de ailelerimize telefon edip, sağlık durumumuzun iyi olduğunu söyler misin?" dedi.

"Teğmenim hiç merak etmeyin her şeyi eksiksiz yapıp, size döneceğim."

Bora telefon görüşmesinin ardından, Yüzbaşının yanına geldi. Elini onun alnına koydu, ateşi oldukça yüksekti. Bir parça bez buldu. Bunu ıslatıp ateş gibi yanan alnına koydu onun. Üç - dört dakika bekledi. Sonra bu yaptığını birkaç kez tekrarladı ve ateşini tekrar kontrol etti. Yüzbaşının ateşini az da olsa düşürebilmeyi başarmıştı. Buna sevindi.

Bulundukları yeri ve sağlık durumlarını bildirmenin rahatlatıcı etkisi, Yüzbaşının ateşini biraz da olsa düşürebilmenin verdiği sevinç ve sobadan gelen sıcaklığın etkisiyle Bora'nın gözkapakları yavaşça kapandı. Uyuklarken rüya görmeye başladı.

Rüyasında, Ebru büyük bir kar yığınının ortasındaydı ve oradan çıkmak için çırpınıp duruyordu. Bir taraftan da Bora'yı çağırıyordu:

"Bora hayatım, buradan çıkmama yardım et. Beni buradan çıkar!"

"Korkma aşkım geliyorum. Dayan biraz."

"Çabuk ol Boraaa... Gittikçe gömülüyorum."

Bora bütün gücüyle koşarak Ebru'nun yanına geldi. Onu elinden tutup kar yığınından çekti çıkardı. Ama Ebru onun yüzüne dik dik baktıktan sonra suratına bir tokat atıp,

"Bana bir daha sakın aşkım deme. Seni istemiyorum artık. Bana hep acı verdin," dedi.

Bora bu söz üzerine donup kaldı, ne yapacağını bilemedi. O sırada Ebru yavaşça uzaklaşmaya başladı. Onu tutabilmek için ellerini uzattı. Ancak tutamadı ve Ebru hızla uzaklaşıp, gözden kayboldu gitti. Bora gördüğü kabusun etkisiyle ter içinde kalmıştı.

Telefonun ısrarla çalan sesine sıçrayıp uyandı. 'Oh!.. Çok şükür rüyaymış,' diye aklından geçirirken koşup telefonu açtı. Telefon eden Esen'di.

"Teğmenim nasılsın, iyi misin, Yüzbaşım ne yapıyor?"

"Esen ikimiz de daha iyiyiz. Sen ne yaptın?"

"İlgili yerleri telefonla arayıp, her şeyi anlattım. Sizi almak için helikopter kaldıracaklar; belki de helikopter kalkmış geliyordur. Sonra da evlerinize telefon ettim ve onlara da durumunuzu ilettim. Herkes sağ olduğunuzu öğrenince çok sevindi."

"Ama bu karda helikopterle gelip alamazlar bizi."

"Endişelenmeyin, karadan da paletli kar arabası yola çıktı. Bulunduğunuz yer buradan azami bir saat çeker. Kar arabası yola çıkalı aşağı yukarı yarım saat oldu. Neredeyse oraya ulaşmak üzeredir."

"Sağ olasın Esen kardeş! Yaptıklarını hiçbir zaman unutmayacağım."

"Sizler sağ olun Teğmenim. Siz kelle koltukta vatanımızı koruyorsunuz. Bizim yaptığımız sizin yaptıklarınızın yanında nedir ki?.."

Bora, Esen'le görüştükten sonra öylesine sevindi ki, istem dışı ıslıkla 'I Found My Love in Portofino'yu çalmaya başladı. Islık sesi o denli güzel ve yüksekti ki, Ali Yüzbaşı melodiyi duyunca daldığı derin uykudan uyandı. Bora'ya baktı, mırıldanır gibi sordu:

"Neredeyim, nasıl geldik buraya?"

"Gözümüz aydın! Kurtulduk..."

Bora her şeyi kısaca anlattı. Yüzbaşı da işittiklerine sevindi. Onun da morali yükseldi. Yüzünde hafif bir gülümseme belirdi.

"Biraz önce ıslıkla çaldığın melodi, eşimle benim melodimizdir. Tanıştığımız zaman bu melodi çalıyordu. Ne zaman bu melodiyi duysam o günlere giderim."

"Efendim, sabahtan bu yana sizi ilk kez bu denli iyi görüyorum."

"Gece bir ara her şeyden ümidimi kesmiştim. O sırada gözümün önüne eşim ve kızım geldi. O zaman onlar için yaşam mücadelesi vermeliyim diye düşündüm. Ama vücudum bu düşüncemle alay eder gibiydi. Sonra istemeyerek gözlerim kapandı. Gözlerimi açtığımdaysa seni karşımda gördüm. O an senin ne yapıp edip beni kurtaracağını anladım. Ancak bildiğin gibi kendimi yine kaybettim. Ta ki eşimle benim melodimiz kulağıma gelene dek. O melodiyi duyunca gözlerimi büyük bir zorlamayla açtım ve yine sen vardın karşımda. Eğer o melodi kulağıma gelmeseydi, belki de hiç kendime gelmeyecektim; yani melodimizi ıslıkla çalman, beni hayata geri getirdi. Sonra da öyle şeyler söyledin ki, söylediklerin akıl alacak gibi değil."

"Ama hepsi doğru."

"Ben sana hayatımı borçluyum. Borcumu nasıl öderim bilmiyorum. Eğer yaşarsam, bu dünyada eşim ve çocuğumdan sonra bana en yakın kişi sen olacaksın."

"Öyle söyleme yüzbaşım. Kısa süre önce de siz beni kurtardınız. Siz olmasanız ben ne yapardım."

Paletli kar arabası Yüzbaşı Ali'yle Bora'yı alıp Kırobası yakınında bekleyen helikoptere götürdü. Helikopter, içinde ilk yardım için gerekli doktor, hemşire, cihaz ve ilaçlarla kazazedeleri bekliyordu. Paletli kar arabası helikopterin bulunduğu yere gelince, zaman geçirilmeden Yüzbaşı ile Bora helikoptere nakledildi ve helikopter hemen havalanarak, onları İncirlik Hava Alanı'na getirdi. Hava alanında bekleyen ambulans uçağı da kazazedeleri alarak Ankara'ya gitmek için havalandı. Uçuş sırasında Yüzbaşı ve Bora'ya ilk yardım için gereken her şey yapıldı. Uçak Ankara'ya inince kazazedeler yine bir helikopterle Gülhane Askeri Tıp Akademisi'ne götürüldüler.

Bora, dağda kar yağışıyla birlikte son derece olumsuz şartlara karşı hem kendinin hem de Yüzbaşı Ali'nin hayatını koruyabilmek için çok büyük bir gayret göstermişti. Doğayla savaşırken tüm duygularını büyük bir baskı altında tutmuştu. Sonunda bu savaştan galip çıkmıştı ama başarılı sona erişebilmek için de maddi - manevi tüm gücünü kullanmak zorunda kalmıştı. Askeri hastaneye geldiklerinde, onca yük omuzlarından kalkmış ve sürekli kontrol altında tuttuğu sinir sistemi birden gevşemişti.

Sinirleri gevşeyince vücudunu büyük bir yorgunluk kapladı. Bu yorgunluğa rağmen Bora, "Dayanmam gerekli, yoksa Yüzbaşımla birlikte donarız, ha gayret..." gibi sözler mırıldanmaya başladı. Daha sonra bu mırıldanmalar yüksek sesle konuşmalara dönüştü.

Bora'nın ağır bir depresyona girdiğini gören doktorlar, ona sakinleştirici ve uyutucu iğneler yapıp şuursuz davranışlarını kontrol altına almaya çalıştılar. İlk seferinde ilaçların fazla etkili olmadığını gören doktorlar; ikinci kez dozu oldukça artırarak tedaviyi sürdürme yoluna gittiler. Son yapılan iğnelerin etkisiyle Bora derin bir uykuya daldı. Ancak tüm vücudu seğiriyor ve dağda yaşadığı olayları hiç durmadan mırıldanıyordu.

Yüzbaşı Ali ise hemen ameliyata alınmıştı. Başarılı geçen birkaç ameliyattan sonra yoğun bakımda derin bir uykuya dalmıştı.

İlaçlarların etkisiyle on iki saate yakın uyuyan Ebru'nun göz kapakları yavaşça açıldı. Başını kaldırdı, çevresine anlamsızca baktı. Uyanmıştı ama hâlâ ilaçların etkisindeydi. Funda'yı gördü. Yanında duruyor ve kendisine bakıyordu. Funda Ebru'nun uyandığını görünce onun elini tuttu.

"Ebru'cuğum nasılsın, iyi misin?" diye sordu.

"Başım dönüyor. Ne oldu bana?"

Ebru bir gece önce yaşadıklarını birden hatırlayamamıştı. Funda onun davranışlarından bunu anladı ve kendisi hatırlayana dek Bora'dan söz etmemeye karar verdi.

"Sanırım gribal bir rahatsızlık geçiriyorsun. Sabah uyanamadın, ben de uyu diye kaldırmadım."

O sırada telefon çaldı Funda koşarak telefonu açmaya gitti. Telefondaki Esen'di. Esen kendisini tanıttıktan sonra Ebru ile Bora hakkında görüşmek istediğini söyledi. Bora'nın ismini duyan Funda,

"Bora mı dediniz?" diye sordu.

"Evet. Bora bana Ebru Hanım'la görüşmemi ve iyi olduğunu bildirmemi istedi."

Funda öyle yüksek bir sesle "Bora mı dediniz?" diye sormuştu ki, Ebru, Bora'nın ismini duyunca akşam olanları hatırladı ve yattığı yerden fırlayıp kalktı ve hızla Funda'nın yanına gelerek, elinden telefonu kaptı ve konuşmaya başladı:

"Alo! Ben Ebru, Bora'dan mı söz ediyorsunuz?"

"Evet hanımefendi."

"Bora nasıl, siz nereden arıyorsunuz?"

Esen, Bora ile konuştuklarını en ince ayrıntısına dek anlattı. Ebru onu dinlerken o kadar sevindi ki hem konuştu hem ağladı. Esen de Ebru'dan etkilendi ve konuşmayı sürdürürken içinden, "Nasıl bir aşk bu böyle, Allah birbirinden ayırmasın bu gençleri," diye dua etti.

"Esen Bey beni ne kadar çok sevindirdiniz. Size sonsuz minnettarım."

"Ebru Hanım böyle söylemeyin, bu haberi size ulaştırabildiğim için inanın ben de en az sizin kadar mutluyum."

"Eee! Bora dağda ne kadar kalacak?"

"Yarım saat içerisinde onları oradan alacaklar ve uçakla Ankara'ya, oradan da Gülhane Askeri Tıp Fakültesi'ne götürecekler."

"Çok iyi! Demek ki iki - üç saat içerisinde Ankara'da olurlar."

"Evet, sanırım."

Telefonu kapatan Ebru o denli sevinmişti ki, Funda'nın boynuna sarıldı. Onunla dans etmeye başladı. Aklına Hülya Hanım geldi. "Hemen ona telefon edip sevinçli haberi vereyim," diye düşündü. Telefon edip onlarla görüştü. Karşılıklı ağlaşarak sevinçlerini paylaştılar. Telefonu kapattıktan sonra Ebru Funda'ya gülümseyerek baktı.

"Güzelim, midem kazınıyor. Bir şeyler yesek mi?" diye sordu.

"Sen otur. Ben hemen bir şeyler hazırlarım."

Funda tam salondan çıkarken telefon tekrar çaldı. Funda baktı telefona. Arayan Hakan'dı. Bora'nın bulunduğunu söyledi. Funda,

"Biliyoruz," diyerek, Esen'in arayışını ve konuştuklarını anlattı. "Ankara'ya ulaştıklarını öğrenirsen bize bilgi ver."

Onlar konuşurken Ebru Funda'ya doğru yürümeye başladı. Onun yanına yaklaşırken, 'Hemen Ankara'ya gitmem lazım,' diye içinden geçirdi ve Funda tam sözünü bitirmişti ki, ahizeyi elinden aldı. Heyecanla konuşmaya başladı:

"Alo abi!.."

"Ebru canım benim, güzel kardeşim. Çok şükür kendini toparlamışsın."

"Evet toparladım. Ben Ankara'ya gitmek istiyorum."

"Yarın sabah gidersin, tamam mı?"

"Abi!.. Ben hemen gitmeyi düşünüyorum."

"Ebru!.. Hava kararmak üzere. Şimdi evden çıkarsan, gece yarısı varırsın Ankara'ya. O saatte yalnız başına ne yaparsın orada?"

"Abi, boşuna çeneni yorma. Ben kararımı verdim. Gideceğim."

"Biraz mantıklı ol."

"O zaman sen götür beni."

"Offf.. Ebru of!"

"Oflayıp durma. Funda'yla evliliğiniz için size yaptığım yardımı ne çabuk unuttu?"

"Tamam. Sen hazırlan, ben izin alıp geleyim. Bizim arabayla gideriz. Ama sabah erkenden geri döneceğiz. Tamam mı?"

"Tamam abilerin en güzeli. Seni çok seviyorum."

"Hadi yağ çekmeyi bırak..."

TRAFİK KAZASI

Gece yarısından sonra yağmaya başlayan kar, öğle üzeri durmuştu. Kar yağışının kesilmesinden sonra bulutlar yavaşça dağılmış, yüzünü gösteren güneş karşısında yolları kaplayan kar fazla dayanamayıp erimişti. Ancak eriyen karın ıslaklığı, havanın aniden soğumasıyla, Ankara yakınlarındaki yollarda yer yer buzlanmaya neden olmuştu.

Hakan'la Ebru yola çıktıklarında, güneş ufka oldukça yaklaşmıştı. Hakan İstanbul'dan gelirken her ihtimale karşı arabasına kar lastiği taktırdığı için içi rahattı. Üstelik gerekirse kullanabileceği zincirleri de vardı.

Yolculuk sıkıntısız olarak sürüyordu. Konya'nın kuzeyindeki tepeleri geçerken güneş batmış, hava da kararmaya başlamıştı. Cihanbeyli'ye vardıklarında hava iyice kararmıştı. Kulu'ya gelince Ebru,

"Abi midem bir hoş oldu, bir yerde biraz dursak nasıl olur?" diye sordu.

"Tamam dururuz. Az sonra yol sola dönecek. Birkaç kilometre ötede de bazı sosyal tesisler var. Orada hem bir şeyler atıştırırız hem dinleniriz."

"İyi olur hem de diğer ihtiyaçlarımızı gideririz."

O sırada radyoda çalan müzik kesildi. Son dakika haberi olarak, bir gün önce havada çarpışan uçaklardan birisinin pilotu olan ve kendisinden neredeyse yirmi dört saate yakın haber alınamayan Teğmen Hasan'ın da sağ olarak Silifke kuzeyindeki bir dağ köyünde bulunduğu bildirildi. Haberi duyunca ikisi de çok sevindiler.

"Ebru'cuğum, Hasan çok iyi bir insandır. Devremizin sessiz, sakin ve iyi yürekli teğmenlerinden birisidir. Onun da kurtulduğuna en az Bora'ya sevindiğim kadar sevindim," dedi Hakan.

"Çok iyi oldu. Böylece o talihsiz kaza can kaybı olmadan atlatıldı. İnşallah biz de bu karanlıkta salimen Ankara'ya varırız."

"Üsten ayrılmadan önce meteoroloji yetkilileriyle görüştüm. Bana, Ankara'ya yaklaşırken yolların ince bir buz tabakasıyla kaplı olabileceğini ve çok dikkatli olmamı söylemişlerdi."

"Umarım fazla sıkılmadan yolculuğu bitiririz."

"Kar lastikleri var; ama yine de çok dikkatli olmam gerekli."

"Aman abi, iyice dinlenelim de yola öyle devam edelim."

Güzelce yemek yiyip dinlendiler. Hakan kan şekerinin düşmesini önlemek için çikolata ve şekerlemeler satın aldı ve yeniden yola koyuldular. Asfalt üzerinde yer yer buz vardı ama problemsiz yolculuklarını sürdürüyorlardı. Gölbaşı'na yaklaşırken asfalt üzerindeki buzlar yoğunlaşmaya başladı.

Hakan çok dikkatliydi. O sırada karşıdan gelen ve Hakanlara hızla yaklaşan bir arabanın farları Hakanlara göre sol tarafa doğru kaymaya başladı.

"Ne yapıyor bu araba şarampole yuvarlanacak?" diye, Hakan yüksek sesle söylendi.

Hakan'ın sözü henüz bitmişti ki bu kez farlar hızla aksi tarafa doğru dönmeye başladı. Karşıdan gelen araba Hakanların ön tarafına doğru yöneldi. Saniyeden kısa sürede Hakan, 'Böyle giderse bu araba bize çarpacak,' diye düşünüp, sert bir fren yaptı ve arabayı, yolun yanaşabileceği kadar sağına çekerek durdurdu.

Karşıdan gelen arabanın farları tekrar sola doğru kaymaya başladı. Ebru çok korkmuştu.

"Abi ne yapıyor bu araba?" diye canhıraş bir şekilde sordu.

"Sanırım şoför buzda kayan arabanın kontrolünü kaybetti."

Birden sola kayan farlar, hızla sağa doğru dönmeye başladı. Dönüş bir turu tamamladıktan sonra ikinci tura başladı. Hakan hemen durumu değerlendirdi. "Bu araba ikinci turu tamamlarken sol önden bize çarpacak," diye düşünüp, hızla gaza bastı ve arabalarını ileri doğru hareket ettirdi. Henüz iki - üç metre gitmişlerdi ki, dönmekte olan araba Hakanların arabasının sol arka köşesine hızla çarptı.

Çarpmayla birlikte Hakanların arabası hızla sola doğru dönmeye başladı. Araba dönmeye başladığında Ebru, 'Sanırım sonum geldi,' diye aklından geçirdi. "Bora'mı, bu dünyadaki biricik aşkımı bir daha göremeyeceğim herhalde. Onunla mutluluğu doyasıya tadamadım. Nedense her seferinde bir aksilik çıktı," diye düşündü.

"Abiii bir şeyler yap!.."

"Araba kendi bildiğine hareket ediyor. Bir şey yapamıyorum."

Hakan'ın tüm çabasına karşın araba savrularak dönüşüne devam etti. Bir tur döndükten sonra yolun diğer tarafındaki şarampole düşüp, yan yatarak durdu.

Çarpışma anında hava yastıklarının açılmasıyla Hakan ve Ebru ölümden dönmüştü. Ancak hava yastıkları açılırken, dikiz aynası kırılıp yerinden fırlamış ve Hakan'ın sağ şakağına hızla vurarak derin bir yara açmıştı. Araba ekseni etrafında hızla dönerken de Ebru'nun belinde korkunç bir acı meydana gelmişti. Araba şarampole düşerken de olayın etkisiyle Hakan'la Ebru bayıldılar.

Kazaya tanık olanlar, durumu ilgili trafik birimlerine bildirdiler. Olay yerine gelen trafik polisleri yaralıların Ankara Trafik Hastanesi'ne götürülmesini sağladılar.

Kazaya neden olan sürücüyse olay yerinde hayatını kaybetti. Yapılan incelemede aşırı derecede alkollü olduğu ortaya çıktı.

Hakan ve Ebru, baygın olarak hastaneye getirildi. Hastane o denli kalabalıktı ki acilen ameliyata alınması gereken birçok kazazede vardı. Doktorların, tüm yaralılara hemen müdahale etmeleri ve yeterli zaman ayırmaları olanaksızdı.

İlk kontrolde, ilgili hastabakıcı, Hakan'ın cüzdanındaki askeri hüviyetinden subay olduğunu öğrenince, durumu yetkililere iletti. Hastane yetkilileri de bunu Gülhane Askeri Tıp Akademisi'ne bildirdiler.

Kısa sürede Hakan'la Ebru, Gülhane Askeri Tıp Akademisi'ne getirildi ve acil servise yatırıldı. Bir süre sonra ikisi de kendine geldi. Hakan sağ gözüyle nesneleri net olarak göremiyordu. Ebru'nunsa bacakları hissizleşmişti. Yapılan ileri tetkiklerin sonunda, Ebru'nun belinden aşağısının tutmadığı anlaşıldı.

Onlar hastanede baygın yatarken, geçirdikleri kaza Mete Beylere bildirildi. Haberi öğrenince Mete Bey ve Nesrin Hanım perişan oldular. Hemen Ankara'ya gitmek için hazırlığa başladılar. Mete Bey her zaman araba kiraladıkları şirkete telefon ederek, şoförüyle birlikte bir araba kiraladı ve hemen yola çıkmak istediklerini bildirdi.

Bir süre sonra Ankara'dan bir kez daha telefonla aradılar; bu sefer Hakan'la Ebru'nun son durumlarıyla ilgili bilgi verdiler. Verilen bilgi ilkinden daha kötüydü. Habere Nesrin Hanım yüksek sesle ağlayarak tepki verdi. Mete Bey ise şok oldu, dondu kaldı. "Demek ki oğlumun bir gözü tam görmüyor," diye düşündü. Sonra da,

"Ya benim küçük meleğim!.. Böyle mi olacaktı, bebeğim artık yürüyemeyecek mi?" diye mırıldandı.

Çocuklarının başına gelen felaketten büyük bir üzüntü duyan Mete Bey, bu habere dayanamadı. Kısa süre sonra midesi bulanmaya başladı. Bulantıyla birlikte göğüs kemiğinin altında şiddetli bir ağrı oluştu ve ağrı sol koluna doğru yayıldı. Eşinin kalp rahatsızlığı olduğunu bilen Nesrin Hanım, oluşan semptomlardan, onun kalp kriz geçirdiğini anladı. Hemen ilacını verdi ve hastaneye götürmek için ambulans çağırdı. Ambulansı beklerken, Mete Bey Nesrin Hanım'a bakıp, kısık bir ses tonuyla zorlanarak konuştu:

"Nesrin, krizi atlatamazsam çocuklarımızı yalnız bırakma hemen Ankara'ya git."

"Mete'ciğim, böyle konuşma, bu basit bir kriz. Kendini toparlayınca Ankara'ya birlikte gideceğiz."

"İnşallah ama bu kriz diğerlerinden biraz değişik."

Ne yazık ki Mete Bey hastanede gösterilen tüm çabalara karşın krize yenik düştü ve yaşamını yitirdi.

Nesrin Hanım, büsbütün perişan oldu. Ne yapacağını şaşırdı. Ağlaması birden kesildi. "Mete Bey'i mutlu etmem gerek, onun vasiyetine uyup, Ankara'ya çocukların başına gideyim," diye düşündü.

Kalp krizini duyup hastaneye gelmiş olan yakınlarından Avukat Selim, Nesrin Hanım'ın yanından hiç ayrılmıyordu. O onların en güvendikleri en yakın dostlarıydı. Nesrin Hanım ona Mete Bey'in vasiyetini ve kendi düşüncesini anlattı. Bunun üzerine Selim Bey, cenazeyi daha sonra kaldırmak üzere hastanenin morguna koydurdu ve Nesrin Hanım'ı yalnız bırakmamak için onunla birlikte Ankara'ya gitti.

Doktor belinden aşağısının tutmadığını söyleyince, Ebru buna inanmadı ve ona çok kızdı. Yattığı yerden kalkıp doktorun yakasına yapışarak, neden böyle konuşuyorsun demek için hamle yaptı. Fakat bacakları bu isteğini yerine getirmedi. Bir daha, bir daha denedi. Olmadı.

Bacaklarını hareket ettirememesi Ebru'ya büyük bir şok etkisi yaptı. 'Sanırım doktor doğru söylüyor,' diye aklından geçirdi ve sessizce ağlamaya başladı. "Artık koşup boynuna atlayarak, Bora'ma sarılamayacağım demek ki. Artık Bora beni ister mi ki?" diye kendisine sordu. "Bora'm beni ister. O beni seviyor," diye mırıldandı. Sonra, 'Ben artık yarım bir insan oldum. Ona istediklerini nasıl verebilirim ki,' diye düşündü. Sağa dönmek istedi dönemedi. Sola dönmek istedi dönemedi. Sessiz ağlayışı birden hıçkırarak ağlamaya dönüştü ve yumruk yaptığı ellerini başına vurmaya başladı. Doktorlar psikolojik durumunun gittikçe kötüye gittiğini görünce ona sakinleştirici bir iğne yaptılar, sonra da uyku ilacıyla uyuttular.

Hakan, sağ gözünün görmesinin yüzde kırk azaldığını ve iyileşme olasılığının yüzde elli olduğunu duyunca, üzüntüden kahroldu. Eğer iyileşmezse, bunun uçuculuk hayatının sonu olduğunu çok iyi biliyordu. 'Pilot sınıfından ayırırlarsa, Hava Kuvvetleri'nden istifa ederim,' diye düşündü. "Aslında görme kıstaslarım yeterli düzeyde olmazsa, zaten malulen emekli ederler beni."

Kendi derdine düşmüş kimseyi düşünmez olmuştu. Aklına Funda geldi. 'Onu da arayamadım. İyice merak etmiştir. Kaç saat oldu Konya'dan ayrılalı,' diye içinden geçirdi. Sonra, 'Ebru nerede acaba, durumu nasıl, yaralı mı değil mi?' diye düşündü. Kendisine bakmaya gelen hemşireye sordu. Hemşire olanları anlattı. Duyduklarına inanamadı. Hemen gidip görmek istedi; ancak uykuda olduğu için göremeyeceğini söyledi hemşire. 'Ben de pilotluktan ayırırlarsa ne yaparım diye düşünüyorum. Ya zavallı kardeşim ne yapsın! Yarım insan oldu,' diye düşünüp, kendisine kızdı. Bu arada Funda'ya telefon etmeyi de yeniden unuttu.

Nesri Hanım'la Avukat Selim, Ankara'ya geldiklerinde, neredeyse sabah olmak üzereydi. Doğruca hastaneye gittiler. İlgililerden

Ebru'yla Hakan'ın nasıl olduklarını en küçük ayrıntılarına kadar öğrendiler. Nesrin Hanım, çocuklarının durumunu bildiği halde doktorların anlattıklarını duyunca sanki yeni duyuyormuşçasına içi fena oldu. 'Bir an önce çocukları hastaneden çıkarıp, İstanbul'a götürsem iyi olacak,' diye düşündü. İlgililere düşüncesini anlattı ancak sorumlu doktorlar, "Ebru Hanım'ı götürebilirsiniz; ama Teğmen Hakan, Silahlı Kuvvetler personeli olduğu için tam iyileşinceye kadar bizim kontrolümüzde kalması gerekli," dediler.

Nesrin Hanım buna çok üzüldü ama yapabileceği bir şey de yoktu. Geç bir saat olmasına karşın çocukları görmelerine izin verdiler. Ebru uyuduğu için önce Hakan'ın yanına gittiler.

Hakan'ın yattığı odaya geldiklerinde o, yatağa uzanmış düşünüyordu. Kafasının içinden peş peşe bir sürü düşünce geçiyordu. Annesini görünce önce şaşırdı. Sonra yattığı yerden kalkıp ona sarıldı ve ağlamaya başladı.

"Anneciğim! Ebru çok kötü durumda. Başına gelene nasıl dayanacak bilmiyorum," dedi.

"Ben de bilmiyorum oğlum... Sen nasılsın yavrum?"

"Nasıl olacağım anne. Ebru ile kıyaslarsan çok iyiyim. Ağrım sızım yok. Çok şükür."

"Haklısın evladım. Allah hepimize sabır versin. Kara bulutlar başımızın üzerinde öyle çoğaldı ki!.."

Nesrin Hanım çok kötü olmasına karşın, ayakta durmasının şart olduğunun bilincindeydi. "Gücümü yıkılıp kalıncaya dek kullanmam gerekli. Tükendiğinde de Allah kerim," diye düşündü. Hakan'la birlikte Ebru'nun yattığı odaya doğru yürüdüler.

Onlar odanın kapısına gelmeden kısa süre önce Ebru gözlerine açmıştı. Uyku sersemiydi, nerede olduğunu birden anımsayamadı. Şaşırmış olarak etrafına bakındı. O sırada kapıda annesini gördü. Kalkıp ona koşmak istedi; ama yapamadı. Yeniden yüksek sesle ağlamaya başladı. Nesrin Hanım hızla karyolanın yanına geldi, kızına sarıldı. 'Bahtsız kızım benim,' diye, aklından geçirdi. Onun saçlarını öperken, kulağına fısıldadı:

"Ağlama kızım. Senin iyi olman için her şeyi yapacağım. Gerekirse yurt dışına gideriz."

"Sahi gider miyiz?"

"Tabi gideriz."

"Babam nasıl düşünür? Sahi babam nerede, neden gelmedi?"

Nesrin Hanım tam, 'baban yeni bir kalp krizi geçirdi. Bu kez onu kurtaramadık,' diyecekti. Kendisini toparladı; ancak göz pınarlarından üç - dört damla yaşın süzülüp yanaklarından aşağı kaymasına engel olamadı. Bu kez gözyaşları Mete Bey için akmıştı ama Ebru onların kendisi için aktığını sandı.

"Ben haberi aldığım da Mete İzmir'deydi. Neye uğradığımı şaşırdım. Ona haber bile veremeden sizin yanınıza geldim. Eminim baban da benim gibi düşünür ve seni yurt dışına götürmek ister."

Yurt dışına gitme fikri, Ebru'ya çok cazip geldi. Böyle bir gidiş, Bora'dan uzaklaşabilmek için cankurtaran simidi gibi göründü ona. Ama öncelikle en kısa sürede bulunduğu hastaneden ayrılmayı düşünmekteydi. Çünkü Bora'nın da bu hastanede olduğunu biliyordu ve Bora'nın kendisini bu halde görmesini kesinlikle istemiyordu.

"Anne hiç zaman kaybetmeden beni bu hastaneden çıkar. Burada kendimi boğuluyor gibi hissediyorum," dedi.

"Tamam kızım." Sonra avukata dönerek, "Selim Bey hemen çıkış işlemlerini tamamlar mısınız?"

"Peki Nesrin Hanım," diyen avukat, işlemleri tamamlamak için odadan ayrıldı.

"Acelen ne?" diye sordu Hakan. "Biliyorsun Bora da bu hastanede. Onu gördükten sonra çıkarsın hastaneden."

"Onu görmeden gitmek istiyorum."

"Ebru'cuğum onu görmen için Ankara'ya gelmiyor muyduk? Şimdi görmeden gideceğim diyorsun."

"Evet öyle söylüyorum. Çünkü beni bu vaziyette görmesini arzu etmiyorum."

"Vaziyetinde ne var ki kızım," diyerek, Nesrin Hanım söze karıştı.

"Anne daha ne olsun ki! Bundan sonra Bora'ya hiçbir şey veremem ben."

"Verebilirsin kızım. Hem de dünyanın en güzel şeyini, sevgini verirsin."

"Anne Bora gibi yakışıklı birini kendi haline bırakırlar mı?"

"Evet bırakmazlar; ama Bora gibi sağlam karakterli bir kişi de öylelerine dönüp bakmaz bile."

"Haklısın; ancak ben kahrolurum. Biliyorsun Ceyda ile Ahmet'in yaptıklarını. Beni ne denli üzdüler."

"Aman Ebru, sen de bir hoşsun," dedi Hakan. "Bora'nın bu durumunu nasıl karşılayacağını bilmeden, neden kaçıp gitmeyi düşünüyorsun ki?"

"Abi sanırım, senin dinlenmen gerekli. Git yat! Beni de annemle yalnız bırak."

O sırada odaya hemşire geldi. Hakan'a biraz sertçe bir ses tonuyla,

"Teğmenim, hemen yatağınıza dönmeniz gerekiyor," dedi. "Yanılmıyorsam size yirmi dakikalık bir müsaade vermiştim."

"Abi hemşire hanımı duydun. Onu daha fazla pişman etme."

Hakan gittikten sonra Ebru annesine sarıldı, onun kulağına yalvaran bir sesle fısıldadı:

"Anneciğim ne olur, beni hemen bu hastaneden çıkart ve Amerika'ya götür."

Nesrin Hanım kızının bir bunalım geçirdiğini anladı. 'Yavrucuğum daha yeni bir bunalımdan çıkmıştı. Bir kez daha bunalıma girerse, bu kez aklını oynatır. Ama Mete Bey'in cenazesi ne olacak, onu kim kaldıracak?' diye sordu kendi kendine. Nesrin Hanım da iyice bunalmıştı. "En iyisi Selim Bey'le konuşayım. O bir çözüm bulur," diye mırıldandı.

"Tamam kızım! Seni Amerika'ya götüreceğim. Yüreğini ferah tut," diye kızını teselli etti.

Selim Bey çıkış işlemlerini tamamlayıp geldi. Ebru sabırsızlıkla neticeyi bekliyordu.

"Çıkış işlemlerini yaptım. Ancak bu gece daha Ankara'da kalması koşuluyla işlemlere onay verdiler," dedi Selim Bey.

"Olsun biz Ankara'da kalacağız deriz, Amerika'ya gideriz," dedi Ebru.

"Raporun altına biraz önce söylediğimi not olarak koydular. Üstelik karadan gidemeyeceğimizi, uçakla gitmemizin gerekli olduğunu da yazdılar.

"Olsun raporu kimseye göstermeyiz," dedi Ebru.

"Ebru Hanım, biz göstermesek bile pilotlar sorarlar."

Nesrin Hanım, kızının içinde bulunduğu ruhsal durumu çok iyi anlıyordu. 'Güzel yavrum!.. Her şey üst üste geldi. Nasıl alışacaksın yürüyememeye, bakalım ne kadar zaman alacak buna alışman?' diye, içinden geçirdi. Ebru'nun üzüntü içerisinde yere bakmasından yararlanıp, Selim Bey'e göz kırparak, Ebru da duysun diye biraz yüksek sesle fısıldadı:

"Selim Bey, haydi gidelim de imzalanacak kağıtları imzalayayım."

"Haklısınız şu imza işini bir an önce bitirelim de hastaneden ayrılalım."

"Kızım biz şu formaliteleri tamamlayıp gelelim."

"Beni uzun süre yalnız bırakmayın anne."

Nesrin Hanım'la Selim Bey, dışarı çıktıklarında Selim Bey "Ne imzası anlamadım?" diye sordu.

"İmza meselesini o anda uydurdum. Aslında ne yapacağımızı Ebru'nun olmadığı bir yerde tartışalım diye öyle söyledim."

"Çok haklısınız, ben bunu düşünemedim. Sanırım böylesi daha iyi."

Ne yapabileceklerini tartıştılar. Birkaç alternatif üzerinde fikir birliğine vardılar. Nesrin Hanım bunlardan birisini daha çok benimsedi ve ufak tefek değişiklikler yaparak kararını verdi ve planı Selim Bey'e açıkladı:

"Selim Bey, Ebru'yu hemen buradan çıkaralım ve özel bir hastaneye götürelim. Ebru o hastanede bir gece kalır; ben de ona eşlik ederim. Sonra hep birlikte İzmir'e gideriz. Gülhane Askeri Tıp Akademisi'nden ayrılırken de Hakan'a, İstanbul'a oradan da yurtdışına gideceğimizi söyleriz. Planın buraya kadar olan kısmını Ebru'ya anlatırız fakat devamından söz etmeyiz.

Devamında ise Ebru'yu İzmir'de bırakıp, Amerika'ya gidiş için bürokratik işlemleri yapmaya gidiyoruz diye, Mete Bey'in erkek kardeşiyle birlikte İstanbul'a gider ve Mete Bey'in cenazesini kaldırırız. Bu arada benim Amerika'daki kardeşimi arayıp, ona tüm olanları anlatırız ve Ebru'nun tedavisi için Amerika'ya geleceğimizi, büyük bir olasılıkla da uzun bir süre kalacağımızı bildiririz.

Selim Bey biz hastanedeyken, siz önce İzmir'deki Mete Bey'in kardeşi İlker Bey'i arayıp, olanları ve planımızı ona anlatırsınız, sonra da cenazenin kaldırılmasıyla ilgili yapılması gereken işlerle ilgilenirsiniz. Ben de cenaze için İzmir'den İstanbul'a gidiş ve dönüş hariç hep Ebru ile birlikte olurum."

"Nesrin Hanım, siz hiç endişelenmeyin. Ben en kısa sürede her şeyi ayarlayacağım ancak Amerika'ya gidişiniz için en az beş - altı güne ihtiyacımız olacak," dedi Selim Bey.

"Ebru'yu İzmir'e götürelim. Ondan sonrası kolay."

"Nesrin Hanım, ben şimdi Ebru'yu Ankara'da yatıracağımız hastaneyi ayarlayayım, sonra sizi alır oraya götürürüm. Daha sonra da hem cenazenin kaldırılışını organize ederim hem de İzmir'e telefon edip İlker Bey'le görüşürüm."

"Selim Bey, şu sıkıntılı günlerimde her işimi hallediyorsunuz. Size nasıl teşekkür edeceğimi bilemiyorum."

"Böyle söylemeyin Nesrin Hanım. Mete Bey, herkese olduğu gibi bana da o denli güzel davranışlarda bulundu ki, onun için ne yapsam onun bana verdiklerine karşılık olmaz."

Bora'nın uyurken mırıldanması yavaş yavaş azaldı, birkaç saat sonra da kesildi ve derin bir uykuya daldı. Ertesi gün akşama doğru morali oldukça iyi olarak uyandı. Çevresine bakındı karyolanın ayak ucunda kendisine bakan hemşireyi gördü. Ona Yüzbaşı Ali'yi sordu. Hemşire hastaneye ilk gelişindekine göre çok daha iyi olduğunu ve hızla sağlığına kavuştuğunu söyledi. Bu yanıt, Bora'nın moralini biraz daha düzeltti.

Hemşireye kendisini onun yanına götürmesini rica etti. Birlikte Yüzbaşı Ali'nin yanına gittiler. Bora'yı görünce Yüzbaşının gözlerinin içi güldü. Yattığı karyoladan kalkamadı; ama iki kolunu ona doğru uzatarak,

"Gel aslanım gel! Seni doyasıya kucaklayayım," dedi.

Bora hızla ona doğru yürüdü ve sevgiyle kucaklaştılar. Bora'nın gözleri kızardı. Kısa sürede ne çok sıkıntıya birlikte göğüs germişler ve olumlu sonuçlar elde etmişlerdi.

"Yüzbaşım sizi bu kadar kısa sürede, bu denli iyi görmek ne büyük mutluluk."

"Bora, sen insan gibi bir insansın. Dağda geçirdiğimiz o kötü saatlerde kendinden fazla beni düşündün. Beni kurtarabilmek için kendi hayatını tehlikeye attın. Bunlar öyle küçümsenecek davranışlar değil. Bu tür davranışları ancak kahraman kişiler sergiler. Ben senin uçuş öğretmenin olmaktan büyük bir gurur duyuyorum."

"Efendim öyle söylemeyin. Sizin bana yol göstererek verdiğiniz destekle, ben bunalımdan kurtulup sevdiğim kişiyi kazandım."

"Peki bakalım! Senin dediğin gibi olsun..."

Bora, 'sevdiğim kişiyi kazandım' derken aklına Ebru, Sezen ve annesi geldi. 'Hemen onları telefonla arayayım, beni çok merak etmişlerdir,' diye düşündü. O sırada hemşire Bora'ya bakarak,

"Ziyaretimizi sonlandıralım mı efendim?" diye sordu.

Bora, "Tabii," diye, yanıt verdikten sonra Yüzbaşı Ali'ye de, "Görüşmek üzere efendim," deyip, odadan çıktı.

Önce İzmir'e telefon etti. Annesiyle ve Sezen'le uzun uzun konuştu. Başlangıçta Bora'nın, 'ben çok iyiyim, en ufak bir sorunum yok,' demesine pek inanmadılar. Ama konuşma ilerledikçe onun doğru söylediğine ikna oldular ve içleri rahat etti.

Sonra Konya'ya, Hakanların evine telefon etti. Telefonu Funda açtı. Konuşması bir tuhaftı. Bora Ebru'yu sordu.

"Bilmiyorum. Dün akşam üzeri Hakan'la birlikte Ankara'ya seni görmeye gittiler, şu ana kadar da beni aramadılar. Ben de çok merak ediyorum," diyerek, tedirginliğini dile getirdi.

"Funda!.. Tam olarak anlayamadım. Konya'dan ayrıldıktan sonra seni telefonla aramadılar mı?"

"Aramadılar. Aramadılar diye önce gücenmiştim onlara, zaman ilerledikçe meraklandım. Ama senin söylediklerinden de yanına gelmediklerini anladım. Şimdi merakım daha da arttı."

"Dün gece büyük bir stres altındaydım, rahatlayabilmem için beni ilaçla uyuttular. İlaçların etkisiyle akşama kadar uyumuşum. Biraz önce uyandım. Ben uyurken geldilerse bilmiyorum. Bir araştırayım; eğer bir şey öğrenirsem seni tekrar ararım. İnşallah başlarına bir şey gelmemiştir."

Bora yaptığı araştırma sonucunda Hakan'ın da hastanede yattığını öğrendi ve hemen onun yanına gitti. Onun yanına geldiğinde çok tedirgindi. Birbirlerine sarıldılar. Hakan başlarına gelenleri olduğu gibi anlattı.

Bora duyduklarına inanamadı. İçi burkuldu, yüreği yandı. Hele Ebru'nun Amerika'ya gitmek için gece İstanbul'a hareket ettiğini öğrenince kelimenin tam anlamıyla yıkıldı. Neden kendisini görmeden gittiğini sorduğundaysa tatminkâr bir yanıt alamadı Hakan'dan. Ona Funda'yı aramasını söyleyerek yanından ayrıldı ve kendi odasına doğru yürüdü.

Odasına geldiğinde çok üzüntülüydü. Yatağın üzerine oturdu başını ellerinin arasına aldı dirseklerini dizlerinin üzerine koydu. Öylece kalakaldı. Bir süre sonra içinden birileri sanki kendisine sesleniyor gibi geldi. İçinden gelen seslerden bir tanesi belirginleşti. Ses ona diyordu ki:

"Yegâne aşkın İstanbul'da sen hâlâ burada oturuyorsun."

Bu kelimeler üzerine seslerden diğeri ötekileri bastırdı ve şunları söyledi:

"Seni görmeden bırakıp gittiğine göre onu düşünme, arkasından da üzülme."

Bora şaşırdı. Birbirleriyle zıt emirler veren bu iki sesten hangisini dinlemeliydi? Birden içinden gelen seslerden diğer birisi ötekilerden daha yüksek çıkmaya başladı:

"Bakıyorum uçuşu hiç anmaz oldun. Hani, seni uçuştan uzaklaştıracak hiçbir olaya prim vermeyecektin?"

İlk gelen ses yine diğerlerini bastırarak, Bora'ya seslendi:

"Sen onların söylediğine bakma. Eğer Ebru Amerika'ya giderse bir daha onu göremezsin. Aklını başına topla, hemen İstanbul'a git. Onu bul. Onunla konuş ve gitmesine engel ol."

Bu kez ikinci sesi diğerlerinden daha iyi duymaya başladı. Şöyle diyordu:

"Artık o, yarım bir insan. Sana ne verebilir ki?"

Birden üçüncü ses öne çıktı:

"İkinci ses haklı, sana bir bayanın verebileceği çocuk dahil hiçbir şeyi veremez. Hayatın mutsuzluk, mutsuzluk hep mutsuzlukla dolu olur. Uçuculuk hayatın bile sona erebilir."

Bora içinden gelen seslerden rahatsız olmuştu. Bir süre sonra rahatsızlığı kızgınlığa dönüştü ve bağırmaya başladı:

"Yeteeer, yeter artık. Nereden çıktınız siz. Susun!.. Dinlemek istemiyorum sizi."

Onun böyle bağırmasına sesler kesildi. Ancak kısa süre sonra ilk duyduğu sesi ürkek bir tonda yeniden duydu.

"Bora, biraz evvel söylediğim gibi Ebru senin yegâne aşkın. O seni görmek için Ankara'ya gelirken kaza geçirdi ve sakat kaldı. Unutma o, seni görmeye, senin sesini duymaya, senin saçlarını okşamaya; tek aşkı olan seni, sevgi ve şefkatle öpmeye geliyordu."

Bora içinden gelen sesle konuşmaya başladı. Sesini diğerleri de duymasın diye fısıldar gibi çıkarıyordu:

"Haklısın. Ben de böyle düşünüyorum."

"O zaman ne duruyorsun, bir şeyler yap."

"Ne yapabilirim ki?"

"Hastane yetkililerinden izin al. Hemen İstanbul'a git ve onunla görüş."

"Evet, çok doğru; öyle yapacağım."

Sonra diğer sesler gibi konuştuğu ses de kesildi. Bora kararını vermişti, İstanbul'a gidecekti. Hemen o akşamki kıdemli nöbetçi doktora gitti. Ondan İstanbul'a gitmek için izin istedi. Ancak doktor yetkisinin olmadığını ve hastaneden çıkabilmesi için heyet raporunun gerektiğini söyledi. Tam yanından ayrılırken de çok önemli durumlarda, komutanın bir - iki gün izin verebileceğini sözlerine ilave etti.

Ertesi gün Bora, Akademi Komutanı'yla görüştü ve iki gün izin istedi. Komutan Bora'ya gülümseyerek baktı ve şöyle dedi:

"Teğmenim, seni çok iyi anlıyorum. Sağlık durumunda herhangi bir problem yok. Ama sen çok büyük bir olay yaşadın, böyle durumlarda kurul kararı olmadan hastanın taburcu edilmesi olanaksızdır."

"Ama Komutanım!.."

"Yarın kurul toplanacak. Sana belirli bir süre istirahat vereceklerini sanıyorum. Ondan sonra istediğin yere gidebilirsin."

Bora bu kelimeleri duyunca, boğuluyor gibi oldu, içinden büyük bir isyan dalgası yükseldi. Ancak mesleği ve bulunduğu pozisyon nedeniyle yapacak bir şeyi yoktu. Ertesi günü beklemesi gerekiyordu. O geceyi, paraşütle atladıktan sonra dağda geçirdiği geceden çok daha sıkıntılı geçirdi. Sabah bir türlü olmadı. Bora için, yaşamı süresince geçen en uzun geceydi.

Ertesi gün öğleden sonra toplanan kurul, yirmi gün istirahat vererek Bora'yı taburcu etti. Bora hiç zaman kaybetmeden Konya'daki Filo Komutanı'nı aradı ve durumu anlatarak, istirahat süresini İstanbul ve İzmir'de geçirmek istediğini bildirdi. Komutan isteğine olumlu yaklaştı; ancak 'kaza raporunun tamamlanabilmesi için bir hafta sonra Konya'ya filoya gel' dedi. Raporun bitirilmesinden sonra da istediği yere gidebileceğini söyledi.

Bora zaman yitirmeden ilk uçakla İstanbul'a gitti. Ebruların evlerine yaklaşırken, yüreği yerinden fırlayacakmış gibi atıyordu.

Kapıyı çaldı, açan olmadı. Bir - iki kez daha çaldı, kapı yine açılmadı. Yan komşularına sordu. İki gündür evde kimsenin olmadığını öğrendi.

Oysa ne hayallerle gelmişti buraya. 'Acaba yetişemedim de yurtdışına mı gittiler?' diye aklından geçirdi. 'Yok canım imkansız, bu kadar kısa sürede işlemleri tamamlayamazlar. Nerede olabilirler, nereye gitmişlerdir?" diye içinden geçirdi. Ama hiçbir yer aklına gelmiyordu. Sanki kafası durmuştu.

Evin sokak kapısını kaldırıma birleştiren merdivene oturdu. Başını ellerinin arasına aldı. "Allah'ım inşallah yurt dışına gitmeden Ebru'yu görebilirim," diye dua etti. O sırada hiç yabancısı olmayan bir sesin kendisine seslendiğini duydu:

"Aaa!.. Bora ne arıyorsun burada?" diyen, Nesrin Hanım'dı.

Bora karşısında Nesrin Hanım'ı görünce, birden karamsarlıktan sıyrıldı. Sevinçle oturduğu yerden fırlayıp kalktı.

"Nesrin Teyze!.. Sen, sen buradasın ne kadar güzel," dedi.

"İyi de senin Ankara'da hastanede olman gerekmiyor mu?"

"Bugün kurul kararı ile beni taburcu ettiler. Ben de zaman geçirmeden, Ebru'yu görebilmek için buraya geldim."

Nesrin Hanım'ın gözlerinden yanaklarına doğru iki damla gözyaşı süzüldü. Kendisini çok yorgun hissediyordu. Vücudu ve ruhu artık olayları kaldıramayacağız diye alarm zillerini çalmaya başlamıştı. 'Eşim vefat etti. Kızıma ve oğluma söyleyemedim, sakladım. İki çocuğum da sakatlandı. Bu yaşta bunları kaldırmak kolay değil. Çok yoruldum çok. Hâlâ bir şeyleri gizlemenin anlamı yok, benim de bazı şeyleri bazı kişilerle paylaşıp birazcık olsa gücümü toplamam lazım,' diye düşündü.

"Gel oğlum içeriye girelim, orada konuşuruz."

Onun ağladığını gören Bora, 'Benim bilmediğim bazı olaylar var sanırım,' diye içinden geçirdi. Nesrin Hanım'ın acınacak hali de yüreğini burktu.

Salona girip bir süre sessizce oturdular. Sonra Nesrin Hanım yerinden kalkarak, Bora'ya doğru yürüdü. Bora'nın yanına gelirken Bora da fırlayıp ayağa kalktı ve yanına gelen Nesrin Hanım'a sarıldı. Nesrin Hanım kendini tutamayarak hıçkıra hıçkıra ağlamaya başladı ve Bora'nın kulağına fısıldar gibi konuştu:

"Bora'cığım başımıza neler geldi neler," deyip, Mete Bey'in vefatını, kızıyla oğlunun durumlarını ve yaptığı planlamayı olduğu gibi anlattı.

Bora duyduklarına şaşırdı. "İnanamıyorum! Bizim geçirdiğimiz kazadan sonra onunla bağlantılı neler olmuş neler," diye düşündü.

"Cenazeyi ne zaman kaldıracaksınız Nesrin Teyze?"

"Yarın öğle namazından sonra."

"Tamam ben de katılırım törene."

"Bora seni gördüğüm iyi oldu, iyice bunalmıştım."

"Ben de sizi gördüğüme çok sevindim. Umarım bu buluşma Ebru ile buluşmamıza ve sorunları halletmemize de vesile olur."

"Vallahi bilemiyorum oğlum. Ebru, sana görünmeden yurtdışına gitmeye ve senin hayatından çıkmaya kesin kararlı."

"Yüz yüze konuşursak, ben onu ikna ederim."

"Eğer böyle bir şey yapabilirsen, buna en fazla ben sevinirim."

"İzmir'e ne zaman döneceksiniz?"

"Mete Bey'i defnettikten sonra hemen."

"Uygun görürseniz, birlikte gideriz."

"İyi olur. Yolda dertleşiriz."

"Ebru'nun amcası İlker Bey nasıl? Sanırım o da çok üzülmüştür."

"Evet çok üzüldü. İzmir'den birlikte geldik. O, cenazenin kaldırılabilmesi için gerekli olan resmi işleri halletmeye gitti."

❖

İlker Bey'lerin evlerine yaklaşırlarken Bora'nın yüreği yerinden fırlayacakmış gibi hızlı hızlı atıyordu. 'Canım benim!.. Beni görmeye gelirken başına neler gelmiş. Rahatsızlığı nedeniyle ondan yüz çevireceğimi sandığı için benden kaçmaya çalışıyor. Ama ben onu bırakır mıyım hiç?' diye içinden geçirdi. Ebru'yu düşünmeye öyle dalmıştı ki, İlker Bey'in eşi kapıyı açıp hoş geldiniz dediğinde daldığı hayalden ancak uyanabildi.

Salona girdiklerinde Ebru divanın üzerinde yatıyordu. Bora onun yanına gitti. Divanın yanında çömelerek, sevgiyle baktı ona. O kadar güzel ve masum uyuyordu ki, 'Ne kadar da çok özlemişim,' dedi içinden.

Yorgunluktan gözlerinin altı torbalanarak koyu kahverengi bir renge dönüşmüş olan İlker Bey, zoraki bir gülümsemeyle eşine bakarak, sordu:

"Hayatım, Ebru dün geceyi nasıl geçirdi?"

"Çok sıkıntılıydı. Sürekli Bora'nın ismini sayıkladı."

Nesrin Hanım kızının yanına geldi. Bir iskemle çekip oturdu ve onun saçlarını okşamaya başladı. Ebru gözlerini yavaşça araladı, karşısında annesini görünce belli belirsiz bir gülümsemeyle,

"Anneciğim hoşgeldin. Amerika'ya gidişimiz için hazırlıklar..." sözünü tamamlayamadan Bora'yı gördü ve bir anda konuşması kesildi. Hayretten gözleri alabildiğine büyüdü. Annesinin gözlerinin içine bakarak fısıldadı: "Anne ne konuşmuştuk, Bora ne arıyor burada?"

"İstanbul'da eve gittiğimde onu kapının önünde oturmuş olarak buldum. Nereye gittiysem peşimden geldi. Bir şey yapamadım."

Bora divanın yanına gelerek, Ebru'nun ellerini tutmak için uzandı. Ama o ellerini hızla çekti. Hiç ummadığı bir davranışla karşılaşan Bora şaşkın bir bakışla,

"Ebru'cuğum beni gördüğüne memnun olmadın galiba!" dedi.

"Hayır, öyle söylemedim."

"Ama davranışınla bunu ima ettin,"dedi Bora. "İstemiyorsan gideyim."

"Yok gitme! Seninle konuşacağım bazı konular var," diyen Ebru annesine, amcasına ve yengesine doğru baktı. "Bizi biraz yalnız bırakır mısınız?"

Onlar salondan ayrılırken, Bora onun gözlerinin içine baktı. Bakışları bir süre öylece kaldı. Kafasının içinden geçenleri okumak ister gibiydi. Sonra üzüntü ve acı dolu bir sesle,

"Söyle bakalım neymiş konuşmak istediğin şeyler," dedi.

"Bak Bora, biz ne zaman birlikte olsak sürekli sıkıntı içinde oluyoruz."

"Tam olarak anlayamadım! Sen bana, benim sana hoş olmayan olaylar yaşattığımı mı anlatmaya çalışıyorsun?"

"Hayır öyle söylemiyorum. Fakat seninle birlikteliğimiz devam ederken, hem sen hem de ben bir sürü üzüntü verici olaylar yaşıyoruz."

"Neler söylüyorsun sen? Kulaklarıma inanamıyorum!.. Birbirimize karşı olan sevgimizden söz etmiyorsun da bir sürü hikaye anlatıyorsun."

"Şimdi de kabalaştın. Benim duygularıma değer verdiğin yok ki."

"Hayatım nasıl böyle konuşabiliyorsun, sen benim biricik aşkımsın. Ben senin duygularına değer vermemek değil, senin azıcık bile üzülmene dayanamam."

Ebru, sürekli gözlerini Bora'dan kaçırıp başka yerlere bakıyordu. Bora'nın son cümlesini işitince içinden, 'Bora ne olur, beni daha fazla zorlama. Yoksa duygularıma yenik düşüp boynuna sarılacağım. Ama bunu nasıl yapabilirim ki ayağa bile kalkamıyorum,' diye içinden konuştu. Sonra, 'Güçlü olmam gerekli. Duygularıma kapılırsam, yaşamımızın sonuna dek hem o hem de ben cehennem hayatı yaşarız,' diye düşündü.

"Bora gerçekleri görmezden gelmenin ne sana yararı var ne de bana."

"Hangi gerçeklerden söz ediyorsun?"

"Sen İzmir'de uçuş eğitimi görürken, pilot olmana engel oluyorum diye bana birilerini gönderip, İzmir'den gitmemi istemedin mi?"

"Ama bunu ikimizin mutluluğu için yaptığımı sana anlatmıştım."

"İyi de ben İzmir'den kovulduktan sonra İstanbul'da ne kadar acı günler yaşadığımın farkında mısın?"

"Ben de çok acı çektim. Ahmet'in seni bırakması için az mı uğraştım?"

"Başka bir olaydan bahsedeyim: O Ceyda denilen bayanla Ahmet'in komploları yüzünden az mı acı günler yaşadık?"

"İyi de o günlerde ben de az daha delirecektim."

"Son olay, sen havada çarpıştıktan sonra aklımı oynatmama çok az kalmıştı. Neredeyse yirmi dört saat ilaçla uyuttular beni. Arkasından da trafik kazası. Abimin bir gözü tam görmüyor, benim de durumum belli."

"Aşkım, ben o dağda ve hastanede neler çektim biliyor musun?"

"İşte benim de anlatmak istediğim bu. Hem sen hem de ben sürekli acı çekiyoruz. En iyisi yollarımızı ayırmak."

"Ebru, olacak şey mi bu? Sensiz bir ortamda değil yaşamak, nefes bile alamam ben."

Ebru'nun dayanacak gücü kalmamıştı artık, neredeyse Bora'nın boynuna sarılıp; ben de seni çok seviyorum, sen benim tek aşkımsın deme noktasına gelmişti. Birden aklına belinden aşağısının tutmadığı geldi. 'Kendine gel Ebru! Sen yerinden kalkamazken, o dışarıda olacak. Senin durumunu bilen bayanlar onu elde edebilmek için neler yapacaklar neler... Birine ikisine kapılmasa, bir diğerine kapılır. Bu da yaşamımın sonu demektir,' diye düşündü.

"Zaman her şeyi unutturur," dedi Ebru. "Beni İzmir'den kovdurduğun zaman kendimi öldürmeyi o kadar çok düşündüm ki... Ama yapamadım, dayandım, sonunda sensiz yaşamaya alıştım. Endişelenme sen de alışırsın."

"Ciddi olamazsın, benimle eğleniyorsun."

"Hayır son derece ciddiyim."

"Ebru!.. Eğer rahatsızlığın nedeniyle böyle bir davranış içerisine girdiysen, çok yanlış bir yoldasın. Benim için yalnızca senin varlığın değerli. Ben sana aşığım. Senin kadınlığına değil."

"Bora biraz anlayışlı olur musun?"

"Ne için anlayışlı olayım? Yüzde yüz eminim ki sen de beni, en az benim seni sevdiğim kadar seviyorsun. Durum böyleyken neden her an benden uzaklaşıp gitmeyi yeğliyorsun?"

Bu kez Ebru, tüm gücünü toplayarak Bora'nın gözlerinin içine baktı. Bundan sonraki yaşamının tam bir cehennem hayatı olacağını bile bile her hecenin üzerine basarak, biraz da yüksek bir ses tonuyla konuşmaya başladı:

"Bora anla artık. Seninle birlikte olmak bana hep acı getirdi. Artık hayatımdan çık benim. Seninle birlikte olmak istemiyorum. Yurt dışına gidip orada yaşayacağım."

Duyduklarına inanamadı Bora. Birden şok oldu. Ne söyleyeceğini şaşırdı. Üzüntü ve kuşku dolu bir bakışla Ebru'ya baktı, omuzları çökmüştü. Ağzını açtı, sesi fısıltıyla çıktı:

"Yani her şey bitti mi diyorsun?"

"Evet, kesinlikle evet! Bundan sonra beni rahat bırak. Acısız bir yaşam istiyorum artık."

"Seninle birlikteyken benim için yalnızca aşkımız önemliydi, başka hiçbir şey önemli değildi. Bunu hiç anlayamadın mı?"

"Bora ben son sözümü söyledim..."

Oturduğu yerden bir şey söylemeden kalkan Bora, hiç kimseye Allah'a ısmarladık bile demeden evden çıkıp gitti. Çok üzgündü, dalgın dalgın yürüdü. Ayakları onu Kordonboyu'ndaki her zaman gittiği lokantaya götürdü. Lokantanın kapısına gelince biraz şaşırdı. 'Nasıl geldim buraya, hiç farkında olmadım,' diye düşündü. İçeriye girdi, köşede gözlerden uzak bir masaya oturdu. Bir şişe rakı ve yiyecek bir şeyler söyledi.

Bir şey yemeden üst üste içki içmeye başladı. Biraz sonra şişe boşaldı. Boş mideye giren içki hızla kana karışarak, kısa sürede onu sarhoş etmişti. Bir şişe daha söyledi. Lokanta sahibi Bora'yı tanıyordu. Aç karnına çok hızlı içtiğini, daha fazla içerse dokunabileceğini söylediğinde, Bora ona dik dik bakarak,

"Benim hayatım kaymış, dokunsa ne olur, dokunmasa ne olur," dedi. "Biliyor musun benim tek aşkım beni kovdu ve 'hayatımdan çık git' dedi. Bundan sonra yaşamak benim neyime, öleyim daha iyi. Haydi sana söylediğim şişeyi getir."

"Bora kardeşim, ağzına bir lokma bir şey de koymadın."

"Sana ne diyorsam onu yapsana. Parasıyla değil mi?"

Lokantanın sahibi yeni bir şişe daha getirip getirmemekte tereddüt etti. Çünkü Bora'yı bu kadar çok içki içerken, hem de hiçbir şey yemeden, ilk kez görüyordu. "Hülya Hanım'lara telefon edip durumu bildireyim," diye düşündü. O sırada lokantaya Sezen'in babası Murat geldi. Lokantanın sahibine,

"Hüseyin Bey, iyi günler, nasılsınız?" diye sordu.

"Ooo... Murat Bey hoş geldiniz. Ben iyiyim ya siz?"

"Ben de iyiyim. Bu akşama bize bir masa ayırır mısın?"

"Tabii en güzel masayı ayırırım. Kaç kişi geleceksiniz?"

"Hülya, kızım ve ben."

Hülya'nın ismini duyunca Hüseyin'in aklına Bora geldi. Murat'a Bora'yı gösterip, kısa sürede içtiği içkiden söz ederek,

"Bu çocuğun bir derdi var, ölümden falan söz ediyor."

Murat, dirseklerini masanın üzerine koyup, başını elleri arasına almış olan kişiye bakınca onun Bora olduğunu gördü ve çok şaşırdı. Onun burada olmasına hiçbir anlam veremeyen Murat, 'Sanırım Bora'ya çok benzeyen biri,W diye düşündü. Daha dikkatli baktı ona, sonra yanına doğru yürüdü. 'Bu delikanlı Bora; ama burada ne arıyor? Şimdi öğrenirim' deyip, masadaki diğer iskemleye oturdu ve ona seslendi:

"Bora merhaba."

Bora ellerini başından çekti başını kaldırdı. Murat'a baktı. Öyle sarhoştu ki onu Hüseyin sandı,

"Hani rakı nerede?" diye sordu. "Hâlâ getirmedin mi?"

"Bora, ben Murat. Tanımadın mı?"

"Kim Murat?.."

"Sezen'in babası Murat."

Bora gözlerini kısarak Murat'a baktı. Sonra gözlerini ovuşturdu. Tekrar baktı.

"Tabi ya Doktor Muraaat. Ne haber, nasılsın, ne arıyorsun burada?" diye sordu. Arkasından başı masanın üzerine düştü ve sızdı.

Murat, Bora'nın halini görünce, akşam için yaptırdığı rezervasyonu iptal ettirdi. Sonra Bora'yı alıp, Hülya'ların Güzelyalı'daki evine götürdü. Güzelyalı'ya giderken arabanın Bora'nın oturduğu taraftaki camını yarıya kadar açtı. Camın aralığından gelen serin hava Bora'ya iyi geldi. Bir süre sonra gözlerini açtı.

Kapıyı açan Elif, karşısında Murat'la birlikte Bora'yı görünce, önce şaşırdı fakat kısa sürede kendisini toparladı, ona sarıldı, yanaklarından öptü. Bir taraftan da başını hafifçe geri çevirip bağırdı:

"Sezen bak kim var burada. Bora geldi Bora."

Bu sözleri duyan Sezen merdivenleri ikişer - üçer atlayıp koşarak kapıya geldi. Bora'nın ayakta duracak hali yoktu. Ancak Murat'ın desteğiyle ayakta durmaya çalışıyordu. Sezen ona büyük bir sevgiyle sımsıkı sarıldı. Bora aşırı derecede sarhoş olmasına rağmen, iyice gergin olan sinirleri biraz gevşedi ve gözleri nemlendi. Zor da olsa kendisini tuttu ve ağlamadı; ama iki - üç damla gözyaşının yanaklarından aşağıya süzülmesine de engel olamadı. Sezen onu yanaklarından defalarca öpüp, aşırı duygusallıktan çatallaşmış sesiyle,

"Burada durduk kaldık. Hadi yukarıya çıkalım," dedi.

Bora'nın elini tuttu ve onu yukarıya doğru çekti. O sırada kapının dışında duran babasını gördü.

"Aaa babacığım hoşgeldin. Kusuruma bakma Bora'yı görünce ona kilitlenip kaldım. Yaşadıklarımızı biliyorsun..." diyerek, üzüntüsünü dile getirdi.

"Aman kızım! Neler söylüyorsun öyle... Ölümlerden dönüp geldi kardeşin. Tabii ki öyle olacaktı."

"Babacığım, haydi hep birlikte yukarıya çıkalım."

Bora sarhoş vaziyette evdekilerin karşısına çıkmaktan utanmıştı. Bu duygu onu çok etkiledi ve biraz daha açıldı ama hâlâ sarhoştu. Sezen de herkes gibi onun içkili olduğunu anlamıştı. Ama o da, diğerleri gibi Bora'nın kazadan burnu bile kanamadan kurtulmasını kutlamak için içtiğini düşünüyordu.

"Sezen, annem yok mu?" diye, Bora sordu.

"Yok. Henüz eve gelmedi."

"Nasıl, iyi mi?"

"Nasıl olsun, senin başına gelenlere çok üzüldü. Henüz kendisini toparlayamadı."

Salonda oturdular, Elif çay yapıp getirdi. Çaylarını içerken Hülya eve geldi. Bora'yı görünce sevinçten çılgına döndü. Ona sarıldı uzun uzun öptü onu.

"Çok şükür! Güzel Allah'ım seni bizlere bağışladı. İşte yine birlikteyiz," diyerek, tekrar saçlarını okşayıp, sarılarak derin derin kokladı oğlunu.

"Anneciğim, bak babam da burada. Bora'yı o getirdi eve," dedi Sezen.

Hülya Murat'ı görmüştü ama Bora'ya sarılıp öpmekten, Murat'a hoşgeldin demeye fırsat bulamamıştı. Murat'a baktı. Murat onun bir şey söylemesine fırsat vermeden konuştu:

"Hülya'cığım hiçbir şey söyleme. Son günlerde ne büyük sıkıntılar çektiğinizi biliyorum. Böyle şeylerden alınmam ben."

"Sağol. Her zamanki gibi nazik Murat'sın."

Hülya Bora'ya tekrar sarıldı, onu sıkı sıkı bağrına basarken, bir taraftan da konuşuyordu:

"Oğlum neler olduğunu telefonda anlattın ama en küçük ayrıntısına kadar bir kez daha anlat yaşadıklarını."

Bora, Ebru'yla yaptığı görüşme hariç; uçakların çarpışmasını, dağda geçirdiği geceyi ve ertesi gün Yüzbaşı Ali'yi kurtarmak için verdiği uğraşı en küçük ayrıntısına dek anlattı. Sonra da Hakan'la Ebru'nun, Ankara'ya gelirken geçirdikleri kazayı ve kaza sonucu ikisinde oluşan sakatlıklardan söz etti. Hepsi onun anlattıklarını nefes bile almadan dinlediler.

Bora sözleri bitirince, Sezen onun davranışlarından, dertleşmeye ihtiyacı olduğunu anladı. Anne ve babasından izin alarak, Bora'yı yatak odasına götürdü. Annesi de gelmek istedi; ama Sezen şu anda yalnız kalmalarının daha iyi olacağını söyleyerek, onun gelmesine engel oldu.

Odaya girdiklerinde Sezen'den önce Bora konuşmaya başladı:

"Sezen çok kötüyüm! Ne olur bana yardım et."

"Farkındayım. Onun için bir an önce seninle yalnız kalmak istedim. Sanırım seni üzen anlattıkların değil."

Bora kendisini tutamadı; Sezen'e sarıldı, başını onun omzuna yaslayarak ağlamaya başladı. Önce bir - iki damla gözyaşı yanaklarından süzüldü. Bir süre sonra gözyaşları gittikçe arttı. Sezen onun gözyaşlarının sıcaklığını omzunda hissetti. İçi bir tuhaf oldu. Yüreği sızladı. Onu hiç böyle görmemişti.

"Canım benim, ruhunda kopan fırtınanın farkındayım. Sanırım Ebru ile ilgili bir şey," dedi.

Bora başını biraz daha Sezen'in omzuna bastırarak, çok acıklı bir sesle fısıldadı:

"Sezen, Ebru beni yaşamından kovdu."

"Ne söylüyorsun sen!.. Geçen gün telefonda, senin hayatta ve sapasağlam olduğunu bana anlatırken çok mutluydu ve bir daha senin yanından hiç ayrılmayacağından söz etmişti."

"Bu sabah, 'hayatımdan çık git,' dedi bana."

"Bora'cığım, canım kardeşim benim! Ne olur kendini harap etme. Hadi her şeyi en küçük ayrıntısına dek anlat."

Bora İstanbul'a gidişini, Nesrin Hanım'la konuşmalarını, Mete Bey'in vefatını, İzmir'e gelişlerini ve Ebru'yla konuşmalarını kendi yorumlarını da katarak uzun uzun anlattı. Sezen işittiklerinden kelimenin tam anlamıyla şok oldu.

"Kulaklarıma inanamıyorum. Bunları söyleyen Ebru olamaz."

"Önce ben de inanamadım. Şaka yapıyor sandım; ama kesin olarak hayatımdan çıkmanı istiyorum deyince, ne yapacağımı şaşırdım. Süklüm püklüm arkama bile bakamadan evden ayrıldım."

"Çok üzüldüğün her halinden belli oluyor."

"Nasıl üzülmeyeyim Sezen? Biliyorsun içkiyi sevmem; ama şu anda zil zurna sarhoşum. Bu halime mi yanayım, canımdan çok sevdiğim Ebru'mu kaybettiğime mi yanayım, yoksa uğradığım hakarete mi? Artık kafam çalışmaz oldu. Onun yokluğuna nasıl dayanacağım bilemiyorum."

"Bak Bora, bana göre Ebru seni hâlâ seviyor. Belki de bugüne kadar hiç sevmediği kadar çok seviyor."

"Ya Sezen!.. Onun yüreğime hançer gibi saplanan, kılıçtan keskin sözlerini duysaydın böyle düşünmezdin."

"Bora'cığım sen de az çektirmedin Ebru'ya."

"Sezen, o günler çok geride kaldı. Ebru ile duygularımızı birbirimize açıkladığımız an, benim yeniden doğuşum oldu. Artık yeni dünyamda benim için yalnız Ebru vardı. Bir başkasına yan gözle bakmayı aklımdan bile geçirmedim," derken, yumruk yaptığı elini hızla komodinin üzerine vurdu. Sonra da, "Geçirmedim de ne oldu sanki," diyerek bağırdı.

"Güzel kardeşim benim! Ebru trafik kazası geçirene kadar sana deli gibi aşıktı. Kaza da senin yanına seni görmeye gelirken oldu."

"İyi de madem beni seviyor, neden benimle birlikte olmak istemiyor?"

"Belinden aşağısı tutmadığı için sana pek çok şeyi veremeyeceğini bildiği için senin hayatından çıkmak istiyor."

"Nasıl bir düşünce ki bu böyle? Hem sev hem ayrılmayı düşün. Hiç mi beni özlemeyecek? Halbuki ben onu, yanındayken bile özlüyorum."

Bora son kelimeleri söylerken oturduğu yerde sızdı kaldı. Sezen onu yatağa yatırdı. Üzülerek ona baktı. "Bora'cığım bu acıya nasıl dayanacaksın bilmiyorum; ama bu kez yapabilecek hiçbir şeyin yok. Mecburen yüreğine taş basacaksın," diye fısıldadı.

Sezen kapıdan çıkarken, Bora,

"Ebru ne olur beni bırakıp gitme," diye sayıklıyordu.

Ertesi gün öğleye doğru Sezen, Bora'nın yattığı odanın kapısını yavaşça açıp, kafasını aralıktan içeri doğru uzatarak ona baktı. Bora uyanmıştı; ancak gözlerini tavana dikmiş kımıldamadan öylece yatıyordu. Kapının açıldığının farkında bile değildi. Sezen kapıyı tıklattı. Bora duymadı bile. Bunun üzerine içeri girip yattığı karyolaya doğru yürüdü. Yürürken bir - iki kez öksürdü. Öksürük sesini duyan Bora, başını hiç çevirmeden,

"Gel, Sezen gel. Kardeşinin ne halde olduğunu gör," dedi. Sesi kısık ve çatallıydı.

Sezen yatağa Bora'nın yan tarafına oturdu. Eliyle onun saçlarını okşadı. Eğildi yanaklarından öptü. Fısıldar gibi konuşmaya başladı:

"Nasılsın biraz da olsa kendini toparladın mı?"

"Nasıl olabilirim ki!.. Uyandığımda henüz hava karanlıktı. O zamandan beri düşünüyorum, düşünüyorum, düşünüyorum."

"Canım kardeşim kendini bu kadar hırpalama. Birlikte bir çözüm buluruz."

"Bu işin çözümü falan yok. Neden ne olursa olsun birlikteliğimiz tamamen bitti. Tabii ben de bittim."

"Öyle söyleme. Şu anda yüreğin eziliyor, yaşamanın anlamı yokmuş gibi geliyor sana. Ancak zaman her sıkıntının küllenmesini sağlar."

"Ah Sezen ah!.. İçimde yanan ateşin külleneceğini hiç sanmıyorum."

"Öyle söyleme, sen çok güçlü bir insansın. Yeter ki kendini kapıp koyuverme. Hatırlasana daha çocuk yaştayken yaşadığın o talihsiz trafik kazasını ve aileni kaybedişini. Sen o yaşında, dayanılması imkansız olan acılara göğüs germesini bildin. Aynı şeyi yine yapabilirsin."

"Bu kez çok farklı. Ebru benim karanlıklarımı aydınlatan bir güneşti. Yüreğim onunla dopdoluydu. Şimdi ne oldu? Her şey kapkaranlık, yüreğim bomboş. Bundan sonra kim karanlıkları aydınlanıp, yüreğimi dolduracak. Ben öyle bir sevgiyi bir daha bulacağımı sanmıyorum."

"Bu kadar karamsar olma. Ben gider Ebru'yla konuşurum."

"Sahi konuşur musun?"

"Tabii konuşurum."

"Beni teselli etmek için böyle konuşuyorsun. Ben bitmişim artık."

"Bora kendini biraz toparla. Senin bu durumuna, en az ben de senin kadar üzülüyorum. Annem de öyle. Annem, babam, ben sabaha dek oturduk senin durumunu görüştük."

"Desene herkese sıkıntı veriyorum."

"Sen sıkıntı vermiyorsun. Biz seni çok seviyoruz."

"Eksik olmayın."

"Haydi kahvaltıya gidelim."

"Yok sen git. Ben bir şey yemeyeceğim."

"Ama annem, babam herkes seni bekliyor. Kimse işe gitmedi bugün."

"Deme be. Herkes beni mi bekliyor şimdi?"

"Evet, kahvaltı masası hazır."

"O zaman hemen giyineyim. İnsanları daha fazla bekletmeyelim."

HAVA ALANI

Sezen Ebru'yla konuşmaya gitti. Görüşme sırasında Bora'nın onu çok sevdiğini ve şu anda ne durumda olduğunu anlattı. Ebru Sezen'i dinlerken bir taraftan da için için ağlıyordu. Ebru, Bora'nın hayatından neden çıkmak istediğini, gerçek düşüncelerini söyleyerek açıkça anlattı. Son olarak da şöyle dedi:

"Eğer Bora'yla birlikteliğimizi sürdürürsek, ben ya deliririm ya da intihar ederim. Senden anlayış bekliyorum Sezen."

"Sana hak veriyorum Ebru; ancak inan ki kısa süre içerisinde yaşananlara yürek dayanmaz. Bakalım nasıl kalkacağız bu yükün altından."

"Sezen zaten perişan oldum lütfen bu görüşmeyi daha fazla uzatmayalım."

"Peki gidiyorum. Sana iyi yolculuklar. İnşallah bu davranışından pişman olmazsın."

"Üzüleceğim; ama pişman olacağımı sanmıyorum."

"Umarım... Haaa yolculuk ne zaman?"

"Yarın on uçağıyla İstanbul'a oradan da ABD'ye uçacağız."

"İyi yolculuklar."

Sezen, Ebru'ya hak vermiş aynı zamanda da ona çok acımıştı. Kısa süren konuşmaları sırasında onun Bora'yı hâlâ çok hem de pek çok sevdiğini anlamıştı. Öbür taraftan Bora'nın da onu çok sevdiğini biliyordu. 'Ne olacak bu işin sonu? Birbirini deliler gibi

seven iki kişi; ama bir türlü birlikte olup mutluluğu yakalayamı-
yorlar,' diye içinden geçirdi.

Eve gelinceye kadar hep onları düşündü. Kendince bir çö-
züm bulmaya çalıştı ama bulamadı. Bora heyecanla ve sabırsız-
lıkla Sezen'i bekliyordu. Sezen'in geldiğini duyunca, merdiven-
leri ikişer - üçer basamak atlayarak Sezen'in yanına geldi. Onun
suratının dalgın olduğunu görünce, 'Sanırım Ebru'yu ikna ede-
medi,' diye düşündü. Merakla sordu:

"Ne oldu?"

Sezen ne söyleyeceğini bilemedi. Ebru düşüncelerinde haklı
dese kardeşinin allak bullak olacağını biliyordu. Çok uğraştım;
ama gitmemesi için ikna edemedim dese Bora'nın çok üzülüp,
yine alkolden teselli bulmaya çalışacağını tahmin ediyordu.

"Ya Bora, Ebru'ya çok acıdım. Allah kimseyi o durumlara
düşmesin. Yalnız oturup yatabiliyor, tüm ihtiyaçlarını bir başka-
sının yardımıyla giderebiliyor. Ne korkunç bir şey," dedi.

"Sezen sen ne söylemek istiyorsun?"

"Hiçbir şey. Sanırım Ebru'nun yeni durumuna alışması epey
zaman alacak."

"Lafı ağzında geveleyip durma Sezen, konuşmanızın sonucu
ne?"

"Bora'cığım beni sıkboğaz etme. Bir nefes alayım. Haydi be-
nim odama gidelim orada konuşalım."

Bora, Sezen'in Ebru'yla konuşmasının olumlu sonlanmadı-
ğını ve Sezen'in bu haberi vermeye dilinin varmadığını anlamış-
tı. Son umudunun da uçup gittiğini anlamak, moralini iyice boz-
muştu. Yıkılmış olarak Sezen'i takip etti. Odaya girince kapıyı
kapattı. Gözleri kıpkırmızı olmuş ve nemlenmişti. Hüzün dolu
bakışla Sezen'e baktı. İçinde fırtınalar kopuyor, şimşekler çakı-
yordu. İstem dışı Sezen'in ellerini tuttu.

"Demek her şey bitti ha!.." diye mırıldandı.

"Öyle söyleme Bora; hemen de kötümser olma."

"Nasıl olmayayım ki yaşamıma anlam veren, yanındayken zamanın bile durduğu aşkım yok artık. Buna yürek nasıl dayanır?"

"Bora'cığım Ebru'ya da biraz hak ver. Hep kendini düşünme. Onu da düşün."

"Zaten hep onu düşünüyorum. Şu anda bile bakışlarının sıcaklığını özlüyorum, gülen yüzünü özlüyorum; teninin yumuşaklığını özlüyorum. Elini tuttuğumda yüreğimin hızlı hızlı atışını özlüyorum; nefesinin ılıklığını özlüyorum. Özlüyorum, özlüyorum, özlüyorum!.."

"Güzel kardeşim benim. Bir de madalyonun öbür yüzüne bak. Yani Ebru'nun duygularını anlamaya çalış. Onun dünyası yerle bir olurcasına yıkıldı. Düşünsene, artık yürüyemeyecek, koşamayacak, oturup kalkamayacak. Bunlar ilk akla gelen fiziksel eksiklikler. Bunların ötesinde, her bayanın düşü olan çocuk doğurmak, onu kendi elleriyle büyütmek onun için yok artık. Dahası kendini sana verip seni mutlu edememek. Tüm bu söylediklerimin onun ruhunda açtığı derin yaralar öyle bir iki günde iyileşecek şeyler değildir. Şunu da söyleyeyim ki, Ebru seni çok seviyor. Sanırım senin onu özleyişinden çok daha fazla seni özlüyor. Böyle olmasına karşın yüreğine taş basıp gidiyor. Çünkü önce kendisiyle barışması gerekli. Bu da uzunca bir zaman alır."

"Haklısın ben ondan çok kendimi düşünüyorum. Ama benim de ikimiz için bir şeyler yapmam gerekli değil mi?"

"Evet yapman lazım. Yapman gereken şey de ondan uzak durmak. Ta ki o, kendisiyle barışıncaya dek."

"Sezen doğru söylüyorsun ama gel gör ki çok acı çekiyorum. İçimde bir yer, dayanılması imkansız bir şekilde sızlıyor."

"İşte sevginin, aşkın büyüklüğü bu acı ve sızılara katlanmaktır."

"Sanırım haklısın..."

Bora derin bir düşünceye daldı. Sezen onun, üzüntüsünün üzerine söylediği sözlerden kendisine karşı kırıldığını düşündü. "Gönlünü alayım bari," diye aklından geçirdi.

"Bora'cığım sözlerimden bana kırılmadın değil mi?" diye, pişman olmuşluğu ifade eden yumuşak ve tatlı bir sesle sordu:

"Hayır kesinlikle kırılmadım. Ben sana kırılabilir miyim hiç?"

"Ne bileyim, suratını astın gibi geldi."

"Yanlışlarımı düşünüyordum," dedi Bora. "Sen bana doğruyu gösterdin. Çok haklısın, ben şu anda Ebru'nun ruhunda kopan fırtınaları hiç düşünmedim."

Sezen kulaklarına inanamadı. Bu kadar kısa bir sürede Bora'nın düşüncelerinde böyle bir değişikliği hiç ummamıştı. Bundan sonra Bora'nın daha az acı çekerek, yavaş yavaş Ebru'yu unutacağını hissetmişti.

"Bora biliyor musun, babam dün gece seni eve getirdikten sonra seneler sonra ilk kez bu evde kaldı. Bunun benim için ne denli sevindirici bir şey olduğunu, ancak sen anlayabilirsin."

"Senin adına çok sevindim. İnşallah hep burada sizlerle birlikte kalır."

"İnşallah."

"Ya Sezen, Ebru'yu Türkiye'den ayrılmadan bir kez daha görebilsem."

"Ama biraz önce söylediklerinle çelişkili değil mi bu arzun?"

"Yalnızca görsem diyorum. Konuşsam demiyorum."

"İyi de dün gördün. Bir kez daha görmekle ne değişecek ki?"

"Dün ona bencil duygularımın etkisiyle baktım. Bu kez onun da duygularını hesaba katan bir gözle bakacağım. Ama onu bir kez daha nasıl göreceğim ki? Bunun olasılığı yok gibi."

"Belki bir yolu vardır."

"Nasıl bir yol olabilir?"

Sezen, Ebru'yla annesinin yolculuk planlarını Bora'ya anlattı.

"İstersen yarın sabah hava alanına gideriz, göremeyeceği bir yerden onu izleyebilirsin," dedi.

"İyi de onun bizi görmeyeceği bir yer ancak güvenlik görevlerinin bulunduğu yer olur. Oraya da bizi almazlar."

"Hava Alanı Karakol Amiri babamın iyi arkadaşıdır. Sanırım o bize yardımcı olur."

"Eğer Murat Bey, bu konuda bana yardım ederse, ona minnettar olurum."

Bu görüşmeden sonra Sezen babasıyla görüşerek, ona her şeyi anlattı ve ertesi gün için yardım istedi. Murat Bey de zaman kaybetmeden Karakol Amiri ile görüşerek, ona durumu anlattı ve Bora ile Sezen'e yardımcı olmasını rica etti.

Sabah saat dokuza gelirken Bora ile Sezen Hava Alanı'na geldiler. Karakol Amiri güler yüzle karşıladı onları. Kısa süren nezaket sözcüklerinden sonra birlikte dış hatlar yolcu bekleme salonunun izlendiği gözetleme odasına gittiler. Bu odanın yolcu bekleme salonuna bakan kısmında bir tarafı ayna gibi olan ve diğer tarafından bakılınca salonun içi rahatça görülebilen özel bir cam vardı.

Bir süre sonra Ebru ve annesi kontrol noktasından geçip salona girdiler. Onları görünce, Bora aşırı derecede heyecanlandı. Oturduğu yerden kalkarak, cama doğru yaklaştı. "Canım Ebru'm yüzün koyu sarı bir renge bürünmüş; belli ki çok acı çekiyorsun," diye aklından geçirdi. Bora'nın üzüntüyle Ebru'ya baktığını gören Sezen onun yanına gelip, elini tutarak,

"Bora, Ebru'nun durumunu görüyorsun değil mi?" dedi.

"Evet... hayalet gibi olmuş."

"Umarım bir an önce kendisini toparlar."

"Sezen biliyor musun? Ebru'yla aramızdaki aşk, onun ışıl ışıl yanan mavi gözlerinde anlam kazanıyordu ama o gözler şimdi karanlık bir kuyu gibi. Solgun ve cansız."

"Evet. Onun için çok üzülüyorum."

Bora, Ebru'ya o denli büyük bir sevgiyle bakıyordu ki, Ebru istem dışı başını, Bora'nın kendisine baktığı aynalı cama doğru çevirdi. Onu görmediği halde yüreği birden hızlı hızlı arttmaya başladı. Annesinin elini sıkıca tutarak mırıldandı:

"Canım Bora'm, şu anda seni öyle güçlü hissediyorum ki sen buralarda bir yerdesin. Şu taraftasın bunu çok iyi hissediyorum; ancak seni göremiyorum."

Bir süre bakışlarını aynadan ayıramadı Ebru. "Elveda Bora," dedi içinden.

Heyecanla Sezen'in elini tutan Bora,

"Sezen!.. Ebru'ya bak nasıl bu tarafa bakıyor, benim burada olduğumu hissetti," dedi.

"Evet hissetti. Bak yüzündeki karamsarlık bir parça da olsa kayboldu."

"Güle güle aşkım!.. Yolun açık olsun... Umarım kısa sürede yeniden birlikte oluruz," diye mırıldanan Bora'nın, kızaran gözlerinden iki damla gözyaşı yanaklarından aşağıya doğru kaydı.

"Güzel kardeşim!.. Şu anda Ebru için dua etmekten başka bir şey gelmiyor elimizden."

Haklısın anlamında başını yukarıdan aşağı bir kaç kez salladı Bora. Sonra gözleriyle hep takip etti Ebru'yu. Ta ki yolcular uçağa binmek üzere salondan ayrılana dek. Ebru salondan çıkarken de sanki o görüyormuş gibi arkasından el salladı ve ağzından şu kelimeler döküldü:

"Yaşamın anlamı kalmadı artık,
Dünyam dönmemek üzere durdu sanki,
Güneş ışıldamayacak bundan sonra,
Ta ki yeniden birlikte olana dek."